La niña de sus ojos

books4pocket

Jessica Barksdale Inclán

La niña de sus ojos

Traducción de Rocío Martínez Ranedo

EDICIONES URANO

Argentina - Chile - Colombia - España
Estados Unidos - México - Uruguay - Venezuela

Título original: *Her Daugther's Eyes*
Copyright © 2001 *by* Jessica Barksdale Inclán

© de la traducción Rocío Martínez Ranedo
© 2002 *by* Ediciones Urano
        Aribau, 142, pral. – 08036 Barcelona
        www.edicionesurano.com
        www.books4pocket.com

Diseño de la colección: Opalworks
Imagen de portada: Getty Images
Diseño de portada: Imasd

Impreso por Novoprint, S.A.
Energía 53
Sant Andreu de la Barca (Barcelona)

Fotocomposición: books4pocket

ISBN: 978-84-96829-67-1
Depósito legal: B-7.891-2008

Impreso en España – *Printed in Spain*

Para Rebecca y Sarah...
como se llamen.

Agradecimientos

Mi agradecimiento en primer lugar a Kris Hults Whorton, lector atento y generoso que me orientó en las distintas etapas de este libro con buen humor y útiles palabras de crítica. Julie Roemer leyó con avidez las distintas versiones del manuscrito y su capacidad de respuesta emocional me fue de enorme ayuda. Las divertidas lecturas críticas de Darien Hsu fueron todo un reto y suscitaron en mí un fervor perdurable por los aspectos formales de la edición que tengo que agradecerle. Beth Moore, experta jurista y socia de Stairmaster, me proporcionó un sólido asesoramiento sobre derecho de familia y leyó tres borradores poniendo en ello afán, alegría y estímulo en el sentido más estricto. También quiero darles las gracias a Anita Feder-Chernila, Cristina García, Marcia Goodman, Gail Offen-Brown, Jackie Persons, Kristen y Alan Obrinsky, Basudha Sengupta, Marissa Gómez, Mara McGrath y George Pugh, Maureen O'Leary, Meg Bowerman, Susan Browne, Leonore Wilson, Judy Myers, Joan Kresich, y al Diablo Valley College. Connie Hughes y Michelle Smith siempre creyeron en que el libro se haría realidad. En Pam Bernstein and Associates todo el mundo —Fiona Capuano, Shana Kelly, Donna Downing y Pam Bernstein— se mostró animoso, lleno de energía y de una certeza impecable en sus críticas. Creo que no hubiera podido encontrar mejor editor para mi primera novela que Carolyn Nichols, de la que aprendí muchísimo y que llevó todo el proceso de principio a fin sin tropiezos. Pero más que nada y ante todo quiero expresar de forma muy especial mi gratitud y mi amor por Jesse, Julien y Mitchell Inclán, por Carole Jo Barksdale y por Bill Randall.

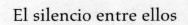

El silencio entre ellos

Desde luego no era la clásica habitación de niños. A ninguna mamá de Wildwood Drive se le habría pasado por la cabeza poner ese cuarto sin haber hecho primero innumerables visitas a I Bambini y a Craddle in Arms y reunir el correspondiente cargamento de felpas de algodón, prendas de punto color pastel y juegos de cama acolchados. Pero allí, en aquella habitación que daba a la calle plantada de sicomoros, nadie había vestido un moisés con lazos y tira bordada, ni había pintado una luna gigante en el techo sobre una cuna. No había pilas de blancos y crujientes pañales ni suaves pijamitas, no había lujosos muebles de roble, ni mullidos ositos de peluche ni móviles musicales. Sin embargo, en el interior del armario, donde ya no quedaba ni rastro de deportivas Air Jordan, botas Martens o bolas de pelos, Kate y su hermana quinceañera Tyler habían acondicionado una cuna recortada en una caja de cartón con una colchoneta de cámping lavada y cortada a medida, sábanas compradas por Kate en la tienda de segunda mano por cincuenta centavos, y una gastada mantita que habían encontrado en el baúl metálico del sótano. La mantita, que había sido rosa brillante en tiempos y se había decolorado hasta quedar del color de un helado de menta derretido, era uno de los muchos objetos de los que la madre de Kate se había sentido incapaz de deshacerse. «Son mis recuerdos», solía decir Deirdre sonriente mientras doblaba una desteñida camiseta de bebé, un diminuto traje de playa o un peto de esos que a fuerza de uso parecía haberse convertido en una segunda piel; era como si, al crecer, todos los momentos felices se les hubieran quedado pequeños y se les hubieran caído, y ella los guardaba bajo llave en el baúl del abuelo para poder volver a verlos algún día.

Pero el hecho es que su madre había muerto, y Davis, su padre, estaba siempre trabajando y pasaba la mayoría de las noches en casa de su novia, Hannah. Kate se sentó en silencio en el interior del armario, con la puerta cerrada, a oscuras salvo por el redondelito de luz que entraba por la cerradura. Aspiró el aire, todavía olía a polvo, a pesar de que había pasado horas allí dentro armada de cubos y trapos. Pensó primero en usar detergente Pledge o amoniaco al limón, pero le asaltó la duda de si no serían venenosos aquellos líquidos amarillentos, si no sería aún más peligroso respirar eso que el aire polvoriento del armario. El caso es que, a pesar del polvo y de la oscuridad, allí estaba Kate sentadita, sintiendo la dura madera bajo sus piernas, con los olores de su infancia, tan próxima, en la garganta, y la caricia de la ropa que le rozaba las mejillas, la frente y el pelo.

Kate oyó cerrarse la puerta de entrada. Antes de levantarse se subió la camiseta y se pasó la mano por la tripa, sobre la suave y tensa piel y el pliegue del ombligo, como si quisiera despedirse. Antes ya sabía cómo se hacían los niños, pero hubiera sido imposible que nadie le enseñara lo que era de verdad un embarazo, salvo que hubieran sido capaces de transportarla desde su antiguo y esbelto cuerpo, al que ahora tenía. Mes tras mes, aunque al principio nadie salvo ella misma hubiera podido percibirlo, pudo ver cómo su piel se estiraba, cómo crecía y finalmente se movía, un milagro que ni siquiera el sexo podía explicar, mientras en sus entrañas sentía una revolución a la que ninguna experiencia humana podía compararse. En aquel preciso instante estaba palpando lo que pensó que podía ser la espalda del niño, un arco de hueso que se movía bajo la piel de su vientre. Otras veces era el ángulo de un codo o de una rodilla lo que apuntaba de pronto en la superficie de su abdomen mientras sentía al niño girar en su interior. Kate se figuraba al niño, su cuerpo, fuera de ella, en el mundo, y se imaginaba a sí misma llevándolo en brazos, inclinándose sobre la caja y dejándolo sobre las mantas, como cualquier madre.

—Ya estoy aquí —dijo Tyler entrando en la habitación—. ¿Qué estás haciendo?

Kate se bajó la camiseta y se levantó.

—Nada, pensaba.

Tyler se retiró el pelo de la cara y se echó a reír.

—¿Metida en el armario? ¿Y en qué pensabas? ¿En la cuna?

—Sí, en la cuna. —Kate se dirigió hacia Tyler y cogió la bolsa de papel que llevaba su hermana en la mano—. ¿Qué traes?

Tyler sonrió mientras le quitaba la bolsa de las manos a Kate y luego se sacó el jersey.

—No te puedes imaginar las cosas tan monas que he conseguido. A ver, a ver si lo adivinas.

—No tengo ganas de adivinanzas.

—¡Venga! Llevo toda la mañana… Por lo menos inténtalo.

Kate se sentó en la cama, le parecía que le pesaba el cuerpo y la cabeza.

—No quiero. Tengo hambre.

Tyler sacudió la cabeza, cerró los ojos, y por fin se volvió hacia Kate, con los brazos cruzados sobre el pecho.

—Oye, yo no tengo por qué hacer esto, pero lo hago, ¿no? Sólo quiero que veas lo que he encontrado, ¿vale?

Kate sabía que tenía que estarle agradecida, pero lo único que quería era comer y dormir. El mero hecho de estar allí de pie en el armario ya la hacía sentirse cansada y poco le importaban las cositas que hubiera podido encontrar su hermana para el bebé. Notaba que su cuerpo se iba aquietando, como si alguien hubiera echado una cortina sobre ella; todas las tardes a primera hora le pasaba lo mismo. Estaba despierta, pero inmovilizada, como si toda la sangre de su cabeza se hubiera ido a otros órganos que la necesitaran más: corazón, hígado, útero, riñones, placenta... Tenía la impresión de que sentía el latido de su corazón en cada una de sus venas, en cada una de sus células; casi podía ver la pulsación de la sangre detrás de sus ojos.

Tyler siguió hablando y Kate sabía que debía mostrarse más agradecida porque su hermana había dejado sus amigos, sus actividades de animadora, y hasta sus deberes escolares por ella y el niño. Pero algo la impulsaba a tirar de un manotazo la bolsa sobre la cama y ponerse a dar voces. Sentía ganas de gritar: «¡La maldita cuna está en el puñetero armario! ¿De qué más quieres que me ocupe? ¡Todo va fatal!», pero no lo hizo porque no quería dar crédito a sus propias palabras. No habría podido soportar que Tyler saliera dando un portazo, como había hecho la primera vez que ella le explicó lo del niño. Y a esas alturas del embarazo, no podía soportar más días de silencio, incertidumbre y miedo, desesperada como estaba por sentir que alguien la iba a ayudar. No quería verse aún más sola de lo que ya estaba.

—Vale, de acuerdo. ¿Qué has traído?

—Mira —dijo Tyler cubriendo la colcha de pequeños objetos de plástico y tela—. Esto es un chisme para la nariz —dijo cogiendo una perilla de goma azul—. Creo que es para los mocos; para sacarlos.

—¡Puaj! —exclamó Kate. Lo cogió y apretó la perilla que volvió a su forma original y se quedó escuchando el ruidito del aire que volvía a llenar la goma—. Es como una manga pastelera. Anda, déjame probarlo contigo.

Tyler la rechazó impaciente.

—¿No quieres ver todo lo demás? Mira, fíjate cuántas cosas: esto son unos patucos, y esto unas manoplitas. La señora me ha dicho que los bebés a veces se arañan la cara. Y esto es un imperdible para sujetar el chupete a la ropita, o adonde sea… No tenían chupetes. La señora me ha dicho que teníamos que comprar esos nuevos, pero que vigilaramos pues pueden ser peligrosos y eso. Bueno, lo que me ha dicho realmente es que no había que darles chupetes a los niños, pero yo ya lo había comprado.

Kate escuchaba a su hermana.

—¿Qué señora? —preguntó por fin interrumpiendo a Tyler que jugaba con un mordedor de agua haciéndolo girar con el dedo índice.

—¿Qué quieres decir? —contestó esta volviendo hacia Kate sus ojos castaños como canicas ambarinas y veteadas.

—Acabas de decir «la señora me ha dicho», ¿qué señora? ¿Qué señora y qué es lo que te ha dicho?

Tyler se tapó la cara con la melena rubia y empezó a guardarlo todo en la bolsa.

—Ah, la señora de la tienda de segunda mano. Voy a meter todo esto en el armario. ¿Sigues teniendo hambre? Puedo hacer unos sándwiches de queso fundido y unos batidos. ¿Han vuelto a llamar del colegio?

—Tyler, ¿qué señora? —dijo Kate, mientras sentía que aumentaba el martilleo tras sus ojos y que toda la habitación retumbaba al ritmo de su pulso.

Tyler se sentó sobre la cama y pasó suavemente la mano por el brazo de Kate.

—Todo va bien. Me he pasado por la clínica antes de volver a casa, nada más. Es que estoy preocupada. Las únicas que sabemos lo que está pasando somos tú y yo. Y tú estás siempre tan cansada... Creo que... Tengo miedo, Kate; creo que no puedo hacerlo.

Tyler reclinó la cabeza sobre el hombro de Kate, pero esta se puso bruscamente en pie. Su hermana seguía sentada en la cama con la cabeza vuelta hacia la derecha.

—¿Has ido a la clínica de Oak Creek? ¿Y qué les has explicado? ¿Les has dado tu nombre? ¿Y si llaman, Tyler? ¿Y si se entera papá?

Tyler se enderezó y se puso de pie, con los brazos en jarras.

—¿Bueno, y qué?, ¿qué porras puede pasar? ¿Y qué si se entera todo el mundo? No creo que sea la primera vez que ocurre algo así, ¿no? ¿O es que nadie ha tenido nunca un niño? Que yo sepa no eres la Virgen María, ni nada parecido.

—¿No lo entiendes, verdad?

—No, no lo entiendo. Además no lo he entendido

nunca. ¿Por qué tenemos que hacer las cosas así, Kate? No tienes por qué ir a Oak Creek, ni siquiera a Concord para tener el niño. Cuando te pongas de parto, podríamos ir al hospital de Point Jerusalem o al de Briones y papá ni siquiera se enteraría. Después volvemos y todo volverá a ser como antes. Quiero decir que podemos ocultar al niño, y así seguro que estaréis bien. Me da miedo hacerlo aquí. No quiero hacerlo aquí. No quiero hacerlo yo sola, Kate —dijo Tyler mirando a su hermana—. ¡Por favor dime si hay algo que yo no sepa! ¿Por qué tenemos que hacerlo así? No se lo diré a nadie, aunque sea —Tyler tomó aire y tragó saliva—, aunque sea algo horrible. Te lo juro.

Kate quería decirle: «Por supuesto, te lo voy a decir. ¡Dios, quiero poder decírselo a alguïen!»; pero en vez de eso contestó:

—No puedo decírtelo Tyler. No puedo, y no se hable más.

—Pero ¿por qué? ¿A quién se lo iba a contar yo? ¿Por qué no confías en mí? —preguntó Tyler levantando los brazos y dejándolos caer lentamente con gesto desolado.

Kate empezó a decir:

—Eres la única persona en quien confío. —Pero luego se calló, como si el aire en su boca fuera inútil y las palabras hubieran quedado enredadas en las cuerdas vocales en tensión. No le quedaba nada para darle a su hermana, al menos nada que Tyler pudiera querer; no tenía palabras tranquilizadoras, ni planes secretos, ni un novio apasionado que estuviera esperándola con un coche de los que corren, un montón de dinero y disculpas para todo el mundo. No había «fueron felices y comieron perdices». No había más que un día tras otro de embarazo, los momentos anteriores al parto, y luego nada, sólo la esperanza de que, de alguna manera, con un bebé en los brazos, todo el mundo acabaría perdonándola.

Tyler esperó alguna palabra por su parte y luego, al ver que Kate no decía nada, se sentó en la cama, tapándose los ojos con las manos. Kate seguía de pie ante ella, recordando cuando eran más pequeñas y jugaban a las casitas; a Tyler siempre le tocaba ser el bebé, aunque sólo se llevaban un año y medio, Kate siempre hacía de mamá o papá, siempre se ocupaba de todo. En general era una buena madre, la tapaba a ella y a veces a sus amigas Alicia y Britanny en las camas de juguete, hacía comiditas en *tupperwares* desparejados que cogía de la cocina, inventándose los cuentos que fingía leer en aquellas páginas incomprensibles. Y luego, mucho después de aprender a leer, después de que muriera su madre, siempre encontraba libros como *Heidi* o *El jardín secreto* para leérselos a Tyler antes de que se durmiera, acunándola con los predecibles finales felices de toda la vida.

Kate se sentó y agarró la muñeca de Tyler cercando con sus dedos aquellos delicados huesos, como si tratara de hallar en el cuerpo de su hermana las palabras adecuadas, algo que pudiera consolarlas a ambas.

—Lo siento. Has hecho tanto por mí, Tyler… Probablemente no me lo merezco, y yo también tengo miedo. Pero no quiero que nadie se entere. No puedo arriesgarme a que alguna señora de la clínica se piense que la mejor forma de ayudar es llamar a papá, y que papá aparezca de pronto y nos pille; que me vea así o peor todavía. —Kate hizo una mueca imaginándose una escena de parto, sangre por todas partes, a ella misma dando voces y a su padre abriendo la puerta del dormitorio y encontrándose con una criatura recién parida. Luego vendrían las preguntas, y ella no sabía qué consecuencias podían tener sus respuestas. Necesitaba tiempo, tiempo para pensar, y para que salieran las palabras adecuadas; para que todo fuera mejor, necesitaba tener al niño.

—Mira, ya sé lo que vamos a hacer. Vamos a leernos todos los libros, y si algo sale mal, llamamos al 911. De verdad, en cuanto se nos presente el menor problema, aunque no tendremos ninguno. Te lo juro, no pasará nada.

Tyler levantó la vista, el pelo le tapaba la cara.

—Pero ¿y luego, qué? ¿Qué pasará luego? ¿Cuánto tiempo podremos tener aquí al niño, Kate?

Esta se levantó y anduvo hacia el armario, con la vista fija en la cuna.

«Probablemente el niño ni siquiera llega a dormir aquí —pensó—. Quizá me pillen y me manden a un hogar de acogida para menores. A lo mejor me lo quitan.»

El día que Kate halló refugio en el cuerpo del padre de su hijo y su cuerpo palpitó al compás de otra sangre, otro aliento y otros sonidos, no pudo imaginarse que llegaría un día incierto en el que se encontraría con la vista fija en un armario convertido en cuna, inquieta por si alguna empleada de clínica metomentodo acababa presentando una denuncia contra ellos ante los cotilleos del vecindario: «Esa familia…, es como una maldición; desde que murió la madre todo ha sido un disparate».

Kate sacudió la cabeza, ¡ojalá hubiera estado allí su madre para decirle lo que tenía que hacer y en quién podía confiar! Pero Deirdre ya no estaba, nunca volvería, y Kate sabía que tenía que guardar a su hijo, guardarlo con mucho cuidado, guardárselo para ella sola hasta que llegara el momento en que pudiera decir: «Es mío. El niño es mío». Lo mismo que su madre había hecho con ella y con Tyler, día tras día, casi hasta el último aliento.

—No sé —dijo Kate—. Mira, de verdad, tú confía en mí, y nada más. ¿Vale? No sé cómo, pero todo saldrá bien. Te lo juro.

Más tarde, en la cocina, Kate y Tyler se sentaron ante la barra de azulejos sorbiendo el batido de chocolate que Tyler había hecho con dos tarrinas de Häagen-Dazs y sirope de caramelo Hershey. Kate se había comido dos sándwiches de queso, el cheddar caliente había llenado el plato de filamentos pringosos. Ante la ventana abierta de la cocina, pasaron Jamie y Jessica, los niños de los Anderson, que volvían de la escuela primaria que había a dos manzanas de allí; cuando llegaron al camino de entrada de su casa se volvieron y estuvieron haciendo pases con la pelota hasta que finalmente saludaron con la mano a los niños del otro lado de la calle y entraron en casa para hacer los deberes o ver la tele. De repente lucía el sol, era esa extraña primavera pasada por agua, como siempre en enero; el sol sólo aparecía cuatro horas a la semana para acariciar las verdes laderas de las colinas cubiertas de espesos robledales. Pero en aquel instante se hizo el milagro: un soplo de primavera cargado de efluvios de ciruela y acacia se coló en la cocina, la luz y el viento entraron en un remolino de motas de polvo y retazos de voces infantiles que envolvió a las niñas. La mirada de Tyler se fue tras los críos mientras Kate se preguntaba qué era lo que más echaba de menos.

—Jo, estaba buenísimo —dijo Kate interrumpiendo el silencio de Tyler y sorbiendo ruidosamente con la pajita, haciendo el típico ruido que, en un restaurante, hubiera producido de inmediato el murmullo de «¡Para!» que su madre acompañaba alzando la ceja izquierda.

—¿Quieres otro? —preguntó Tyler saltando del taburete—. Me encanta hacerlos.

Se quedó del otro lado del mostrador, y Kate miró a su hermana. No parecía que quedara rastro de la mirada preocupada que tenía apenas unos segundos antes. Aunque Kate sabía que no era cierto, Tyler parecía haber olvidado ya el motivo de la pelea, el parto inminente, dispuesta de nuevo a lanzarse en la producción de sándwiches o la compra de pañales. «Me gustaría parecerme más a ella», pensó Kate, a sabiendas de que había cosas en su cabeza que ya debería haber olvidado o desechado, pero que se habían quedado como bloqueadas: la enfermedad de su madre, las visitas al hospital, el día en que su padre conoció a Hannah, el día en que la tocó por primera vez un hombre y cómo deseó que él siguiera más y más. Pero habría querido ser como Tyler, que parecía provista de un interruptor que le permitía apagar a voluntad, perdonar y seguir adelante, empezar cada nuevo día sin la rémora del pasado que sentía como un pecado.

—¿Bueno, qué? —preguntó Tyler.

—No. Estoy llena, pero estaba buenísimo —dijo Kate llevándose el vaso a los labios para beberse las últimas gotas del batido.

—De acuerdo. ¿Qué más hay que hacer hoy?

—Yo lavo los platos.

—No —dijo Tyler—, me refiero al bebé.

—Ah, ya. He sacado prestados estos libros de la biblioteca: el doctor Brazelton, el doctor Spock...

—¡Anda, el vulcaniano! ¿Y qué sabe ese de niños? —dijo Tyler—. ¡Larga vida y... a parir!

Kate se levantó y llevó los platos al fregadero.

—No digo el señor Spock, digo el doctor Spock. Anda trae los libros de mi cuarto. Están debajo de la cama, en mi mochila.

Tyler fue a buscarlos y Kate llenó la pila de agua caliente y jabonosa, mientras miraba la placa que su madre había clavado en el armarito un año antes de morir: «Mi casa tiene la limpieza precisa para la salud y el desorden preciso para la alegría». Y desde luego la casa antes estaba bastante más limpia: se fregaba el suelo una vez a la semana, se limpiaba la plata de la abuela cuando venían visitas, se quitaba el polvo de los ventiladores del techo y se pasaba el aspirador por los rincones para quitar las telarañas. Ahora, pensaba Kate casi riéndose, las arañas tenían una vida larga y feliz, criaban a sus hijos sin tener que cambiar de lugar, y por todos los rincones, en el techo y en el quicio de las puertas, colgaban ristras de insectos muertos enredados en sus hilos. Pensó en el jaikú que el señor Edgar, su profesor de inglés, les había leído a principios de curso:

> *No os preocupéis, arañas,*
> *yo mantengo la casa*
> *despreocupadamente.*

Aunque, a veces, cuando sabían que iba a venir su padre, Tyler y ella iban y venían como una exhalación por la casa, agrandando el mínimo espacio limpio que se habían creado para ellas en ausencia de él, un estrecho corredor que abarcaba los dormitorios, la cocina y el baño, mientras el resto de la casa estaba literalmente cubierta de mallas, ropa interior, deberes del colegio, vasos, envoltorios de chocolatinas, latas de coca-cola y bolsas de palomitas para microondas.

—Toma —dijo Tyler, que se había recogido el pelo en una cola de caballo y tenía las mejillas encendidas—. ¡Jo qué cantidad de porquería hay ahí debajo!

—Será mejor que hoy limpiemos.

—Vamos a leer esto primero. A ver —dijo Tyler mientras se sentaba y abría las páginas de *Cuidados del bebé y del niño*—. ¿Por dónde empezamos?

Kate y Tyler ya se habían leído todo lo del meconio, la ictericia y las inyecciones de vitamina K, y estaban empezando a estudiar lo del cordón umbilical y las capotas de las cunas cuando oyeron el zumbido del mecanismo de la puerta del garaje.

—¡Mierda! —dijo Tyler—. Corre, métete en la cama. Diré que yo tenía un día de media jornada y que he vuelto pronto, y que tú te has quedado en casa porque te duele la tripa. Venga.

Kate se precipitó hacia su dormitorio, sujetándose la tripa con la mano derecha y sintiendo que le bailaban los sándwiches de queso y el batido en el estómago. Tapó con una manta la improvisada cuna, escondió la bolsa de la ropita y los cachivaches del bebé y luego cerró rápidamente la puerta y barrió todos los libros y zapatos debajo de la cama. Antes de meterse en ella, abrió la ventana para que entrara el aire de aquella primavera temprana y los últimos rayos de sol del día, como si este y la primavera fueran a cambiar algo.

Estaba ya bajo las mantas, con un ejemplar de *El gran Gatsby* en las manos, cuando oyó la voz de su padre, el ruido de platos en el fregadero, y la puerta trasera que se abría y volvía a cerrarse. Por un momento sonó como si de nuevo estuvieran en casa, los ruidos de siempre, cuando su madre vivía, cuando todo el mundo estaba siempre allí, cuando la casa estaba habitada y cuidada. Al oír a su padre hablar con Tyler llegó a imaginarse, mientras se iba quedando dormida, que su madre estaba en la habitación de al lado también, que todavía era parte de la casa, y que besaba a su padre apoyando las manos sobre sus hombros, secaba los platos que Tyler le iba dando, entraba en su habitación y, mientras acariciaba su frente y la abrazaba, frotaba suavemente su oronda tripa y le hablaba a su nieto a través de la piel de su hija.

Davis abrió la puerta del cuarto de Kate y estuvo a punto de dar media vuelta sobre la alfombra berebere y salir al pasillo, cruzar la cocina y volver al garaje. No habría podido decir con exactitud qué era lo que tanto le alteraba; cada objeto de la casa le traía un recuerdo, no era sólo la ropa de Deirdre, sus aros de plata, las fotos de la boda y de los cumpleaños en sus marcos de madera. En dos ocasiones había abierto un cajón, uno de cosméticos y otro de ropa de esquí, y había encontrado una nota, una pregunta a la que nadie, ningún médico, y desde luego tampoco él, habían conseguido contestar jamás. «¿Por qué ahora?», había escrito

Deirdre en negro con una pluma Sharpie. La otra nota estaba escrita con bolígrafo sobre el fondo de una bolsa de almuerzo, metida entre el colorete albaricoque y toallitas para desmaquillarse. Lo único que decía era «Sanjay», subrayado. Davis no sabía qué hacer, y las preguntas se le agolpaban. «¿Cómo puedo contestar a esto?», se preguntaba. ¿Por qué lo escribiría? ¿Qué querría preguntar? ¿No era el nombre de su vecino? No sabía si debía salir, cruzar hasta la casa de la izquierda, llamar al timbre, enseñarle al vecino el garabato y preguntarle: «¿Qué coño significa esto? ¿Por qué ha dejado escrito tu nombre?». Pero, una y otra vez, Davis se quedaba con las notas en la mano, sin saber si debía devolverlas al cajón o estrujar resueltamente el papel y tirarlo a la basura. Resultaban tan feas aquellas palabras, tan triste aquel lenguaje sin voz, sin música, sin cuerpo que lo sustentara. Así que volvía a doblarlas tal como las había encontrado, imaginándose los movimientos de su mujer mientras las metía entre los productos de maquillaje y los jerséis, y por un instante le parecía que ella revivía en sus propios gestos. Si no podía contestarle, ni tan siquiera entender lo que había querido decir, al menos podía sentirla en aquellos momentos, percibir cómo había escondido ella su miedo y sus preguntas, y preguntarse a su vez por aquellos años de enfermedad y dolor.

La última nota que encontró en su dormitorio estaba metida en un ejemplar del *Sunset Western Garden Book*, una página marcada con una lista de la compra emborronada. Se abalanzó sobre el papelito, pero deseó soltarlo en cuanto lo tocó. Estaba seco, frío, parecía polvo bajo sus dedos. Pero en vez de tirarlo se lo llevó a la nariz y aspiró entre la tinta y el polvo, más allá del papel, con la esperanza de recuperar algún efluvio a vainilla o almizcle. Y si al final volvió a deslizar con cuidado el papelito en su página —«Aptenia, Arabis, Aralia»— y cerró el libro y luego la puerta, fue porque allí no quedaba nada, sólo simples elementos: carbono, pulpa de madera, polvo, pero nada de su mujer. Nada de Deirdre. Sólo el papel que recordaba que había vivido, que había estado alguna vez en aquella habitación escribiendo aquellas palabras: «Mantillo, fertilizante de pescado, cal, compost».

En un momento, pensó suspirando, estaría fuera, daría una vuelta por el jardín y el patio, llamaría a la casa y hablaría con sus hijas a través de visillos, cortinas y persianas. Y luego otra vez Wildwood Drive, su coche, unas cuantas manzanas de jardincillos con riego automático, parques llenos de columpios de colores y de campos de béisbol, y finalmente, la autopista 24 que le llevaba a Oak Creek y a casa de Hannah. Podría volver a respirar de nuevo en cuanto estuviera en su Dodge Ram aclimatado, imaginar que su hija de diecisiete años no era clavadita a la que fue su mujer. Por supuesto que ya antes de que Deirdre se descubriera aquel bulto en el pecho, él había reparado en cuánto se parecían Kate y ella, ya se había fijado en cómo el pelo castaño claro de su hija se hacía más oscuro, cómo su esbelto cuerpo de niña se convertía en un cuerpo de mujer, con pechos, culo, muslos, y cómo su voz, cada vez más suave y profunda, se confundía con la de Deirdre. A veces, cuando llamaba desde casa de Hannah, contestaba Kate, y él empezaba a hablarle como si fuera Deirdre, y se le venían a la boca las mismas preguntas que le hubiera hecho a su mujer: «¿Cómo están las niñas? ¿Cómo ha ido el día? ¿Llevo un vinito?».

Pero ahora miraba a su hija allí dormida, con la mejilla apoyada en la mano y el pelo cayéndole sobre la cara y un mechón bajo la nariz, y la plenitud de su largo cuerpo le recordó al de Deirdre. Se preguntó cómo sería tocar una vez más a Deirdre, sólo una vez más palpar la forma de su cuerpo, sentir bajo sus manos a la mujer con la que había tenido trato durante tanto tiempo.

Tragó saliva y cerró los ojos mientras entraba en la habitación llamando suavemente a la puerta abierta.

—¡Kate, Kate…!

Se movió por el cuarto tratando de no mirar a su hija dormida, tropezando con tops de encaje, crines de caballo sintéticas, CDs de colores ácidos, gomas del pelo, bolas de algodón. Davis recordaba la época en que a Kate le volvían loca los caballos, cuando el suelo de su dormitorio se llenó de ranchos y granjas hechos con construcciones de juguete, y vallas y establos de Lincoln Logs, con aquellos caballos congelados en un eterno galope y Kate y Tyler relinchando y prestando luego sus voces a los caballos que también tenían que hacer de mamá, papá e hijo. Ahora, pensó Davis, las dos eran ya muy mayores para andar jugando a las casitas, y de pronto se dio cuenta de que ya no tenía ni idea de a qué se dedicaban en casa. Se percató de que no sabía nada de la música que les gustaba al coger uno de los CDs y leer las carátulas: Smash Mouth y Matchbox Twenty. No sabía, ni se le había ocurrido pensar, qué leía Kate antes de irse a dormir, o en el colegio. Se agachó para recoger el libro que estaba en el suelo al lado de la cabecera y pasó el dedo por el borde de la doblez en forma de triángulo que había hecho para marcar la esquina de la página.

—Kate... —dijo Davis de nuevo mientras se fijaba en los zapatos de su hija, unas grandes Keds blancas de suela gruesa. Se la imaginaba andando como Frankestein, vagando por los pasillos en el instituto de Las Palomas con todos los demás Frankesteins metidos en sus correspondientes zapatos. Pensó en las camisas de poliéster que Deirdre y él llevaban en la universidad, en Berkeley, y en aquellos pantalones tan estrechos que había que tumbarse en la cama para poder subirse la cremallera. Se acordó de los collares hechos de cucharitas, de la música disco en las reuniones de la hermandad universitaria los sábados por la noche, y luego de repente, de la irrupción de la música punk, de los vaqueros ajustados a las piernas y de las noches en su Cutlass: cómo refulgía el cuerpo de Deirdre iluminado por las luces de la calle y cómo él tenía un preservativo... No, resultó que no lo tenía, pero hicieron el amor de todas formas, allí mismo, en el coche, porque su cuarto en la casa de la hermandad estaba siempre ocupado por Neil y aquella novia Sammy o Jane, y Deirdre vivía con su madre en Monte Veda, y no tenían adonde ir. Y luego llegó Kate.

Davis suspiró y dejó el libro de su hija exactamente dónde había caído, y se sentó con cuidado en el borde de la cama. Kate dormía ajena a todo, sólo se movía el mechón de pelo sobre su cara, tenía los ojos cerrados.

—Kate... —susurró Davis mientras contemplaba los pósters, estrellas del cine y del rock con extraños peinados, y los libros de las estanterías: Hemingway, Steele, Shakespeare, Crichton, Woolf. Se volvió hacia el armario y se preguntó qué llevaría además de aquellas Keds imposibles. Durante mucho tiempo la ropa de Kate y de Tyler había sido disparatadamente grande, camisetas por las rodillas, pantalones en los que cabía toda la familia. Últimamente, cuando pasaba cerca del instituto, le había parecido que las niñas iban con un atuendo más propio de principios de la década de 1970, con las caderas ceñidas, mucho poliéster naranja fosforescente, camisetas ombligueras estrechas y una gama de verdes que él nunca pensó que pudiera darse fuera de Florida. Se inclinó sobre la cara de su hija y miró a aquella criatura que era casi Deirdre.

—Kate…

Se incorporó mientras ella gruñía, se estiraba y abría los ojos.

—¿Papi, eres tú?

Davis miró a su hija. Vaya pregunta, pensó, era una pregunta terrible.

—¿Estás despierta? —preguntó él retrocediendo—, ¿cómo te encuentras?, ¿otra vez tienes dolor de tripa?

Kate retiró la manta que la cubría al tiempo que se colocaba una almohada sobre la barriga.

—¿Dónde has estado?

—¿Qué quieres decir? —dijo Davis—. ¿Te refieres a dónde he estado hoy?

Kate levantó una ceja y se mordió el labio inferior.

—No, me refiero a últimamente.

Davis se acercó a la ventana.

—He estado en casa de Hannah, Kate. Ya lo sabes.

Ella se quedó mirando a su padre, aquel cuerpo alto y en forma gracias al aparato Nautilus en el que se ejercitaba, y que ahora estaría en el garaje de Hannah, supuso.

—Hace tiempo que no vienes a casa por las noches —le dijo en el mismo momento que él le preguntaba:

—¿Qué pensabais cenar?

—¿Cómo, cenar? —preguntó Kate mientras se incorporaba en la cama y se recostaba contra el cabecero—. Supongo que ahora es asunto mío, ¿eh? Yo me ocupo de la cena, y de todo.

Davis se dio la vuelta, como si las palabras pudieran rebotar contra su espalda.

—Bueno, estaba pensando… Lo que iba a decir es que he traído una pizza del Domino. La acabamos de recoger, Hannah y yo. Pensé que podíamos compartir un trozo.

Davis se separó de la ventana, con los ojos fijos en algún punto sobre la cabeza de Kate, mientras se le iba acercando lentamente. Ella pensó en ponerse en pie, en quitarse las mantas, para que la viera bien, con la barriga redonda, y los pechos inflados. Se preguntó si habría mantenido el plan de la cena. ¿A ver qué le pediría que preparara de cena si viera lo que se estaba cociendo allí desde hacía meses? ¿Qué haría?, se preguntaba. Pensó en hacerlo, y en contárselo todo, que no le quedara más remedio que escuchar toda la historia, pero no estaba segura de que él no fuera a salir por piernas.

Davis la miró un segundo a los ojos y luego dijo:

—Parece que ya te sientes mejor. Vamos a tomar un poco de pizza.

Kate sabía que se iría enseguida, sentado en la cabina del coche junto a Hannah para volar por la autopista 24 en dirección a sus niños y a su casa. Y ahí se quedarían ella y su hermana, con los restos de la pizza fría pegados al cartón de la caja por el queso que se iba endureciendo como si fuera cola.

● ● ●

Tyler lavó los platos; los guantes de goma le iban grandes, y con el vapor del agua se le rizaba el pelo que le bailaba ante los ojos. Sabía que sujetaba un vaso, una cuchara, un plato, pero en lo que realmente estaba pensando era en lo que estaría pasando en el cuarto de Kate, mientras simulaba ignorar la presencia de Hannah, la novia de su padre, que se bebía una coca-cola light sentada a la barra de baldosines rojos.

—Bueno, ¿cómo te ha ido hoy en el colegio? —preguntó Hannah, agitando la bebida en el vaso.

Tyler se encogió de hombros, negándose a volverse y a mirarla mientras hacía ademán de darle un capirotazo bajo el agua jabonosa. A Tyler le habría encantado no tener que disimular. Deseaba poder soltarlo, decirle a Hannah que lo que de verdad le preocupaba era que Kate hubiera cerrado el armario, que hubiera escondido las bolsas y la mantita. Porque, ¿qué pasaría si quedara un patuco, o cualquier ropita en el suelo y su padre preguntara, preguntara de verdad, qué era aquello? «Kate —así se lo imaginaba Tyler, con aquella voz profunda y bondadosa—, ¿qué demonios es esto? ¡Ven aquí! Ponte de pie. ¡Dios mío! ¿Estás embarazada? ¿Quién ha sido? ¡Ha sido ese! Tenemos que ir a hablar con él y ahora mismo hay que llevarte al médico para que te visite.»

Tyler suspiró y retorció los guantes de goma en la pila, como si eso fuera a aplacar su cólera. Quería que Hannah se callara de una vez para poder escuchar los ruidos procedentes de la habitación de Kate.

—¿Así que Kate ha estado malita? —preguntó Hannah levantándose finalmente y llevando el vaso vacío al fregadero.

—No…, sólo ha sido un dolor de tripa —dijo Tyler.

—Parece que le duele bastante. Tiene que ir al médico.

Tyler se volvió hacia Hannah con un tenedor mojado en la mano. Los delgados labios de Hannah esbozaban una sonrisa inquieta, sus ojos azules parecían enormes e inquisidores. «Está intentando averiguar los secretos de la casa —pensó Tyler—, ahora que tiene a papá, quiere todo lo que tenemos.»

A Tyler casi le entraron ganas de echarse a reír y decirle: «¡Sí, desde luego lo del médico no sería mala idea!». Quería decirle a Hannah lo de Goodwill, lo de las tiendas de segunda mano y lo de la clínica privada de Oak Creek, en el lado oeste de la ciudad, donde Tyler había recogido los folletos sobre niños prematuros, alimentación materna, fases del parto y partos en casa. Pensó por un momento en reposar la cabeza sobre el pecho de aquella mujer, hasta que de pronto recordó que si su padre ya no estaba nunca allí era por culpa de Hannah, por la relación que ella mantenía con él. Por culpa de sus dos niños pequeños, Max y Sam, porque necesitaban estabilidad y seguridad ahora que su propio padre los había dejado; ella y Kate habían perdido lo uno y lo otro. Los ojos de Tyler se estrecharon y se preguntó cómo era posible que aquella mujer fuera más importante que ella y que Kate.

—Bueno, no pasa nada. Ya ha ido al médico. La verdad es que siempre le ha dolido mucho la tripa. El médico dice que probablemente se le pasará cuando tenga hijos —dijo Tyler mientras enjugaba un plato.

—Bueno, pero para eso aún le falta mucho —contestó Hannah dirigiéndose a la doble puerta que daba al patio trasero—. ¿Qué le pasa a ese limonero?

Tyler se encogió de hombros en su fuero interno, luego se quitó los guantes y se acercó a la ventana. La última vez que había mirado afuera, estaba casi segura de que el árbol tenía el mismo aspecto de siempre, delgadito, pero con las hojas verdes y brillantes y unos limones perfectos. Sin embargo, ahora, las pocas hojas que le quedaban estaban amarillentas y los limones, verdes y pequeñitos, se habían caído al suelo.

—¡Guau! —dijo Tyler—, se ve que con tanta lluvia…

—Sí, es El Niño. Al menos podemos echarle la culpa de todo al tiempo. Probablemente será algo de la tierra —dijo Hannah abriendo la puerta y saliendo de la casa.

Tyler miró cómo Hannah se dirigía al árbol, acariciaba el tronco y echaba al suelo casi todas las hojas con una suave sacudida; los frutos cayeron a sus pies como canicas.

Kate, Tyler, Davis y Hannah se hallaban sentados a la mesa del comedor mascando pedazos de queso gomoso. Kate se preguntaba si su padre estaría realmente tragando los bocados de este simulacro de cena, sólo para hacer el paripé, porque la cena de verdad era la que le esperaba luego en casa de Hannah, con los dos niños de su novia. Davis vio que Kate le miraba y sonrió, exagerando los movimientos de su mandíbula para dar a entender que no podía hablar.

—Está buenísima —dijo Tyler dando un mordisco a su trozo de pizza; unos largos filamentos de queso se le quedaron colgando de la boca.

—Desde luego es la mejor pizza de los alrededores —dijo Hannah—. No te lo puedes creer, ¡fíjate qué masa más esponjosa!

Kate hizo una mueca, preguntándose cómo era posible que una masa esponjosa fuera el sustituto ideal de cualquier otra cosa.

—Sí, fantástico. Tengo la impresión de haber comido unas cinco mil pizzas en estos dos años.

Davis tragó y levantó la vista. Por un momento Kate pudo percibir aquella mirada, la misma que tenía la noche en que murió su madre, o cuando apareció para ver si todo iba bien después de pasar la primera noche con Hannah, la misma que tenía siempre que Kate decía: «¿Papá?».

—Bueno, a lo mejor podemos hacer aquí una cena estupenda este fin de semana —dijo entonces dejando su trozo de pizza—. Tal vez una barbacoa temprana, o algo así. ¿Qué tal unos espaguetis?

Kate sintió el pie de Tyler que le daba patadas por debajo de la mesa. Se miró el regazo, consciente de que no era momento para que su padre volviera. Era demasiado tarde.

—Tengo un examen importante la semana que viene y voy a ir a estudiar a casa de Erin el sábado por la noche. Además creo que estudiaremos toda la tarde del domingo.

—Sí, papá —dijo Tyler—. Yo también tengo cosas que hacer. Un control y a lo mejor nos iremos todas a dormir a casa de Megan Riley.

Davis miró a Hannah y esta se encogió de hombros.

—No es un buen fin de semana, Davis. Los niños ya tienen bastante lío.

—Vale. Pero luego no os quejéis de la pizza —dijo él sonriente, aliviado por haber preguntado y aliviado también por no tener que hacer nada.

—¡Mira qué hora es! —dijo Hannah rompiendo rápidamente el silencio mientras se levantaba para llevar los platos al fregadero, que todavía estaba lleno de agua jabonosa—. Tenemos que ir a recoger a los niños.

Kate miró a Tyler que movía la cabeza de un lado a otro articulando en silencio: «Los niños, los niños».

—Bueno, nos vamos. Llamaré mañana. No estudiéis demasiado —dijo Davis—. ¿Y adónde vais a ir a dormir todas?

Tyler bajó la mirada.

—Ah, creo que a casa de Megan Riley. Pero a lo mejor no vamos. Te llamaré para decírtelo.

—Muy bien, chicas. Que paséis una buena noche —dijo, al tiempo que ponía las manos sobre el hombro de sus hijas, tocándoles también la espalda… Kate vio cómo salía de la casa, cerrando la puerta tras él, y se marchaba hacia la vida que se había hecho sin ellas.

La primera vez que Davis llamó desde casa de Hannah, mientras Max y Sam jugaban a los cochecitos entre sus piernas, tuvo la sensación al coger el teléfono de que tenía en la mano un hueso roto y frío. No podía evitar tocarlo, apretarlo, como buscando dónde estaba la fractura, tratando de entender el porqué de aquel dolor entre él y sus niñas.

—¿Que te quedas? ¿En su casa? —dijo Kate—. ¿Por qué?

—¡Kate! —dijo Davis—, vaya una pregunta absurda.

—¿Ah, es absurda? —contestó ella y su cólera rezumaba por el auricular—. Lo siento. Creía que lo normal era que los padres volvieran por la noche a casa. Creía que a lo mejor cenábamos y todo aquí, ¿sabes?

Davis podía oír su respiración entrecortada y se imaginaba la cocina y a Kate inclinada sobre la encimera, con el pelo recogido detrás de las orejas, igual que Deirdre. Se imaginó aquel vacío, un espacio que él por sí sólo nunca podría llenar.

—Mañana estaré de vuelta. Es sólo una noche, Kate. No es como si no fuera a volver más a casa.

Kate resopló, y medio tapó el teléfono con la mano.

—Papá no va a volver a casa. Se queda donde Hannah —le dijo a Tyler—. Ah, sí, de veras —añadió para su padre.

—¡Kate! ¡Kate! Oye, no tenéis más que calentar algo. Hay muchísimos platos precocinados en el congelador. Sólo tenéis que seguir las instrucciones.

—Bien —dijo Kate tranquila, el eco de aquella voz era tan parecido al de Deirdre, su mujer, que Davis estuvo a punto de colgar.

—Llamaré mañana desde el trabajo. Haremos algo. Te lo prometo, de verdad.

—Bien —dijo Kate.

—¿Me crees? —dijo Davis—. ¿Es que no me crees? —Dejó de hablar, pero tenía ganas de decirle: «Pero, no he estado yo ahí todo el rato? ¿Es que no he estado yo siempre con vosotras? ¿Es que no puedo tomarme una noche libre? ¿No puedo quedarme aquí tranquilo ni una sola noche?». Pero no lo hizo, se quedó ahí tragando saliva y tristeza, mientras le daba un puntapié a un cochecito Matchbox.

—Te creo, claro —dijo Kate muy seca.

—De acuerdo. Bueno nos vemos mañana. Cuando salga del trabajo.

—Bien —dijo Kate—, seguro.

—Lo prometo —contestó él.

—Te creo, papá —le dijo ella.

—De acuerdo. Hasta luego.

—Te quiero, papá —le dijo Kate. Pero él ya estaba colgando y no pudo volver a coger el auricular y marcar de nuevo, aunque habría deseado ser capaz de decirle a Kate que las quería, a ella y a Tyler, más que a nada de lo que le quedaba en la vida. Pero el teléfono era tan feo, tan frío, todavía podía sentirlo en la mano, y Max y Sam se le subieron encima y él se olvidó de todo.

Ahora, sentado en el coche con Hannah, con la puerta del garaje abierta tras él, se preguntó si no debería aparcar y volver a casa.

—¿Qué ocurre —le preguntó Hannah—, por qué paras?

—No sé —dijo él, encogiéndose de hombros y mirando hacia la puerta de la cocina—. Hay algo.

—¿Qué?

—Pues no sé, están como preocupadas. Algo les pasa.

—¿Te refieres a los dolores de tripa de Kate? —preguntó Hannah—. Tyler dice que le dan siempre. Yo creo que tiene que ir al ginecólogo. Si quieres puedo llevarla algún día de la semana que viene.

—A lo mejor es eso —dijo Davis—. Aunque me parece que debe haber otra cosa. Creo…, creo que no debería pasar fuera tanto tiempo.

Hannah suspiró.

—Las chicas están bien. No es como si no estuvieras en absoluto, Davis. Pasamos siempre por aquí. Además, Kate tiene ya casi dieciocho años.

Davis miró a Hannah, con su pelo rubio ligeramente ahuecado y sus ojos azules, luminosos y sinceros.

—Pero ¿tú no crees que me necesitan, ahora mismo, en casa con ellas?

Hannah le puso la mano sobre la pierna.

—Ya hemos hablado de esto muchas veces. Sabes lo que significaría eso para nosotros, Davis. Creía que ya habías tomado una decisión.

—Ya lo sé. Y lo he hecho.

—Ya lo sabes, Davis. Ahora mismo no puedo mover a Sam y Max. No los puedo traer aquí a pasar la noche. Ya lo han pasado bastante mal con lo del divorcio. Necesitan estabilidad, necesitan estar en su casa. No estaría bien. Y además, Kate y Tyler ya son unas adolescentes, son casi adultas, Davis. Sam y Max no pueden cuidar de sí mismos, pero las chicas sí. —Hannah movió la mano y le tocó el hombro—. Y ya sabes de sobra que a las niñas no les haría ninguna gracia tener aquí a mis hijos, con el correspondiente jaleo de juguetes, gritos y llantos. De verdad, creo que están mejor aquí, más tranquilas. Pueden disfrutar de un espacio propio y tranquilo donde estudiar, y tú sigues estando cerca de ellas. No es como si las hubieras abandonado.

A medida que Hannah hablaba, Davis se iba relajando, pensando que, en realidad, allí todo iba bien: Kate en la cama cuidándose el dolor de tripa, Tyler ocupándose de la cocina. Después de todo, ¿no les había dado dinero?, ¿no les había preguntado por el cole? Hasta les había llevado una pizza, y contestado a sus preguntas… Allí estaba él, en su casa, ocupándose de las cosas, y Hannah también le necesitaba. De esa manera podía estar en los dos sitios, repartirse, y hacer feliz a todo el mundo. En cualquier caso no había nada de qué preocuparse. Acababa de ver a sus dos niñas, casi unas mujeres ya, y todo iba perfectamente. Kate ya era lo suficientemente mayor para ocuparse de Tyler, podía cuidar de sí misma y de su hermana.

—Supongo que tienes razón —dijo Davis, levantando la vista y aspirando el aroma de su perfume, Calyx, aroma de naranja y melón, de Florida, de primavera y bebidas exóticas.

—Creo que sí, te lo digo de verdad —dijo Hannah mirando su reloj—. Más vale que vayamos a la guardería por los niños, son casi las seis.

Davis echó una ojeada al retrovisor.

—Vale, vámonos. Tienes razón. En realidad no sé lo que me tenía tan preocupado —dijo él pisando el acelerador y pulsando el mando del garaje; la ondulada puerta metálica se cerró, su casa estaba a salvo aquella noche mientras él se alejaba por la carretera para ir a recoger a los niños de Hannah.

Cuando Kate le contó por fin que estaba embarazada, Tyler se dio cuenta de que de alguna manera ya lo sabía, y no sólo por las carreras que su hermana hacía al baño, o por el inconfundible olor a desinfectante 409 que flotaba por las mañanas en aquella estancia sobre el olor a vómitos o por aquellas siestas tremendas que se echaba después de comer. Ella pasaba junto al dormitorio de su hermana y entreabría la puerta con el pie para mirarla por una rendija dormida sobre la cama, con la boca abierta y los ojos cerrados. Por no hablar de los portazos repentinos, de los gritos «¡Es que no puedes llamar!» o «¡Estoy en mi cuarto!» que daba Kate bajándose el jersey siempre que ella aparecía sin avisar. En realidad ella se había fijado más en lo que no se decía. Miraba ansiosa a su hermana cuando veían la tele de noche tiradas en el sofá, pendiente de aquella invisible conversación que parecía establecerse por encima de sus cabezas. Le habría gustado levantarse para agarrar aquellas palabras, metérselas en la boca y en los oídos y enterarse por fin de lo que estaba pasando, y de por qué Kate ya no quería compartirlas con ella como siempre había hecho.

Pero por fin una tarde la llamó al comedor, después de que su padre desapareciera en la oscuridad de la noche con Hannah, dejando a su paso la mesa llena de cajas de pollo frito Kentucky.

—¿Qué pasa? —dijo Tyler irritada, con la cara pringada de mascarilla de arcilla y los dedos de los pies llenos de algodones—. Estoy justo a medias, ¿sabes?

—Tengo que decirte una cosa —le dijo Kate con insistencia mientras sus cálidos ojos oscuros se llenaban de lágrimas.

—Vale, vale —contestó Tyler mientras pensaba: «No me gusta nada la cara que tiene. No sé si quiero enterarme. Hay cosas que prefiero no escuchar. Las cosas sobre muertes y enfermedades. O si es sobre papá…»—. ¿Qué hay? ¿Qué pasa?

Kate tragó saliva y cruzó los brazos sobre el pecho.

—Pues…

—¡Por Dios, Kate! ¿Qué?

Kate la miraba y ella hubiera querido poder modelar por sí misma las palabras que iban a salir de la boca de su hermana decir algo como: «¿Sabes, papá acaba de llamar y ha dicho que se viene a casa, que viene para quedarse…» o «Va a venir a vernos la tía Gwen», o mejor aún, aunque eso era imposible: «Lo de mamá no era verdad; está viva». Aunque Tyler daba por sentado que no se podían decir cosas buenas, y se dio cuenta de pronto de cuánto tiempo llevaba esperando que por una vez pasara algo estupendo, algo limpio que fuera motivo de alegría.

Suspiró y dijo:

—¿Me lo vas a contar, o no?

—Estoy embarazada.

—¿Qué? ¿Qué has dicho?

—Que estoy embarazada.

Tyler sintió que se le caía la mascarilla facial. Abrió la boca sin decir palabra mientras notaba cómo se cuarteaba la arcilla seca. Se sentó, cuidando de todas formas de no estropearse las uñas de los pies.

—Ya sabía yo que pasaba algo. ¿Quién ha sido? ¿De quién es el niño?

Kate sacudió la cabeza.

—No puedo decírtelo. He dado mi palabra…, bueno es que sería horrible que alguien se enterara. De verdad. Él ni siquiera lo sabe.

Tyler se pellizcaba nerviosa la mascarilla llenando la mesa de trocitos de barro.

—¿Por qué? Vamos, ¿no crees que deberías decírselo? ¿Es alguien del instituto? ¿El chico ese, Teddy? ¿Y ahora qué, qué vas a hacer?

—Pues la verdad es que no lo sé. Estoy de tres meses, así que no voy a abortar. Eso ya lo he decidido —dijo apoyando las manos abiertas sobre la mesa y cerrando luego los puños—. Por lo que no me queda más que tenerlo. Pero él no debe enterarse y papá tampoco.

Tyler sintió unas ganas terribles de quitarse la mascarilla y tirarse sobre la mesa. Quería llegar gateando hasta

Kate, quería pegarla y abrazarla. ¿Por qué tenían que ser siempre así las cosas? se preguntaba mientras se apretaba las costillas con los brazos cruzados. ¿Por qué le caían a ella estas historias, si no podía hacer nada ni cambiar nada? Tyler recordaba cuando su madre le dijo: «Cielo, tengo que contarte algo», y en ese preciso instante en que su madre le dirigió aquella sonrisa triste, Tyler supo que pasaba algo horrible que iba a desbaratarlo todo y que ella no iba a poder hacer absolutamente nada por evitarlo.

Y más adelante, cuando a su madre se le cayó el pelo con la quimioterapia y parecía que todos los huesos fueran a salírsele de la piel, lo único que había podido hacer era mirar, llevarle paños fríos y cerrar las cortinas del dormitorio con la vana esperanza de que su madre se pusiera bien. Y ahora, otra vez, sólo que esta vez era Kate la que le pedía que se quedara allí mirando lo que sólo podía acabar mal, como siempre. Se miró los brazos, se le había puesto la piel de gallina, aquel vello suave y rubio estaba de punta, y sintió cómo un escalofrío le recorría la espalda y le pasaba por la nuca hasta alcanzar la cabeza. Ahora sabía parte de lo que Kate le había estado ocultando, aunque también era consciente de que seguía guardándose para ella lo más importante, lo fundamental.

—¿Y por qué no se lo puedes contar a papá? Quiero decir ¿qué va a ser de nosotras? ¿Dónde tendrás al niño? ¿Cómo te ocuparás de él cuando nazca? —le preguntó.

—Traeremos muchos libros. Y además está la peli esa que vi en la PBS. Podemos hacerlo.

—¡Sí, seguro! ¡No se aprende a traer niños al mundo por la tele! ¡Para eso hay que estudiar medicina, joder! —exclamó Tyler levantándose y golpeando la pared con la mano abierta.

—Hay muchas mujeres en el mundo que no tienen los niños en un hospital, Tyler —dijo Kate con voz pausada.

—¡Pero nosotras vivimos aquí! No vivimos en una choza al borde de un río. Y tú no eres de las que vas a recoger maíz por el campo —le contestó fulminándola con la mirada—. No quiero saber nada de esto.

—Eres la única persona en quien puedo confiar, Tyler. No quiero que nadie se entere. No quiero que se enteren las amigas de mami, ni siquiera Rachael. Ni la tía Gwen. Se lo dirían a papá.

—Pero, ¡por Dios santo!, ¿por qué no puedes contárselo a papá? —dijo Tyler furiosa—. Es nuestro padre.

—Porque me haría… Bueno, no sé lo que haría.

Tyler volvió a sentarse.

—¡Kate! Pero ¿cómo se te ocurre? ¿Cómo se te ha ocurrido pensar que podemos hacerlo nosotras? ¿No ves que no es posible? Hay un montón de cosas, cosas médicas, pruebas… Conmigo no cuentes. Tenemos que llamar a papá.

Kate enderezó la espalda en la silla y sacudió la cabeza.

—No podemos. No puedo. No voy a abortar y no puedo ir al médico. No puede ser de otra manera. Y además, ¿dónde ha estado papá todo este tiempo? No lo entendería nunca.

—Debes de haberte vuelto loca. ¿Lo estás diciendo en serio? —Tyler echó la silla hacia atrás, se levantó y se marchó a la cocina.

Le parecía extraño que aquella habitación siguiera presentando el mismo aspecto, con su tenue luz que sacaba destellos marrones, beige y rojos de las baldosas, el runrún de la nevera siempre igual, y los ruidos habituales de los chicos de los vecinos y de los coches que pasaban ante la ventana abierta. Se volvió hacia el comedor gritando:

—¡Ya me dirás cómo piensas hacerlo! No sé si sabes que se puede morir de parto, Kate. A veces el niño se queda atascado y tienen que tirar de él para sacarlo y se mueren él y la madre. Lo leí el año pasado en un folleto sobre salud para alumnos de primero. Decían que había una mujer que empujó tanto que se le salió todo, el útero y todo eso. Tuvieron que operarla para ponérselo en su sitio otra vez, porque de lo contrario... ¡se habría muerto! ¿Y si te pasa eso?

Tyler se secó los ojos, se le quedaron las manos llenas de lágrimas de barro, y se dirigió hacia el comedor. Kate seguía inmóvil, rígida y pálida, con los labios apretados. Ella sintió un escalofrío, ya que reconoció en ella el gesto que tenía la noche en que decidió escaparse por la ventana con sus amigas Erin y Britanny para reunirse con un grupo de amigos en la piscina pública de Oak Creek y bañarse desnudos a la luz de luna; el mismo que tenía el día en que, con quince años, decidió coger el BMW del garaje y conducir hasta un cine de Monte Veda donde echaban en sesión de madrugada *The Rocky Horror Picture Show*. Era el mismo gesto que tenía la primera noche en que su padre, en vez de volver a casa, llamó desde casa de Hannah en Oak Creek diciendo que se recalentaran un plato precocinado para cenar, prometiéndoles un plan divertido de fin de semana, un picnic en el parque Tilden, o una tarde de cine que nunca llegaron a materializarse.

—¿Es que no puedes pensar en nadie salvo en ti misma, Kate? Eres tan egoísta... ¿Qué pasa conmigo y con papá? —dijo Tyler, agarrando con fuerza el respaldo de una silla.

Kate la miró con ojos oscuros y fríos.

—Estoy pensando en el bebé. Estoy pensando en todos nosotros.

—¿Ah sí? —dijo Tyler sentándose con gesto cansado en una silla mientras le corrían oscuros churretones por la cara. Se arrancó furiosa el algodón de entre los dedos de los pies—. Pues por lo que dices nadie lo diría. No eres la única que tiene que pasar por todo esto. ¡Dios, es una locura!

Kate hizo una larga inspiración y asintió con la cabeza.

—Supongo que eso es lo que parece ahora. Pero de verdad, confía en mí. Sé lo que me hago.

Las primeras noches después de que Kate le contara lo del niño, Tyler se negó a mirarla, o a hablar con ella; por las mañanas salía de casa sin desayunar, dando un portazo, y no volvía hasta tarde, después del entrenamiento de las animadoras, para sentarse en silencio a la barra de la cocina e ingerir Top Ramen o un paquete de SpaghettiOs. Al principio Kate intentó hablar con ella, acariciándole la espalda rígida y diciéndole: «Vamos Tyler. No vas a pasarte toda la vida sin decir palabra».

Pero ella se sacudía la mano de su hermana y pensaba que sí, que tal vez fuera posible guardarse todas las palabras, esas que decían: «Te vas a morir desangrada en el suelo. Y el niño también. ¿Y qué hay de mí? No puedo con esto. Así que voy a llamar a Rachael, a Meera y a la tía Gwen. Voy a llamar a papá».

Una noche, su padre vino a casa temprano y Tyler sintió las palabras como una bola de barro pesando sobre su lengua mientras miraba a Kate, que tenía la cara pálida y unos cercos rojos alrededor de las aletas de la nariz. Hablaba con su padre en voz alta y clara, esa voz que se reservaba para agradar o aplacar a los adultos ya fueran profesores, vecinos o padres de amigos.

—Uy, Tyler lo está haciendo fenomenal con las animadoras. Deberías verla, papi. Mejor que nunca, ¿verdad, Tyler?

Ella sentía todo el peso de las verdades que llevaba dentro, sentía sus hombros y su cabeza como berruecos, sus piernas de pesada piedra contra las lamas de la silla.

—Sí, estupendo —contestó.

Davis le sonrió distraídamente, sacó su cartera y contó unos billetes, mientras hablaba de supermercados y facturas de teléfono, y Tyler se dio cuenta de que no miraba a ninguna de las dos. ¿Cuánto iba a tardar en desaparecer del todo?, se preguntaba. No podía quitarle el ojo de encima, mientras él hacía montoncitos con los billetes de veinte sobre el mostrador, y Tyler se preguntaba si no se habría enterado ya de lo del niño y estaría disimulando. ¿Cómo podía no darse cuenta? ¿Es que no se daba cuenta de que algo iba mal? ¿Por qué no miraba?

Tyler apretó silenciosamente los dientes, imaginándose algo peor que un simple embarazo, imaginándose que su padre podía haberse colado en el dormitorio de Kate, alguna noche triste y solitaria de las de aquella casa, y haberla forzado. Tyler sabía que esas cosas pasaban, había leído libros con sus amigas en el baño, cuentos de amor enfermo y pervertido, y todo iba mal en este mundo. Miraba a Jerry Springers y Jenny Jones, escuchaba a madres, padres, hermanos y hermanas contar cómo les habían hecho aquello, lo horrible que fue, lo mucho que les dolió, una historia tras otra de traición, desesperanza y odio.

Miraba a su padre y se preguntaba si seguía siendo el padre que las subía a Kate y a ella a la enorme rama del roble en el parque Heather Farms mientras les decía: «No os caigáis, niñas; que voy a sacaros una foto. A ver, una sonrisa…». ¿Sería el mismo padre que las llevaba a las clases de natación a la piscina Meadow Lane y que iba a ver sus entrenamientos con las animadoras cuando estaba en octavo? ¿Cuándo había desaparecido, exactamente? ¿En qué preciso momento se había transformado en otra cosa, cuándo había cambiado? ¿Tal vez fue cuando murió mamá? ¿O puede que cuando esta se puso enferma? ¿O tal vez no fue hasta más tarde, cuando conoció a Hannah y las cambió por ella? ¿Cuánto más podían cambiar y metamorfosearse las cosas hasta llegar a ser absolutamente irreconocibles? De lo único que Tyler estaba segura era de que su padre las había ido abandonando, y que no tenía sentido que las quisiera a ninguna de las dos en esa otra forma, más profunda y enfermiza. No tenía sentido, claro que ya nada tenía sentido, nada de nada.

Davis sintió la mirada de Tyler y levantó los ojos para mirarla.

—Bueno, me alegro de que te vayan tan bien las cosas en la escuela y con las animadoras. Supongo que de no ser así, lo primero que harías es llamarme, ¿eh? Sigue así.

Tyler, silenciosa, vio salir a su padre de la cocina para encaminarse al garaje. Kate siguió diciendo cosas como si estuvieran conversando, en el mismo tono animado que había empleado ante su padre, pero ella se bajó del taburete y se encerró en su cuarto echando el pestillo. «No los necesito —pensó—, ya no los necesito, a ninguno.»

Tyler se quedó toda la tarde, hasta la noche, metida en su habitación, estudiando todas las partes del cuerpo que iba a tener que identificar y dibujar en el examen de disección de la rana del día siguiente, bajo la atenta mirada del señor Musante, pendiente también del reloj. Y cuando ya no pudo percibir ningún ruido ni movimiento en la casa, se arriesgó a salir en busca de cereales de Froot Loops, pero al pasar por el salón se encontró a Kate dormida en el sofá, con la boca abierta y la mano colgando sobre un libro caído en el suelo. Se acercó a ver qué era, recogiéndolo para poder leer el título: *Lo que tienes que saber ahora que estás embarazada*. Se sentó en el suelo, con la espalda contra el sofá y lo abrió por la mitad. Había fotos de barrigas redondas como dunas, pechos con pezones morados, una foto en color de un feto en la matriz, todo lleno de venas azules y rojas con unos ojos negros y saltones, casi como la rana que al día siguiente tendría que coger y abrir de arriba abajo para encontrarle el corazón y el estómago.

Levantó la mirada y vio a Kate, profundamente dormida, con los pechos redondos y grávidos y se figuró aquella cosita que vivía dentro de su hermana, un renacuajo, un pececillo, un muñeco que crecía, con el corazoncillo palpitante del tamaño de una judía y los bracitos y las piernecitas flotando en el tanque de líquido amniótico. «¡Dios mío, qué asco!», pensó, pero luego, mientras observaba las fotos y leía los textos a sus pies, se dio cuenta de que no debía pensar en ranas, sino en un bebé, un ser humano, su sobrino o su sobrina. Allí estaba ella en aquel salón, sentada al lado de dos personas, no sólo de una, y las dos eran familia suya, las dos estaban vivas y la necesitaban.

A la mañana siguiente, Tyler entró en la cocina, dio un golpe sobre la barra con el tazón y lo regó con un arco iris de Froot Loops. Kate estaba desayunando, con el periódico abierto.

—Vale —dijo Tyler—. Es una locura, pero vale. De acuerdo, te ayudaré. ¿Cómo vamos a hacerlo?

Incluso ahora, a pesar de lo largos y lo penosos que se hacían los días con tantas mentiras y el miedo a que se descubriera todo; a pesar de haber tenido que dejar las animadoras y abandonar a sus amigas; a pesar de haber renunciado al baile, a los partidos de baloncesto, a sus esperanzas de llegar a ser delegada de clase…, todas las dificultades parecían poca cosa frente a la expresión de la cara de Kate, sus lágrimas incontenibles, el llanto agudo que la embargó. Tyler recordaba cómo había abrazado a su hermana, cómo había abrazado con ella a ese otro cuerpo de cuya existencia había sabido muchos meses atrás, y cómo había susurrado:

—De verdad, te lo prometo. Lo haré. Te ayudaré hasta el final.

Cuando a Kate comenzó a notársele, cuando se le puso la barriga enorme, cuando el culo empezó a llenar las camisetas amplias, Tyler empezó a coger el autobús 950 que iba hasta el centro para comprar las cosas que su hermana y ella apuntaban en la lista después de consultar los libros. Primero se leyeron el «Diario del recién nacido» de una y otra que su madre había conservado. Repasaban los listados incluidos en «Primeros regalos» y «Primeras visitas».

—Tu tienes una lista más larga —dijo Tyler.

—Bueno, cuando tú naciste ya lo tenían casi todo —contestó Kate.

Tyler se encogió de hombros mientras hojeaba las páginas de su propio diario del recién nacido, muchas de ellas escritas sólo a medias.

—Eso es lo que pasa siempre con los pequeños. Nadie les hace caso.

—Eso no es verdad —dijo Kate.

—Bueno, ahora ya poco importa… ¿Qué es una rana? ¿Un body?

—Lo tiene apuntado también ahí. Y montones de camisitas; vete a saber…

Tyler se imaginaba a su madre escribiendo aquellas palabras, aquellos nombres: «Rose Tranby, saco con cremallera; Zelt Rice, cambiador; Peggy Hillman, trona». Tyler no se acordaba de ninguna de aquellas personas, eran amigas de su madre del instituto o de Oakland, mujeres de una época anterior a que la familia fuera a vivir a Monte Veda, nombres que sonaban de tarde en tarde al teléfono, que firmaban tarjetas navideñas y surgían en anécdotas antiguas; Tyler recordaba a su madre al teléfono, preguntando por niños, colegios y nuevos trabajos. «¿Dónde andarán ahora todas estas mujeres? —pensó—. Deberían decirnos lo que hay que comprar y qué hay que hacer cuando nazca el niño, cómo se le meten los brazos por estas mangas tan pequeñas.»

A Tyler no se le ocurría a quien más podía recurrir, porque sabía que era un secreto demasiado importante como para contárselo a los vecinos; podía imaginarse la cara de asombro y consternación de Meera Chaturvedi. Y aunque se moría de ganas de sentirse abrazada en el regazo de tía Gwen, Kate no le hubiera dejado nunca llamarla o escribirle, porque sabía que se lo contaría inmediatamente a su padre.

No quedaba nadie. Las amigas de su madre habían llamado durante meses después de que Deirdre muriera. Rachael Norton venía por las mañanas con zumo y cruasanes, llamaba a la puerta justo cuando su padre les estaba echando los cereales de caja en los cuencos, con los ojos extraviados, incapaz de prestar atención a lo que se comía.

«Hola Davis —solía decir Rachael—, he cogido algunos de más en la panadería y he pensado que a lo mejor os apetecen a las niñas y a ti.»

En vida de su madre Rachael ni siquiera habría llamado a la puerta antes de entrar; era como de la familia, y a veces Tyler y Kate se la encontraban en la cocina cuando bajaban a desayunar, tomando café con Deirdre en el mostrador y hablando de niños, aunque los de Rachael eran mayores y uno de ellos ya tenía carné de conducir. Por las noches, sobre todo cuando hacía bueno, las dos se sentaban a tomar el fresco en el porche ante un vaso de vino blanco, el viento hacía caer las hojas de eucalipto en el jardín y se oía la risa de su madre. A veces iban todos a cenar a casa de Rachael y Bob, y Kate y Tyler se esforzaban por no hacer tonterías ante los chicos de los Norton. Peter, que tenía dieciséis años, emitía un gruñido de bienvenida y se metía rápidamente otra vez en el salón, porque era superior a sus fuerzas abandonar el videojuego y dejar un solo soldado de los malos sin su merecido. Steve, el de dieciocho, acababa de librarse del acné y solía guardar un silencio misterioso y sexy que sólo rompía para decir mirando a las niñas: «Voy a dar una vuelta», tras lo cual saltaba en el Jeep y desaparecía antes de que su madre se enterara siquiera de que se marchaba. Tyler tenía la secreta esperanza de que fuera el padre del niño porque así Rachael se vería implicada y podría ocuparse de ellas.

Las primeras semanas, su padre aceptó los panecillos, las rosquillas y las apremiantes palabras de consuelo y consejo, pero pronto empezó a tardar en contestar a las llamadas a la puerta, a mostrar indiferencia a las preguntas de Rachael y deseos evidentes de que se marchara. Un día Rachael llamó a Tyler y a Kate, que iban de camino a la escuela, desde su Land Rover y bajando la ventanilla les dijo:

—Chicas, ¿cómo estáis? ¿Cómo va todo? No sé nada de vuestro padre.

—Pues bien, supongo —dijo Kate mirando los relucientes cromados de las llantas y los negros neumáticos del coche de Rachael—. Ya sabes.

Rachael asintió con la cabeza.

—Sí, ya sé. Mira, si necesitáis cualquier cosa, lo que sea, no dejéis de llamarme. ¿Me oís? No hace falta que se lo contéis a papá, me llamáis sin más.

Las niñas asintieron y Rachael se marchó después de mirarlas de una forma que nunca llegaron a comentar, pero que ambas reconocieron como la mirada que podía haber dirigido su madre a otras niñas desgraciadas, en una situación casi trágica, niñas que estaban tristes y solas, que necesitaban ayuda, pero que no podían pedirla, porque no sabían cómo hacerlo.

Rachael lo había intentado, lo mismo que las mujeres del grupo de apoyo contra el cáncer, mujeres esqueléticas, con sombreros y pelucas, a las que su padre les decía, cada vez que llamaban: «Todo va perfectamente… No, no, no necesitamos nada. Las niñas están bien». Incluso cuando Nancy, la amiga de facultad de su madre apareció una noche en la escalera de entrada con un plato de pastas y un tiesto con una hiedra, su padre estuvo igual de frío y cortante, y le dio el mismo mensaje que a los demás: «De veras, nos va perfectamente». Tyler habría querido poder asomarse, sacar la mano esquivando sus anchas espaldas que tapaban toda la puerta, pero no podía, no podía dejar que supieran que su padre no decía la verdad y que no estaban bien en absoluto.

Al final el teléfono dejó de sonar y las cazuelas con hamburguesas y notitas floreadas que aparecían como por arte de magia en la escalera de entrada también desaparecieron. Tyler imaginaba que aquella vida que ella había conocido de coches compartidos, cenas improvisadas, fiestas en las que Kate y ella se sentaban en lo alto de la escalera para oír las risas y el ruido de las copas, tenía ahora lugar sin ellas, con otra persona, otra mujer que ocupaba el lugar de su madre.

—Esto no nos vale para nada, Kate. Es muy antiguo. Las cosas han cambiado mucho desde que nacimos. Ahora hay cosas nuevas para los bebés, cosas de las que no tenemos ni idea —dijo Tyler cerrando su birrioso cuaderno.

Así que Tyler bajó hasta el centro, incluso viajó en un autobús de BART hasta Oak Creek donde sabía que podía encontrar más gangas. Al principio merodeó ante los muebles de pijamas Carter en Roxie´s Baby o los contenedores de Goodwill, prestando atención a lo que decían las dependientas, las mamás, las hermanas, las titas y las abuelitas: «¡Uy! Fíjate, Sue, ¡qué camisita más mona! Mira cómo cierra el cuello… Este no tiene automáticos para el pañal… ¿Tienen pijamas ignífugos?… ¿Qué te parecen las tetinas esas?». Tyler miraba y escuchaba, agazapada entre pilas de sábanas floreadas y muñecos de peluche, estudiando su lista, modificándola y ampliándola. Finalmente, sacaba las sábanas y las toallitas de los correspondientes compartimentos, cogía los mordedores y los pañales de las estanterías y las llevaba hasta la caja, tratando de sonreír y de hacer caso omiso de las amables preguntas de rigor: «¿Es para un regalo? ¿Quieres otro tique por si a la mamá no le vale y quiere cambiarlo?».

Algunas veces Tyler se abalanzaba sobre las vendedoras de los departamentos de bebés, contándoles cosas de aquella hermana que era mucho mayor que ella y cómo se había quedado embarazada sin esperarlo de su primer hijo y estas se derretían mientras ella iba cogiendo pijamitas y camisetas. Tyler se montaba a veces complicadas historias, trasladaba a Kate a otros países donde le era imposible encontrar aquel objeto concreto que vendían en ese establecimiento, una picadora para comida infantil, una tetina especial de biberón. Cuando salía de la tienda, las empleadas, totalmente empapadas de la vida de su hermana ingeniera, escritora o agente de la CIA, le decían a veces desde detrás del mostrador: «Vuelve para decirme si ha sido niña o niño». Tyler siempre asentía y les decía adiós con la mano, mientras apretaba el paquete contra su pecho, sonriente, imaginándose que volvía a casa en autobús para envolver el regalo que le iba a mandar a su exótica hermana a Londres, París o Roma.

Pero Tyler también sabía que si las cosas se hacían como Kate quería, la primera en recibir a aquella húmeda criatura cubierta de sangre sería ella, ella sería la que tendría que cortar el cordón umbilical y conseguir que no muriera la madre ni el niño.

Kate esperaba el retortijón. Desde que estaba en séptimo había tenido unos dolores menstruales que la dejaban pálida y desvanecida. Su madre tuvo que ir a recogerla un día a tercera hora, a la clase de francés; se había quedado enroscada bajo la mesa, sin poder moverse mientras la profesora, *mademoiselle* Barbour se retorcía las manos y susurraba, «Mon Dieu», y el resto de la clase copiaba un texto.

A Kate tampoco le asustaba la sangre, porque tenía tales hemorragias durante la regla que una noche empapó no sólo las sábanas sino también el protector del colchón y hasta el colchón. «Dios Santo —dijo su madre por la mañana después de cambiar la cama y llamar al ginecólogo—, ¡Es un milagro que estés viva!»

Así que cuando una tarde empezó a sentir las rítmicas contracciones en el abdomen que culminaban en un punzante y agudo tirón en algún punto profundo de su vientre pensó que no era para tanto. De todas formas se dijo que aquello sólo debían de ser falsas contracciones, esas que son una especie de ensayo general. Kate no se molestó siquiera en avisar a Tyler. Estuvieron una hora viendo un concurso en la tele y se limitó a contar, reprimiendo durante algunos segundos una mueca de dolor para seguir luego contemplando a los adultos que hacían girar la rueda y contaban vocales.

Parte de ella quería llamar a su padre, y pedirle que viniera a buscarla inmediatamente. Deseó poder ser pequeña de nuevo, para correr hasta él y agarrarse a sus piernas y levantar las manos gritando: «¡Aúpa! ¡Quiero aúpa!», como solía hacer para que él la cogiera por debajo de los brazos y la levantara en volandas sobre su cabeza, sin dejarla caer nunca. Pero ahora ya no podía hacer eso; esta vez todo estaba tan mal, tan mal que era posible que su padre se limitara a sacudir la cabeza y a salir dando un portazo para no volver nunca más.

—¿Qué ponemos ahora? —dijo Tyler cuando acabaron los concursos—. ¿Qué hay? ¿Pasa algo?

Kate hubiera querido decirle a Tyler que no, que no pasaba nada, que pusiera *Say What?* en la MTV. Tal vez, pensó, si conseguía disimular las contracciones, que desde luego eran también reales como la vida misma, podría conseguir retrasar aquello, o incluso que no llegara a suceder. Kate inspiró profundamente reteniendo las lágrimas que pugnaban por salir. No estaba preparada; era demasiado pronto. Y sabía, tal como Tyler le había dicho en una ocasión, que todo aquello podía salir mal, más que mal.

—¡Ay! —dijo por fin Kate mirando a los ojos a su hermana—. Me parece que estoy de parto. Bueno, un poco; acaba de empezar.

Tyler dio un salto y Kate sintió que se tensaba como sacudida por una descarga.

—¿Ya ha llegado el momento? Mierda, se supone que me lo tenías que decir en cuanto empezara. ¿Qué hacemos?... Vale, hay que controlar el tiempo entre contracciones. Voy a coger el cronómetro.

Kate estaba tumbada en el sofá, mientras sentía cómo se le iba endureciendo el abdomen, respirando con inspiraciones cortas, como decían los libros y los vídeos, suave y relajadamente, tratando de no tensarse. Intentó visualizar lo que estaba sucediendo dentro de su cuerpo, o lo que rogaba que estuviera sucediendo: que el cuello del útero se abriera y fuera adelgazándose en cada contracción un poco, o tal vez mucho, porque así aquello duraría poco y tendría al bebé enseguida. Lo que Kate no soportaba era pensar en todas las posibilidades de que la labor del parto o el alumbramiento presentaran problemas: que el niño estuviera en una mala postura, que la cabeza de la criatura quedara encajada en los labios del cuello del útero, que el cordón umbilical se enroscara a su alrededor como un lazo mortal.

Tyler volvió corriendo a la sala de estar. Con el cronómetro al cuello, colgado de un cordón rojo.

—Creo que deberíamos ir a la habitación, ¿vale? O quédate aquí, pero ¿no va a armarse mucho lío si la cosa se acelera?

—Vale —dijo Kate—, vamos a mi cuarto.

Tyler la cogió de la mano y fueron hasta la habitación de Kate. Tyler había echado el colchón al suelo y lo había cubierto con hule y luego con una sábana corriente, exactamente como decía el libro sobre partos en casa. Kate se fijó en las tijeras, el hilo, los guantes de látex y las toallas que había sobre el tocador.

—A ver, voy a coger unas almohadas, ¿o prefieres andar un ratito? Los libros también dicen eso. ¿Te acuerdas? ¿Qué te parece?

—Pues tal vez —dijo Kate—; no lo sé.

—¿Has roto aguas?

—Creo que no. A chorros seguro que no.

—¡Jo, Kate! Se supone que tienes que estar atenta —dijo Tyler—. Es muy importante que lo sepamos.

—Bueno, pues no lo sé, Tyler. Ahora sólo tengo dolores, ¿qué quieres que te diga? —le dijo esta sentándose en la silla, mientras se le tensaba la cara al sentir una nueva contracción.

Tyler se la quedó mirando fijamente, estaba pálida y retorcía el cordón del cronómetro.

—No sé… Supongo que lo que me pasa es que no me puedo creer que nos esté pasando esto. Quiero decir, ¿de veras tenemos que pasar por esto? En serio, ¿no podemos ir al hospital, sin más? Conduciré yo. Puedo hacerlo. Está sólo a cinco minutos.

Kate se tapó la cara con las manos y se estremeció.

—No —dijo ahogando el monosílabo con las manos.

Tyler empezó a recorrer la habitación a zancadas, dando traspiés sobre la alfombra.

—Te dije que lo haría, Kate, pero esto es de verdad. Ha llegado el momento de la verdad. Quiero decir que si algo sale mal… será por mi culpa, ¡maldita sea! Seré yo la que lo haya hecho mal, la que te haga daño a ti o al bebé, la que os mate, como quien dice. Será culpa mía.

Kate tomó aire, le tiraba la tripa. Tyler seguía silenciosa, con la cara húmeda de sudor y los puños metidos en los bolsillos. «¿Qué puedo decirle a mi hermana? —pensó—. ¿Qué puedo decirle para que se quede, en el cuarto conmigo, para que no salga corriendo por esa puerta?» Se acordaba de cómo se había sentido cuando su padre vino a casa después de la primera operación de su madre. Llevaba en la cara una expresión que Kate no había visto nunca, algo que ella no quería saber. Aquella noche, en aquel momento, mientras estaba sentada al lado de Tyler en el sofá, sintió que todo su ser quería levantarse y echar a correr por la calle. Si se daba prisa, pensaba, podría escapar de la realidad.

—Por favor, por favor, quédate conmigo. Tú sabes lo que hay que hacer. Lo hemos visto en las películas. ¡Por favor, por favor… —dijo Kate sujetándose el vientre—, no me dejes!

Tyler, quieta, mirándola atentamente, aflojó las manos.

—No, no voy a dejarte. Te lo he prometido. Es que estoy asustada.

—Yo también tengo miedo. No voy a poder hacerlo... —dijo Kate, interrumpiéndose al tiempo que su cuerpo se tensaba como si la contracción fuera una cuchillada.

—¿Qué pasa? ¿Qué ocurre? —le preguntó Tyler.

—Es que duele. Duele muchísimo. ¿Podrías leerme algo? Léeme algo —dijo Kate con la cara pálida y sudorosa.

—Vale, vale. Mira —dijo Tyler, pasándose las manos por el pelo mientras se volvía a la estantería—. ¿Qué te parece *El jardín secreto*? ¿Te acuerdas de ese libro?

Kate asintió con la cabeza.

—Sí, sí. Lee el final, Tyler, por favor. La mejor parte. Empieza por el capítulo que se llama «Magia».

Kate gruñía, con el pelo chorreando sudor y la cara congestionada por el esfuerzo de empujar. Un chorro de sangre brotó de la vagina y Tyler rezó porque fuera sólo de la placenta y abarcó la coronilla de la cabeza del niño con la palma de su mano. El nacimiento de aquella criatura, que parecía durar una eternidad de dolor y pringosos fluidos, no estaba resultando ni remotamente parecido al documental aquel, *El milagro del nacimiento*, que habían visto unas quince veces en vídeo. En la película, la mujer hacía muchas muecas y jadeaba ruidosamente, pero no había gritos, ni sangre chorreando piernas abajo. El padre estaba allí, susurrando palabras alentadoras, en realidad eran como suaves ruiditos, y sólo se veía su brazo tatuado flexionado cuando el niño ya coronando empezaba a asomar. El niño lloraba exactamente como Tyler esperaba que lloraran los recién nacidos. Un agudo «güe, güe, güe», e inmediatamente conseguían que se acallaran entre suaves luces y cálidas mantas. Las dos habían pensado que parecía demasiado fácil.

De hecho el vídeo del parto no duraba en total más de veinte minutos, más o menos, porque los primeros cuarenta estaban dedicados al encuentro del óvulo con los espermatozoides; el resto de la hora larga que duraba el documental era el nacimiento del niño y luego imágenes de los felices papás contemplando arrobado al bebé, vestidito y con los ojos abiertos: nada de lágrimas y nada de dolores.

Pero aquello no tenía nada que ver con la realidad, con Kate que, agotada de empujar con un esfuerzo que convulsionaba todos sus rasgos, se desmoronaba exhausta en la cama, inerte, dolorida, con la cara y el pelo empapados en sudor. Hubo un momento en que Tyler estuvo a punto de sucumbir a un arrebato de pánico que apenas podía contener, sentía cada uno de sus nervios como cables de alta tensión, mientras abría con sus temblorosas manos las piernas de Kate en un desesperado intento por ver lo que no sabía siquiera que tenía que mirar. Aunque Kate y ella habían estudiado cuidadosamente los gráficos que representaban las diferentes fases del parto y de la dilatación del cuello del útero y su adelgazamiento, realmente no veía cómo podía comprobar el grado de dilatación de Kate, ni sabía cuándo decirle a su hermana que respirara, que empujara o que aguantara. Algunas veces, acercaba el oído contra su caliente y palpitante barriga tratando de percibir algún sonido, imaginando que podía llegar a escuchar el latido del corazón del bebé. Al final, se puso un guante de látex y se aventuró dentro de su hermana, sobresaltándose al topar con la cabeza caliente y viscosa del bebé en la vagina de Kate. En ese momento supo que tenía que decir «¡empuja!» con total seguridad, y ahí estaba Kate empujando, el niño saliendo poco a poco, los labios de Kate haciéndose cada vez más rojos y delgados y el oscuro pelo del niño saliendo a la luz.

—Bien, bien. ¡Empuja, Kate! —dijo Tyler, sintiendo cómo se deslizaba la resbalosa cabeza de la criatura entre sus dedos.

—¡Ay, Dios! ¡Cómo duele! ¡Sácalo, sácalo!

—Despacio, está saliendo. Ya está aquí —dijo Tyler—. Un empujón más, vamos.

Kate empujó de nuevo y Tyler vio los ojos del niño y luego la nariz. Sabía que cuando había pasado la cabeza sólo faltaban los hombros —que eran casi tan difíciles como la cabeza—, pero que luego el resto era fácil. Los libros decían que era fácil.

—Estupendo. Kate, ya no queda casi nada, de verdad —dijo mientras absorbía con cuidado algo del líquido claro con el cacharrito azul que había comprado a principios de mes y que sabía, gracias al doctor Spock, que se llamaba aspirador. Kate cerró los ojos y Tyler se figuró de repente que su hermana no volvería a abrirlos nunca más, lo mismo que había hecho su madre en el Hospital de Mount Diablo, aquel día en que todos fueron a despedirse de ella. Tyler recordaba perfectamente cómo había retenido la respiración, pensando que en un segundo no, pero que al segundo siguiente, o tal vez al otro, su madre volvería a la vida y abriría los ojos contradiciendo a los médicos que les decían: «Está prácticamente muerta. No tiene actividad cerebral». De pie ante la cama, con el colchón a la altura del ombligo, Tyler pensó que si se concentraba lo suficiente, la mano de su madre se alzaría sobre la fría sábana y la tocaría, las máquinas volverían a la vida, volverían a dibujarse piquitos en la pantalla y los doctores verían que aún había vida en la sangre y en el cerebro de su madre. Luego su madre se pondría bien, regresaría a casa, y todo volvería a estar en orden, como si nunca hubiera pasado nada.

Kate jadeó, tratando de no gritar, tapándose la boca con la almohada, y sintiendo que una fuerza descomunal tiraba de su cuerpo para abajo.

—¡Dios, Tyler, tira! ¡Sácalo!

—Tranquila, tranquila. Un empujón, sólo uno más.

Tyler levantó más las piernas de su hermana, las sujetó, rebuscó hasta dar con el aspirador y aspiró de nuevo la nariz del niño para que pudiera respirar por primera vez aire limpio en la tierra.

—¿Qué pasa? —jadeó Kate—. No te olvides de la boca.

—Todavía no puedo, sólo llego a la nariz. Empuja otra vez, despacio —dijo Tyler, y Kate empujó. Entonces vio la boca del niño, los diminutos labios dispuestos al llanto y le enchufó el aspirador, sacando más líquido y más, y más y más. La tercera vez el bebé empezó a llorar.

—Vale. Ahora quedan los hombros. En cuanto salgan se acabó.

—¿Empujo ya? ¡Tengo que empujar! —dijo Kate, con una voz alterada por el dolor que se volvió en grito cuando Tyler dio con un hombro redondito y sujetándolo guió a la criatura por el canal del parto y la sacó sentada en su mano recibiendo en sus brazos a la niña que salió arrastrando tras ella el pringoso y blanquecino cordón umbilical.

—¡Dios santo! —dijo Tyler mirando a la niñita que parpadeaba en el hueco de su brazo intentando abrir los ojos—. ¡Dios santo! —repitió, en una exhalación de alivio y sorpresa.

—¿Qué pasa? ¿Le pasa algo? —preguntó Kate, incapaz de levantar la cabeza del colchón.

Tyler contuvo un aluvión de lágrimas de alegría y tristeza, sintiendo en la garganta un nudo de emociones que no podía nombrar. Aquí estaba, al fin, la criatura que tanto habían esperado.

—Está bien, Kate. Es una niña. Una niña preciosa. Dios mío… —dijo Tyler haciendo una inspiración profunda mientras se volvía para alcanzar una manta y envolver cuidadosamente al bebé, que todavía llevaba el cordón colgando, tapando con cuidado sus diminutos piececitos colorados—. Ya la limpiaré luego. Toma —dijo colocando el tibio paquetito sobre la tripa de su hermana.

Tyler la vio luchar por levantar la cabeza y se acercó para acomodársela con unas almohadas. Juntas tocaron al bebé que Kate acomodó en sus brazos.

—Es maravillosa. Tyler, Tyler, no puedo creer que hayas sido capaz de hacer esto. Gracias, gracias…

Tyler se desplomó sobre la alfombra y miró a su alrededor aquella habitación de la que había deseado salir corriendo la noche anterior, cuando quería abandonar el tenso cuerpo de Kate y sus sofocados gritos. Y ahora ya había pasado todo, ya sólo quedaba por cortar el cordón umbilical y que expulsara la placenta. Y ahí estaba aquella criatura perfecta, la más hermosa de todas cuantas salían en los libros y en las películas, tan suave, tan blandita… Tyler sacudió la cabeza, casi no podía creerse que todo hubiera salido tan bien, que hubiera sido capaz de hacerlo, que hubiera podido sujetar la cabeza de un bebé y tirar de él para sacarlo entero y perfecto. «¿Cómo es posible que hayamos venido al mundo?», se preguntó , sintiendo de pronto su propio cuerpo, la piel, los huesos, los músculos, sintiendo la tensión y la rigidez en sus hombros, el estómago vacío, la vejiga a punto de reventar.

Entonces vio como Kate acariciaba la cabecita del bebé y se buscaba el pecho para ofrecérselo a la niña que se agarró inmediatamente al pezón.

Se puso de rodillas y se inclinó sobre la cama.

—¿Lo…, lo está cogiendo? —preguntó.

—Sí, puede mamar. —La niña emitió varios chasquiditos seguidos con la boca y de pronto pareció conseguir lo que andaba buscando; cerró los ojos y tiró con firmeza del pezón de su madre—. Estoy tan cansada, Tyler… —dijo Kate suspirando mientras se le caía la cabeza.

Tyler también quería echarse y descansar, quería dormir y tener a alguien que la reconfortara, que la abrazara y le dijera que lo había hecho bien, muy bien. Quería que viniera su padre y que se quedara estupefacto al ver a la niña que había conseguido sacar con vida del vientre de Kate. Pensó en los abrazos y las felicitaciones, en su cama, en las sábanas limpias, en el edredón limpio y blandito. Pensó en todo eso, pero luego miró a su agotada hermana y al bebé que chupaba de su abultado pecho, y se dio cuenta de que dependía de ella; todo dependía de ella.

Cuando hubo pasado todo, Kate no recordaba exactamente el dolor, pero en aquellos momentos estaba segura de que nunca, nunca lo olvidaría, acerado como la hoja de docenas de afilados cuchillos, largo como sogas de nudos atadas a su cuerpo de las que alguien tirara lenta, lentamente. Hubo momentos, a veces eran segundos, entre contracción y contracción, en que Kate abría los ojos, veía el techo, miraba a Tyler, y sabía que aquello estaba a punto de terminar. Pero luego el dolor volvía, primero los cuchillos, luego las sogas y duraba tanto que se sentía a sí misma meterse en su propio cuerpo, en la púrpura oscura y húmeda de sus viscosas entrañas, que se deslizaba hasta el bebé y los haces gigantescos de los músculos del útero, del cuello y de la vagina contrayéndose y expulsándolos a ambos hacia otro lugar. Con los ojos cerrados, Kate en su dolor intentaba abarcar mentalmente el blanco cuerpo de la criatura, sentir su reluciente cabecita oscura y recorrer con los dedos sus párpados cerrados, mientras le decía una y otra vez: «Ya es hora de salir, por favor, ya es hora de que vengas a casa».

Más tarde —parecía que habían pasado días, pero en realidad sólo habían pasado veintiséis horas— Kate y su flamante recién nacida se quedaron dormidas. Eran sólo las nueve de la mañana, pero parecía que fuera una medianoche alumbrada por las dos medias lunas moradas que había pintado el dolor bajo sus ojos.

Tyler había metido las sábanas ensangrentadas en la lavadora con medio litro de Clorox al ver que el agua en el tambor pasaba del rosa al rojo, y ahora estaba en el patio trasero enterrando la placenta que hacía una hora exacta había sido expulsada por el cuerpo de su hermana.

Mientras cavaba la húmeda tierra al pie del limonero muerto, le echó un vistazo a la bolsa de basura en la que la había metido. Aquel pedazo de materia sanguinolenta se le antojaba como un hígado abultado, lleno de sarmentosas venas blancas, con el cordón umbilical colgando como una cosa encogida y moribunda. Pensó que era horrible tener que dar a luz una placenta después de haber dado a luz a una criaturita perfecta.

Le pareció ver que Kate abría fugazmente los ojos después de perder el conocimiento, mientras el bebé tiraba de su pecho. Kate miró a Tyler, agotada y sudorosa, y le dijo:

—Tienes que cortar el cordón.

Ella fijó la mirada en el cordón que conectaba al bebé con aquel amasijo sanguinolento.

—¿Y qué pasa si…? Vamos, ¿no necesitará la niña esa sangre? Lo leímos, ¿te acuerdas? Habrá que sujetárselo…

Kate dejó caer la cabeza sobre el colchón y bajó al bebé hasta su estómago.

—Hazlo, Tyler. Córtalo. Toma las tijeras y córtalo, y luego átalo con el hilo.

Tyler, con las manos pegadas al cuerpo, temblaba. Le hubiera gustado decirle a su hermana: «Pues hazlo tú. ¿Es que te parece poco lo que he hecho hasta ahora? Toma, aquí tienes las tijeras…», pero sabía que eso era cosa suya, aunque le horrorizaba coger las tijeras esterilizadas y cortar aquella maldita y repugnante vena, tan gorda que parecía un salchichón. Pero Kate respiraba y el bebé también. Había mucha sangre por todas partes, pero no había muerto nadie.

—Vale, vale —dijo entre dientes, y cogiendo el pringoso cordón fue cortándolo y sintiendo cómo iba seccionando aquella masa, cada vena.

Y ahora tenía que volver a mirar aquello. Tyler agarró la bolsa y la vació en el agujero, la masa viscosa cayó en el barro húmedo y le recordó una medusa sobre la arena de la playa. Uno de los libros decía que en algunas tribus indias se comían aquello porque daba buena suerte, otros, como ella hacía, lo enterraban con todos los honores por haber servido bien al bebé. En uno de los libros había leído que en los años setenta algunos hippies acostumbraban a pasarlo por la sartén como si fuera un filete, con cebolla, champiñones y todo tipo de guarnición, y se lo comían. Tyler, esforzándose por controlar la tiritona mientras tapaba el hoyo echando paletadas de tierra, pensó que ella lo habría echado por el retrete si hubiera estado segura de poder deshacerse así de aquello. Pero no quería tener que llamar al fontanero, para decirle: «Pues todo funcionaba perfectamente hasta que echamos la placenta por el váter».

Antes de taparlo levantó la cabeza para echar un vistazo hacia la casa de los Anderson y de los Chaturvedi y luego a la de los Chan, a sus espaldas. Era el vecindario de siempre, los ruidos matutinos del tráfico de los que salían de Wildwood Drive para dirigirse a Oakland o a San Francisco, con las emisoras KFOG o KCBS informándoles de los correspondientes atascos en la autopista 880 y en la 680. Los conductores paraban un momento en Starbucks para comprar un café con leche y volvían corriendo al coche porque les esperaban largos trayectos. En esos momentos, su padre estaría en el coche, con un descafeinado doble con leche encima del salpicadero. Nadie estaba mirándola desde el dormitorio o el salón, nadie la señalaba acusadoramente ni marcaba el 911. Nadie. Hasta los niños más pequeños se encontraban a esas horas en el cole atentos a los profesores que les estarían diciendo que abrieran los libros y sacaran los bolígrafos o los lápices de cera. En el instituto de Las Palomas, su profesora de Educación Física, la señora Winters, ya se habría metido a fondo en los calentamientos: flexiones de rodilla, estiramiento de brazos, y botecitos rápidos. Todo se desarrollaba como de costumbre en Monte Veda, y nadie sabía que en aquella casa nada volvería a ser como antes. Nadie sabía, pensaba Tyler, que su vida, la de Kate y probablemente también la del bebé, estaban probablemente echadas a perder para siempre. Exactamente no sabía qué era lo que iba a pasar, pero sí que, por mucho que Kate dijera, los adultos acabarían haciéndose cargo de aquel lío. Los adultos lo acabarían descubriendo, y los adultos sabían que no deberían haber hecho aquello solas, sin padres, sin una madre, un padre o un amigo. Aquello no estaba bien, y Tyler se encontró aguantando la respiración muy hondo, porque no le quedaba más remedio que aguantarla hasta que llegara el momento en que no fuera ella la única que supiera la verdad que se ocultaba entre aquellas cuatro paredes.

Cuando entró de nuevo en la cocina, se lavó las manos, aspirando el vapor y el olor a Clorox. Apenas podía mantener los ojos abiertos, ya que sólo había dormido algunos minutos en toda la noche, entre contracción y contracción, y despertándose continuamente para cogerle la mano a su hermana y suplicarle que respirara despacio y suavemente. Se miró las manos, sucias y llenas de sangre, las uñas, que solía llevar tan largas y metalizadas, ahora cortadas al ras, ya que había tenido miedo de hacerle daño al bebé al tirar de él. Cerró el grifo y se dirigió al lavadero, sacó una camiseta y unos pantalones limpios de la secadora y se cambió allí mismo; después metió el top y los vaqueros empapados y llenos de manchas en la cesta de la ropa sucia. En cuanto acabaran de lavarse las sábanas esperaba acordarse de poner otra lavadora para no dejar ningún rastro de lo sucedido.

Kate y la niña seguían dormidas. Se sentó en el suelo y se quedó mirándolas. Aquella criatura era una cosita perfecta del color de la canela, coronada por una mata de pelo negro. Los labios fruncidos parecían una flor diminuta. «Hace sólo un día, unas horas, no estaba con nosotras —pensó Tyler—, y ahora, mírala, es una persona más.» Se inclinó sobre ella, aspirando el suave olor de su piel y se preguntó: «¿Y tú quién eres?».

Kate le había dado el pecho dos veces y se había quedado dormida con la niña después de cada mamada; ahora estaba despierta en la cama, mientras la luz triste de las tres de la tarde se colaba por la ventana. Se incorporó un poco de lado, sintió una punzada de dolor en los tendones del cuello y en la tripa del esfuerzo de empujar e hizo una mueca al pensar en la oquedad abierta que se imaginaba había dejado el bebé a su paso. No le cabía en la cabeza cómo todo aquello podría volver alguna vez a su sitio.

Tyler dormía tirada en el suelo, con la cabeza apoyada en una almohada y los hombros cubiertos con una mantita de bebé. Después de lavar toda la ropa de cama y las toallas, dar de comer a Kate y cambiar a la niña, se había arrodillado en el suelo, encogido sobre sí misma y dejado caer allí mismo, donde no tardó más que un segundo en quedarse dormida respirando profunda y regularmente.

Kate pasó la mano suavemente por la cabeza de la niña, sintiendo el fino cabello negro entre sus dedos, acariciando aquellas suaves mejillas, preguntándose si podía por fin relajarse. Tenía a su hija. Estaban vivas y Tyler no había tenido que llamar a urgencias. No había tenido que pasar por ninguna de esas horribles complicaciones —eclampsia, rotura del útero, desgarro perineal— que había visto en los libros. El parto se había desarrollado en las fases previstas, el bebé estaba perfectamente colocado; la placenta había salido tras la criatura con una suave contracción; no tenía hemorragias peligrosas y la niña mamaba sin dificultad los calostros amarillos que habían empezado a manar de sus pechos. Y durante todo ese rato, Tyler se había ocupado de todo, sin dejar de hablar queda y suavemente.

Miró a su hermana dormida y se preguntó cómo habían sabido las manos de Tyler coger la cabeza de un bebé, luego los hombros y finalmente el cuerpo. Cómo había sido capaz de aprender algo que nadie, ni Kate, ni su padre, ni su madre, le había enseñado.

«Ahora hay tantísimas cosas de las que preocuparse…», pensó inclinando la cabeza sobre la frente de la niña y besando su suave piel. Se preguntaba si Tyler se habría fijado en el color de la piel y el cabello de la niña tan diferentes de los de Kate y tan parecidos a los de su padre. Pero probablemente no le había dado tiempo de percatarse de nada, con tanto ajetreo después del parto, con tanta cosa que había que recoger y limpiar, por si su padre aparecía por casa. «Pero acabará dándose cuenta —pensó—, acabará preguntando, querrá saber.»

Levantó al bebé en brazos y pensó en su padre, probablemente estaría todavía trabajando, sentado ante el ordenador, leyendo números, mirando cómo subía el mercado de valores. ¿Qué haría si volviera a casa y la descubriera? Pero probablemente eso no ocurriría antes de la tarde del día siguiente, y a esas horas ella ya estaría escondida con la niña en el armario, desde dónde oiría a Tyler mentir sobre su paradero: «Ah, está en la biblioteca. Se ha ido con Erin. Tiene un examen de lengua muy importante dentro de poco. Está bien. Sí, por supuesto. Le contaré lo que me has dicho».

Kate apretó contra ella a su bebé, porque ahora todavía podía entender menos a su padre, pensaba: «Nos ha dejado ir como si fuéramos globos después de una fiesta, y aquí estamos, flotando sobre mar y tierra y perdiendo aire. ¿Cómo puede quedarse tan tranquilo viéndonos vagar a la deriva?».

Luego empezó a pensar en el padre de su hija. Arrimó el frágil cuerpecillo al suyo y recordó de pronto aquella palabras: «¿Qué dirías si te preguntara si puedo besarte aquí?». Kate no le dijo nada, pero le dejó llevar la mano de ella hasta sus labios y besarle la palma abierta. Él había cerrado los ojos, para aspirar su olor, pensó ella, un olor a perfume, sudor de verano y cloro de la piscina. Entonces volvió a hacerle la misma pregunta, besándole el hueco del brazo a la altura del codo, y otra vez a la altura de sus redondos hombros. Ella cerró los ojos para respirar el aire de aquellos recuerdos, el vértigo que la embargó al tiempo que los labios de él recorrían su cuerpo y cómo su sangre pareció levantarse haciéndole sentir por primera vez la piel como algo vivo y no un mero envoltorio que la protegía del exterior. Y más tarde, cuando sus manos recorrieron el mismo camino que antes habían hecho sus labios, sintió que se desprendía de algo —miedo, inseguridad, vergüenza—, y que, en su lugar algo nuevo aparecía: gozo, tal vez, o esperanza, o quizá el reconocimiento de algo que recordaba o que ya sabía, pero que había olvidado durante mucho tiempo.

Abrió los ojos y trató de apartar esos pensamientos, intentando hacerse con ellos antes de que se convirtieran en el sueño del último verano. Pero por mucho que se esforzaba en volver a guardarlos en el cajón de los recuerdos, no podía dejar de oírle: «Encantadora. Eres absolutamente encantadora...». No es que Kate hubiera pensado nunca que las cosas serían de otra manera, pero algunas veces le asaltaba sin remedio la vieja mentira del verdadero amor y le laceraba el corazón como un animalito triste. Volvió la cabeza hacia su niña, la que había tenido de él, y supo que ella era todo lo que le quedaba de aquello, lo mejor de ellos, aunque él no llegara a saberlo nunca. Porque, si llegaba a enterarse, ella perdería a la niña y con ella todo lo que le quedaba de él y de aquel verano en que su cuerpo se transformó en algo que sólo había soñado hasta entonces. La cosa no tenía vuelta de hoja, pensó, había que recuperarse, alimentar al bebé, intentar como fuera seguir con su vida, intentar seguir con todo lo que tenían de vida por delante.

Durante el parto, pensó vagamente en el nombre que le pondría, aunque no estaba segura de que eso no fuera a traerle mala suerte decidió por su cuenta que todo iba a salir bien y que cuando acabara habría un niño al que habría que llamar por su nombre. Mientras sentía su cuerpo contraerse y estirarse pensó: Cody, Marshall, Tucker, Julien, Mitchell, Stephan; Amelia, Daphne, Sofía, Rose, Jayna, Michela. Una y otra vez, hacía rodar esos nombres en su cabeza mientras su propio cuerpo rodaba bajo las oleadas de contracciones musculares. Se preguntaba si el nombre puede influir sobre la persona, puede hacer de uno lo que no es a priori; por ejemplo, si una niña nacía tonta y torpe, ¿podría el mero hecho de llamarla Sofía transformarla en una mujer bella, esbelta y graciosa? Y un niño débil y enclenque, ¿podría volverse fuerte y valiente si lo llamaran Tucker? ¿Qué nombre era pues el que podía dar más posibilidades de perfección a su bebé?, ¿cuál de ellos podría protegerlo con más eficacia?

Así que entre contracción y contracción, entendió qué era lo que tenía que darle a aquel hijo: tenía que darle todo lo bueno que puede acompañar a un nombre.

—Tyler —le dijo en un susurro a su hermana, que se había quedado medio dormida apoyada contra la pared.

—¿Qué, qué ocurre? ¿Ya viene otra? —le dijo esta abriendo los ojos y acercándose a su hermana.

—No, no. Oye, si es una niña, ya sé cómo la voy a llamar.

—¿Cómo?

—Deirdre. Quiero ponerle Deirdre.

Hasta que se casaron y se trasladaron a su propio apartamento en Bancroft Avenue —Davis recordaba a la madre de Deirdre, a su propio padre y a su hermana mayor Gwen agarrada al ramo de novia de girasoles diciéndoles adiós con la mano a la puerta del juzgado de Oak Creek— estuvieran donde estuvieran él y Deirdre, su único afán era acercarse al cuerpo de Deirdre. Daba igual que estuviera viendo *Gente corriente* o *Toro salvaje* en el cine Elmwood o que estuviera sentado en el restaurante Chez Panisse ante un plato de *fettuccine* con tomate, él la cogía de la mano, le acariciaba las rodillas y habría deseado apretar su cabeza contra los pechos de ella y arrancarle la ropa y dejarla desnuda.

Ahora, algunas veces en la ducha, recordaba el primer apartamento que habían compartido, el estrecho plato de ducha, sus manos sobre los anillos de Deirdre, enjabonándola suave, suavemente. Sin embargo, el agua le despertaba de aquel sueño y se encontraba con los ojos llenos de champú Finesse; entonces cerraba el grifo para detener también el chorro de recuerdos, aunque en realidad, no podía conseguir nunca dejar de ver esas imágenes, las escenas de lo que había sido su vida, una tras otra, volviendo una y otra vez a su cabeza, porque era una vida muy llena. Antes de que se dieran cuenta tuvieron a Kate, se licenciaron, tuvieron a Tyler, y ya estaban trabajando, comprando coches, juguetes, mudándose a una urbanización en las afueras, como si no hubieran hecho otra cosa que prepararse para esa vida durante todos aquellos años. Cuando la madre de Deirdre murió de cáncer de mama, heredaron la casa: la casa en la que Deirdre había crecido, el lugar perfecto para educar a los niños, entre las colinas de Berkeley, protegida del crimen y la violencia de las calles por un entorno natural y acomodado, en el verde valle a los pies de Monte Veda, Lafayette y Oak Creek, toda verde y con kilómetros de bosque hasta la base de la montaña del Diablo.

—¿De veras quieres mudarte allí? —le preguntó Davis, apoyado en la pared de la casa alquilada de Oakland—. ¿No echarás de menos esto?

Deirdre se le quedó mirando con la cabeza inclinada, y él se dio cuenta de que ella estaba pensando que se había vuelto loco. Aunque allí estaban cerca de todo, de San Francisco, de su trabajo en York and Prescott Brokerage, de los teatros, los restaurantes y de la gente, tanta y tan diferente, él sabía que ella pensaba también en las tres veces que les habían roto la ventanilla del coche y en el día en que los niños del vecindario se cargaron la puerta del garaje intentando entrar en la casa.

—No. No voy a echarlo de menos. Quiero irme a casa —dijo ella.

Y tan pronto como expresó su deseo, los dos y sus dos hijas pequeñas se mudaron a Monte Veda para meterse en una vida que parecía tan encantadora como la propia ciudad. Por la noche Davis podía oír los murciélagos y los grillos entre el rumor de la bahía y de las hojas de los robles. Empezó a respirar y pensó que realmente aquello iba a funcionar.

Cuando murió su padre, se encontraron de repente solos, salvo por su hermana Gwen y su familia, y oficialmente adultos, y con más dinero que llegó de la herencia. Davis se dio cuenta de pronto que su infancia, el colegio, la universidad, su matrimonio y la muerte les habían llevado a aquella vida que era real, a los campos, los vecinos, la luz, los cálidos días de verano y las noches bajo las luces del porche y las estrellas.

Recordaba una de las últimas barbacoas del verano en que Deirdre ya estaba recuperada, en que había ganado, por algún tiempo, la batalla al cáncer, con el cuerpo y el pecho recompuestos a base de costuras y de bolsas de suero. Estaban los Chaturvedi, los vecinos de la casa de la izquierda, que habían añadido una guarnición especiada al pollo, y se reían de las bromas de Davis, fingiendo no reparar en la delgadez extrema de Deirdre y en la palidez de lo que quedaba de sus brazos. En el jardín de al lado, Jill y Tom Anderson también hacían una barbacoa; Tom asomaba la cabeza por encima de la valla y preguntaba: «¿Qué, un poco más de mescal?», mientras se oía a Jill regañándole porque se le estaba quemando todo. Davis podía oír a los niños de los Chan, en la casa de atrás, bañándose en la piscina; los chapoteos del agua sonaban como música de fondo en la placidez de la cálida noche. De todos los jardines llegaban oleadas de risas que lo envolvían.

Por un momento dejó de hablar y se quedó absorto, envuelto en los nuevos olores y en los sonidos familiares. Tyler y Kate jugaban con los niños de los Chaturvedi que daban pasos todavía inseguros por el césped, y les tiraban pelotas de colores blandas sólo para verlos reír y correr titubeantes con sus pañales. Oía la voz categórica de Meera Chaturvedi, cortante a pesar de su suavidad, excitada cuando Deirdre y ella empezaron a hablar de bulbos, narcisos, fresias y azucenas. El marido de Meera las contemplaba a las dos, con expresión satisfecha, y luego le miró a él con una sonrisa, porque sí, allí estaban cuatro adultos en un pedacito de terreno que era suyo, en un vecindario que se ajustaba a su estilo de vida y a sus necesidades, con aquel cielo que parecía estar ahí colgado sólo para ellos.

No sabía cuando empezaron a estropearse las cosas. ¿Fue cuando Deirdre enfermó? ¿O tal vez incluso antes, cuando empezó a salir cada vez más temprano para acudir a su nuevo trabajo en York and Prescott y a volver por la noche cada vez más tarde, cuando empezó a perderse las funciones del colegio y las ceremonias de las Scouts, cuando empezó a ser casi una aparición a la hora de la cena, con una presencia cada vez más evanescente?

—Davis —dijo un día Deirdre poniéndole la cena en el plato y sentándose a su lado en la barra—. ¿Qué has estado haciendo hasta tan tarde?

Él se volvió hacia ella para coger el plato que le tendía, pensando que tal vez tendría un gesto de recriminación o una sonrisa sarcástica, o una mirada severa, que pidiera explicaciones. Pero no fue eso lo que vio en absoluto.

—Es posible que tenga que tomar un avión a Nueva York. Es el informe de CompuLink. La gente de Recursos Humanos… —siguió hablando, aunque vio que Deirdre sonreía sin prestarle atención. A ella no le importaba. Realmente no le importaba que él no estuviera siempre en casa, y él apenas pudo seguir masticando al pensar lo que eso significaba.

—Lo siento —dijo él—. Trataré de no volver tan tarde.

Deirdre le puso la mano en el hombro y apretó. Sintió los huesos de ella contra su piel, sus músculos, su carne.

—Estamos bien. Davis. Todo va bien. No te preocupes.

Y con eso pensó que le estaba diciendo que no tenía por qué sentirse culpable y que no tenía por qué preocuparse. Porque, aunque él no estuviera en casa, ella sí lo estaba. Era maravillosa… Siempre se quedaba en casa cuando él andaba lejos, y siempre podía pensar en ella con la certeza de que constituía el centro estable de su vida, por muy azacaneada que esta fuera.

• • •

—No puedo ponerme nada —dijo Kate tirando los vaqueros al montón de pantalones y faldas que había a sus pies—. No puedo ponérmelos, Tyler. No puedo ponerme nada. Estoy hecha una vaca.

Tyler se encontraba en el baño.

—¿Qué? ¿Qué es lo que dices?

—Da igual. Ya encontraré algo —dijo Kate, sabiendo que así tendría que ser aunque le tirara de la entrepierna o le despachurrara los pechos. Durante el embarazo, no le había importado no poderse poner su ropa favorita, y pareció olvidarse de las minifaldas y los pantalones de campana que colgaban en el armario. Pero ahora, mientras miraba la ropa que rebosaba de todos los cajones, se preguntaba qué le había pasado, y no podía reconocerse en aquel cuerpo extraño.

Tyler entró en la habitación y se quedó mirándola como si estuviera ante un cuerpo perfecto, una maravilla de la naturaleza.

—¡Jo! ¿De dónde has sacado ese top? Te queda fenomenal.

—Pues, ayer, cuando fui a Oak Creek a comprar pañales, estaba en Target. ¿Me queda bien…?

Kate miró a su hermana, con aquel cuerpo lleno de curvas, tan distinto del suyo, larguirucho y desgarbado que tenía antes. Desde que cumplió doce años y entró en la pubertad, Tyler había parecido siempre una mujercita. «Como una botella de coca-cola —decía su madre admirando el cuerpo de su hija en la piscina o en las competiciones de gimnasia—, Tyler tiene una figura clásica».

Con su top de lycra rosa, ajustado como una segunda piel, Tyler lucía como Kate sabía que ella no luciría nunca: los pechos redondos, bien sujetos por el sostén, las nalgas y los muslos emergiendo del valle de su cintura como suaves lomas color caramelo. Los suyos, sin embargo, en aquel momento tenían el tamaño de dos melones franceses, estaban llenos de venas azules, y con los pezones en carne viva. En cuanto a las nalgas se le veían planas y caídas en aquellos vaqueros enormes, y la tripa era un haz de estrías de color carmín. Lo único que siempre había tenido estupendo eran las piernas, y ahora ni siquiera estaba muy segura de que siguieran valiendo la pena, sobre todo porque siempre las llevaba ocultas bajo pantalones anchos y camisetas largas.

—Sí, es mono —le dijo—. ¿Y qué podría ponerme yo para estar menos horrible?

Tyler se acercó al armario de Kate y se asomó a la cuna de la niña.

—Se ha dormido en seguida.

Kate se sentó en la cama.

—Sí, ¿y qué me pongo?

—A ver. ¿Qué te parece esto?… ¿Y estos? —le dijo tendiéndole unos vaqueros negros y una camiseta de manga larga—. Con esto no se te notará nada si se te sale la leche, y los pantalones te abrochan y te quedan sueltos. Además, ya sabes, si sangras lo mejor es ir de negro.

—Me alegro de que encontráramos los empapadores para el pecho —dijo Kate cogiendo la ropa.

Tyler se echó a reír.

—Son superempapadores para supertetas.

Tyler se sentó al lado de la cuna mientras Kate se vestía.

—Bueno —dijo subiendo la mantita de Deirdre y acariciando con el dedo los puñitos cerrados a la altura de la cabeza del bebé—. ¿Cómo vamos a arreglárnoslas hoy?

Kate miró a su hermana, y le entraron ganas de echarse a llorar.

—Bueno…, tendremos que ir las dos. Pero sólo será una hora. Yo voy a lengua, tú vas a lengua y luego volvemos a casa. ¿Vale así?

—Pero ¿qué pasará si llora, o si se pone mala? Una de las dos tiene que quedarse en casa —dijo Tyler.

—Sólo será una hora, u hora y pico. Tenemos que examinarnos porque si no acabarán enterándose.

—Pero vamos a tener que hacer esto un montón de veces. Dentro de nada serán los finales —dijo Tyler—. No me gusta. Me pone nerviosa. Yo me quedo.

Kate sacudió la cabeza.

—Tú tienes un examen. No puedes dejar de ir. Ya has faltado bastante. ¿Es que quieres que llamen a papá? Ya han estado preguntando por mí.

—¡Me da igual que llamen a papá! ¿A quién coño le importa eso? ¿Qué pasa con la niña, Kate? ¿Es que te importa más que ella? Eso está muy mal. —Tyler se quedó mirando a su hermana desafiadora, con las manos en jarras—. Lo que vas a hacer es una locura.

Kate estaba de pie viendo cómo Tyler miraba a Deirdre. Sabía que su hermana tenía razón, pero ella también la tenía. ¿Qué podía hacer? Si dejaban a Deirdre sola, aunque estuviera dormidita, podía morirse. Podía atragantarse con una flema y ponerse morada hasta asfixiarse. La idea le cortó la respiración, pero hizo un esfuerzo por sobreponerse. Sabía que podían acabar las dos en la cárcel, y entonces su padre se enteraría y también el padre de Deirdre. Se enterarían todos. Todos se enterarían de lo que había hecho. Pero no había que dramatizar, pensó. Seguro que Deirdre dormiría, incluso más de lo que iban a tardar en volver de clase. De hecho, todas las mañanas dormía entre tres y cuatro horas, las mismas en que ella se estiraba en la cama y aprovechaba para dormir también. Por lo tanto, cuando Tyler y ella volvieran a casa todo estaría en orden. Irían a hacer los exámenes y a pasar de curso, y nadie llamaría a su padre o a las autoridades, ni sabría nunca lo que había hecho. Nadie le iba a quitar a Deirdre.

—Tú confía en mí, Tyler. No queda más remedio que hacerlo —dijo Kate poniéndole la mano sobre el hombro.

—Mierda —contestó Tyler, sacudiéndose la mano de su hermana y poniéndose en pie—. Vale. Muy bien. Pero si le pasa algo, no te perdonaré nunca. Y no será por mi culpa, será por tu culpa.

Kate vio cómo Tyler salía de la habitación y se dio cuenta de que su hermana tenía razón. Si le pasaba algo sería culpa suya. Y jamás la perdonarían.

En el cerrado espacio del BMW que bajaba por Moraga Way camino del instituto no se habló una palabra. Estaba lloviendo de nuevo, para variar, y los eucaliptos y los pinos se habían cargado de agua y yemas primaverales. Las luces traseras de los coches se encendían y parpadeaban constantemente. Kate conducía con mucho cuidado, no podían arriesgarse a que les pasara algo, ya que eran las únicas que sabían de la existencia de Deirdre. Tenían que ser prudentes. Tenían que volver a casa sanas y salvas. Tyler dejó la mochila en el suelo y se volvió hacia Kate:

—Bueno. Vamos a hacerlo como planeamos. Una clase y a casa. Nada de charlar con Erin ni con nadie.

—De acuerdo —asintió Kate aliviada.

Tyler se quedó un momento en silencio y luego añadió:

—¿Por qué no se lo decimos a Erin? ¿Por qué no podemos confiar en nadie para que nos ayude cuando tengamos que ir al instituto?

Kate sacudió la cabeza. No podía contarle a Tyler lo que Erin, su mejor amiga del instituto, sabía desde hacía nueve meses del padre de su niña; no podía decirle a su hermana que le había descrito a Erin la cara que tenía y su aspecto, que le había hablado de las palabras que él le había dicho. No había dado nombres, ni había sido muy concreta, pero le había contado a su amiga lo que había pasado y cuándo, y ahora no sabía cómo explicarle a Erin lo que no le había contado: los nueve meses de embarazo y el miedo. Sabía que Erin era lo bastante lista para comprender quién era el padre de la niña en cuanto apareciera por casa y la viera. Y también sabía que a Erin le iba a ser muy difícil guardarse para sí tan sabrosa noticia. Pensó en todas las mentiras que le había contado: le había dicho que estaba hinchada, que tenía mononucleosis, que su nuevo novio la había dejado, que su padre había decidido que mejor que estudiara en casa. Pensó en todas las mentiras que le había dicho a todo el mundo, aunque no había tenido elección…

Sabía que no estaba en condiciones de tranquilizar a Tyler, ni siquiera de tranquilizarse ella misma. Pero Deirdre había comido, estaba limpia, confortable y calentita, así que suspiró.

—No tenemos más remedio que hacerlo; ¿de acuerdo?

—De acuerdo. Pero no te olvides del plan. Tenemos que asegurarnos de que volvemos a tiempo, ¿de acuerdo?

—De acuerdo —dijo Kate metiéndose a la derecha en el aparcamiento del instituto de Las Palomas—. Nada de charlas.

Kate se sentó en la primera fila de la clase de inglés del señor Edgar mientras los nombres de Rose de Sharon, Hester Prynne y Daisy Buchanan le repiqueteaban en la cabeza como un estribillo. Bolígrafo en ristre, lo que más deseaba en el mundo era que se le ocurriera algo, algo que le permitiera escribir un tema brillante que tratara de estos tres personajes, aunque lo único que le venían a la cabeza eran esos mismos nombres y la imagen de Deirdre: Deirdre asfixiándose o Deirdre durmiendo, Deirdre convulsa o Deirdre tranquila, y sabía que aquello no le iba a ser de gran ayuda.

El señor Edgar estaba sentado de cara a la clase. Era demasiado joven para que Kate pensara en él como un «señor», pero así era como le llamaban.

—Qué gilipollas… —había dicho Erin después de que una tarde les mandara Macbeth y un ensayo interpretativo—. Esto no es Berkeley, ni Harvard, ni nada que se le parezca. ¡Mierda!

Por aquel entonces, el interés de Kate estaba centrado en conceptos como *placenta previa* y *toxoplasmosis*; no puede decirse que el encargo le preocupara mucho, de hecho ni siquiera llegó a hacerlo. Se había limitado a asentir las palabras de su amiga y a estirar inquieta la camiseta sobre la tripa.

Dos días antes, el señor Edgar le había pedido que se quedara un momento después de la clase. Y en esos momentos le dijo:

—Estoy preocupado con tu trabajo. No sé qué has estado haciendo últimamente. Llamé a tu casa, pero lo cogió tu hermana, o no sé quién. ¿Ocurre algo?

Kate estaba allí sentada, como un sapito, con su cuerpo como un odre, y los grávidos pechos goteando bajo la Nike de manga larga. Se preguntaba qué le iba a contestar: «Bueno, hemos estado trayendo una vida nueva en mi cuarto. Estuve de parto veintiséis horas y mi hermana ha estado a punto de hundirse en una depresión». Sin embargo, se limitó a mirarle, mientras tiraba de la camiseta y los pantalones, angustiada ante la idea de que la maxicompresa que llevaba puesta estuviera empapada, el sujetador chorreara y, en casa, Tyler estuviera esperando impaciente el relevo para ir a la escuela y Deirdre hambrienta, llorando con la boca completamente abierta, como un pajarillo.

—No me he encontrado muy bien últimamente —le contestó—. Pero voy a presentarme al examen. Me he leído todos los libros.

El señor Edgar tosió y manipuló los ejercicios que estaban sobre su mesa, y luego echando hacia atrás la silla apoyada sobre las patas traseras, se recostó cómodamente.

—¿Cómo es que no ha llamado nadie al instituto para decir que no podías venir? Yo he dejado como tres mensajes para tu padre. Y creo que otros dos profesores también lo han hecho.

—Mi padre trabaja de noche, casi siempre. Está muy ocupado. Suele dormir durante el día, así que el contestador se queda encendido. Sé que ha recibido todos los mensajes, pero le resulta difícil ocuparse de todo.

—Claro, claro. No era mi intención insinuar… Bueno, sé lo de tu madre; por supuesto, debe de ser muy difícil. Sí,

Bueno. Me alegro de que te vayas a presentar a los exámenes. Trae más lápices y papel.

—Lo haré. Adiós, señor Edgar —dijo Kate, levantándose como un rayo del asiento de madera y abandonando el aula. Al cerrar la puerta sujetó el picaporte tratando de hacer el menor ruido posible.

Después de lengua, Kate estuvo intentando abrir el seguro de su taquilla, cogiendo la ruedecilla entre el pulgar y el índice. ¿Era girando a la izquierda hasta el veinte? ¿O a la derecha hasta el dieciséis? No conseguía recordarlo y se dio cuenta de que hacía semanas que no la utilizaba, porque normalmente metía todos los libros en la bolsa y luego en el BMW. Por fin, después de estar un rato con la frente apoyada contra el frío y pringoso metal de la puerta, recordó la combinación: veinte, dieciséis, cinco. Oteó la oquedad acerada, sacó una vieja bolsa de sándwiches, y apartó *La letra escarlata, La uvas de la ira* y *El Gran Gatsby*; ya sabía todo lo que le podían contar aquellos libros y sus desgraciadas protagonistas, y además poco le importaba la nota que pudiera sacar en la asignatura del señor Edgar. «Dios —pensó, mientras iba dejando atrás grupos de chavales que charlaban animadamente. —, lo más seguro es que me carguen. Y lo más seguro es que el señor Edgar ya lo sepa.» Bajó los ojos y apretó nerviosa el suéter contra su pecho. ¿Sabrían todos los profesores que algo no iba bien en su casa? ¿Era posible que Tyler y ella parecieran tan confusas como esos chicos que llevaban aquellas camisetas negras, hechas trizas y todo el cuerpo lleno de agujeros y anillas? ¿O como esos que iban con la ropa desteñida y que se bandeaban por las clases entre bocanadas de maría? ¿O como esos silenciosos bichos raros que se colaban en la biblioteca a la hora de la comida para meterse en las páginas porno en Internet o jugar al yoyó entre los anaqueles? Pero ¿a qué engañarse?, se dijo, ninguno de esos chicos tenía ni la mitad de problemas que ella. La prueba era cómo exponían su dolor para que todo el mundo lo viera: estaba escrito en los tatuajes que llevaban, los tintes del pelo y los pósters de Marilyn Manson. Pero algo debía de vérsele también a ella, y Kate se imaginaba a los profesores en el comedor sacudiendo la cabeza sobre sus tristes sándwiches y sus termos de café y diciendo: «Anda, que las hermanas Phillips… No sé, pero desde luego algo debe de ir muy mal en esa casa. Hay que hacer algo con ellas».

—¡Kate! ¡Kate Phillips!

Kate volvió a la realidad, volvió la cabeza y se detuvo. Ante ella había una de esas caras preocupadas en las que venía pensando.

—¡Ah! Hola, señora Kessler.

—Espera —dijo la profesora de plástica—. ¿Cuánto hace que no vienes a clase? Hace que no te veo… semanas o meses.

—Sí. Es que decidí cambiarme a mecanografía —dijo Kate, pensando en las cerámicas que había hecho en el torno antes de que la tripa le impidiera sentarse cómodamente en el taburete y que la postura que tenía que adoptar le hiciera sentir que se iba a poner de parto allí mismo, en el aula de plástica. Probablemente todas sus piezas estarían sin cocer deshaciéndose entre el polvo de algún rincón.

—Bueno, es una cosa muy práctica. Te servirá de experiencia para más adelante. Pero todavía tienes piezas en el aula, de hecho las esmalté y las cocí, porque quedaba sitio en el horno. ¿Por qué no pasas y te las llevas?

Kate se puso como la grana, se le subió la sangre a la cara y notó las punzadas que le daban los doloridos pechos. La señora Kessler la miraba interrogadora.

—Ejem, bueno, ahora no —dijo finalmente—. Pero iré. ¿Está bien mañana? —soltó esbozando una sonrisa antes de dar media vuelta.

—Espera. ¿Va todo bien?

Kate cerró un instante los ojos y luego se volvió abriéndolos de nuevo a una nueva mentira:

—Sí, claro. ¿Por qué no iba a ir todo bien?

La señora Kessler sonrió.

—No sé. De acuerdo; nos vemos mañana.

Mientras se alejaba de su profesora cruzando el vestíbulo, recordó la primera y única vez que la familia fue al cementerio de Queen of Heaven en Pleasant Hill a visitar la tumba de su madre. Todavía no había nada plantado sobre ella, pero alguien había alisado la tierra y la lápida, «Deirdre Phillips, 1961 a 1996, Madre adorada», se erguía dura y fría sobre la sepultura. Tyler y ella había depositado las flores que habían cogido del jardín de su madre, fresias, narcisos y las primeras rosas de los últimos días del invierno, al pie de la piedra y luego se dieron la vuelta y abandonaron el lugar. Su padre y su hermana volvieron directamente al coche, acortando el camino entre las tumbas, andando sobre lo que ella sabía que eran cuerpos, esqueletos, pedazos de carne, pedazos de gente que había muerto. Así que decidió caminar entre las filas de tumbas, andando en ángulo recto para evitar los túmulos, dándole a cada cuerpo una sepultura de dos metros y llegó al coche cinco minutos más tarde que ellos. «Ahora —pensó— este lugar, el instituto es como aquel cementerio. Hay peligros por todas partes, tengo que ir con mucho cuidado de por dónde piso.»

—Esta ceja me está matando —dijo Erin—. ¡Dios! No sé en que estaría pensando… —Se frotó la zona que rodeaba su nuevo piercing; tenía un cerco inflamado alrededor de la bolita brillante de plata que hacía juego con la que tenía en la lengua—. ¡Joder!, creo que se ha infectado.

Kate miró hacia atrás. Pero siguió caminando hacia el aparcamiento. Se las había arreglado para evitar a todos sus amigos, escondiéndose tras los chicos más altos y las taquillas, sin detenerse a hablar con nadie, haciendo como que miraba los apuntes y garabateando notas sin sentido cuando pasaba a su lado, y no contestando a sus saludos. Había conseguido llegar a la altura de la cafetería cuando Erin cruzó corriendo el césped y la cogió del hombro, decidida a pararla. Sólo quedaban unos metros para llegar al coche, y desde allí podía ver a Tyler esperándola, con los libros y la bolsa sobre el capó.

—¡Jo, Kate, espera un poco!

—Tengo que volver a casa. Me está esperando mi padre para que le haga un encargo.

Erin se detuvo en seco mientras miraba a su amiga dirigirse al coche.

—¿No te he contado lo de la fiesta del pasado fin de semana? Fue en San Francisco, SoMa.

Kate aminoró el paso y se volvió un poco. Se acordó de cuando Erin intentaba convencerla de que fuera con ella a ese tipo de fiestas y le contaba historias de bailes que duraban hasta el día siguiente, drogas que pasaban regaladas y besos sudorosos y salvajes con chicos y, alguna vez, con chicas. Ella solía escucharla entre risitas, colgada del teléfono o en el cuarto de Erin, con la música a tope para que no las oyera su madre. Había ido un par de veces a ese tipo de fiestas, una en la trastienda de un comercio vacío de Shattuck Avenue en Berkeley, y la otra en el almacén del padre de alguien en Emeryville. En ambas ocasiones se sentó a beber una cerveza mientras a su alrededor todo el mundo tomaba Éxtasis y una extraña mixtura azulada llamada Blue Nitro, y vibraba con una música distinta de la del grupo que tocaba, algo interno y salvaje que a ella la asustaba. Los chavales se golpeaban unos a otros, y algunos llevaban chupetes en la boca.

—¿Por qué lo hacen? —le preguntó a Erin.

—¿El qué?

—Lo del chupete. Se ve rarísimo.

—¿No lo sabes? Para no morderse la lengua cuando están en Éxtasis —le contestó Erin mientras se alejaba moviéndose al ritmo de la música.

Y a pesar del miedo que le daba aquella inconsciencia, había quedado fascinada ante el sudor, la piel y los besos de los chavales, como en un sueño alucinantemente real.

Ralentizó el paso y finalmente se detuvo para quedarse mirando a Erin.

—¿De verdad? ¿Y qué pasó?

Erin se acercó a ella ajustándose la mochila.

—Me encontré con ese tío que iba de grupi de los Smashing Pumpkins. ¡De verdad! Y lleva la tripa toda tatuada.

Kate sonrió pensando en lo poco que sabía de los novios que había tenido Erin el año anterior: Damon, que estaba en primero de carrera y tocaba en una banda alternativa de rock; Jeffrey, el poeta, que rondaba por los cafés y hacía siempre pellas, y Tran, un chico que trabajaba con Erin en la tienda del Yogur.

—Bueno, ¿y a este qué nota le pones? Del uno al diez.

—¡Ja! De eso ya no quiero ni oír hablar. Te digo que todavía tengo pesadillas y sueño con que Jeffrey me persigue, o peor, que me lee sus poesías todo el día y toda la noche.

Kate se echó a reír.

—¿Y entonces?

—Voy a ver si conozco a alguna gente —suspiró Erin—. Sin más. No soporto estar atada. Quiero decir que el año que viene es el último año de instituto.

—¿Qué quieres decir con eso?

—Bueno —dijo Erin—. ¿No te gustaría tener una cita guay de verdad para la graduación, con alguien que te gustara de verdad? Ya sabes…, para pasar la noche en un hotel en la ciudad.

Kate sacudió la cabeza, pensaba: «Graduación, graduación». La palabra le sonaba rara, como si fuera un instrumento acerado, un tenedor, una jabalina. Estaba a punto de preguntarle a Erin quién le parecía a ella guay cuando de pronto vio a Tyler que se dirigía a ella gritando:

—¡Kate! ¡Date prisa!

Entonces dejó escapar un gemido y miró el reloj:

—¡Dios…! Tengo que irme.

—¿Puedes llevarme? —gritó Erin detrás de ella.

Kate no contestó siquiera. Corrió hacia el coche, le abrió la puerta a Tyler y salió disparada, sin ni siquiera ver que Erin le decía adiós con la mano, sin enterarse de nada más.

Tyler sentía la fría superficie del capó del BMW en las palmas de sus manos y podía ver su rostro reflejado en el brillante azul metalizado. La boca, algo borrosa, tenía un ademán tan firme y serio como toda ella. Deirdre llevaba sola una hora y tres, no, cuatro minutos, y Tyler sabía de sobra que tenían que volver a casa. Se lo había prometido; le había dicho que volverían corriendo, y ahí estaba, como si nada, con la mochila colgada del hombro, charlando con Erin de citas, graduaciones y de vete a saber qué horrendos pantalones, como si fuera un lunes cualquiera.

Tyler resopló y echó una mirada por el aparcamiento. Por lo que ella sabía, el padre de la niña quizá también se dirigía en ese mismo momento a su coche y pasaba al lado de Kate sin siquiera saludarla, habiéndose olvidado de lo que había sucedido hacía nueve meses, ignorante de que la carne de su carne estaba en el armario de Kate, llorando. Iba a meterse en el coche y conducir hasta su trabajo en el cine de Monte Veda, o en la hamburguesería Nation o tal vez fuera a la biblioteca a estudiar álgebra, sin saber que en casa, su bebé berreaba o dormía. «¿Quién será? —se preguntaba—, ¿quién puede ser?»

Se apartó un poco del coche, y avanzó lentamente hacia Kate y Erin. Miró a un grupo de chicos, con pantalones anchísimos y tan caídos que casi no se les veían los zapatos. El padre debía de ser moreno, tal vez un hispano, o un asiático, pensó, recordando la piel tostada y el lacio pelo negro del bebé. Se acordó de Teddy, un chico que había llamado a casa un par de veces, y de cómo Kate se había encerrado en su cuarto para hablar con él, y de las risas contenidas que se oyeron a través de la puerta durante horas. Pero aquello no había durado mucho y enseguida había tenido lugar la conversación del comedor que lo cambió todo. Y a lo mejor, pensó Tyler, ni siquiera era un chico del instituto. Kate y Erin habían enfilado el túnel Caldecott un par de fines de semana, por la noche, para bailar en alguna fiesta, y luego habían estado cuchicheando bajito cuando volvieron, y Tyler pudo por fin relajarse y dormir tranquila porque ya no estaba sola en casa.

Mientras miraba a Kate atender a Erin, sintió que la sangre se le subía a la cabeza. ¿Por qué tenía que ser ella la que se preocupara de volver a casa a ver a Deirdre? ¿Por qué no podía quedarse a charlar con las amigas, ponerse la ropa de ensayo y preparar una nueva coreografía para las animadoras? ¿Por qué tenía que ser ella la que pensara en la niña mientras Kate estaba ahí, charla que te charla con la idiota de Erin?

Tyler tenía ganas de gritar: «¡La niña puede estar muriéndose! ¡Se puede ahogar! ¡La niña nos necesita!»; pero no lo hizo, y se guardó para sí sus siniestras figuraciones.

Lo único que dijo fue: «Kate, date prisa» y se sintió mejor cuando la vio ponerse inmediatamente en movimiento, correr al coche y abrirle la puerta. Una vez que salieron del aparcamiento, Kate con la mirada fija en la carretera, y tocando casi el parabrisas con la frente, sacudió la cabeza y le dijo:

—¡Joder, tía! ¿Qué pasa contigo? ¿Por qué te enrollas tanto?

—No sé. Creo que me olvidé un momento… —contestó ella.

—¡Ah, estupendo! ¿Que te olvidaste? ¿Cómo puedes olvidarte? A mí no se me ha olvidado —dijo Tyler en tono de enfado.

—¡Ya te he dicho que no lo sé! —aulló Kate con los ojos llenos de lágrimas, mientras su antigua vida se alejaba de ella a la misma velocidad que ellas de Erin, que seguía a la entrada del aparcamiento—. No lo sé. Déjalo ya, Tyler y vámonos a casa —dijo Kate pisando el acelerador.

—¡Vale, muy bien! Pero acuérdate de que yo sí que he estado a tiempo. Yo sí que me he acordado —contestó Tyler volviendo la cabeza hacia la ventanilla mientras se preguntaba si era posible que aquello estuviera pasando de verdad, cómo podían estar de camino a casa para encontrarse con un bebé cuya existencia ignoraba todo el mundo. Se preguntó por el padre de Deirdre, que le había dado aquellas piernecillas rechonchas, los delicados labios y la piel tostada. Se preguntó quién se habría inclinado sobre el cuerpo de Kate y habría murmurado esas palabras que habían hecho que ella se abriera para él.

—No me puedo creer que ni siquiera te hayas dignado a decirme quién es el padre. Con todo lo que he hecho por ti. No eres justa, Kate.

—No puedo —dijo Kate.

—Claro que puedes. Siempre haces lo que quieres —le espetó ella.

Kate no contestó y Tyler se quedó mirándola fijamente, mientras sentía la brisa que entraba por la ventanilla y se preguntaba el porqué de aquel silencio entre ellas.

• • •

Kate entró corriendo en casa por el garaje, sin cerrar siquiera la puerta del coche, dejando el bolso tirado al lado de la caja de cambios. Tyler fue tras ella, cerrando la puerta del garaje mientras veía cómo la luz iba cayendo hacia fuera, en la tarde. Apretujó todo contra su pecho: el bolso de Kate, sus propios libros, una bolsa de papel oscuro con tentempiés que nadie había probado, como si quisiera protegerse de un alarido, un llanto, un gemido reveladores de la terrible verdad. No habían cuidado bien de Deirdre, de eso no cabía duda. «La hemos dejado sola y se ha muerto», pensaba Tyler. «A nadie le importará lo que nos pase cuando se enteren. Nadie querrá saber nada de nosotras.»

Tyler entró en la cocina, sin atreverse a respirar, expectante, pero no se oía nada. Exhaló el aire, dejó caer todo lo que llevaba sobre la barra de la cocina y se aventuró tras los pasos de Kate en el dormitorio. Se asomó a la puerta y allí las encontró. Allí estaban las dos, Kate inclinada sobre la caja, subiendo la mantita para tapar a Deirdre, dormidita y viva. De momento.

—¡Davis, Davis! —gritó Rachael bajando la ventanilla y asomando la cabeza. Él estaba frente a la puerta del garaje, mirando fijamente a la calle; a las cinco en punto de la tarde, el vecindario estaba como siempre: las mismas personas que entraban y salían, el Lexus destartalado de los Howard, el viejo gato atigrado de los García enroscado al borde de la carretera, ajeno al tráfico, y a cualquier solicitud salvo la de la siesta.

—Ah, hola Rachael, ¿Cómo estás? —dijo sin moverse siquiera, sin mirar realmente al coche, tratando de evitar la visión de los movimientos de sus brazos, su sonrisa y sus ojos ocultos tras unas gafas de sol de Ann Klein.

—Cuánto me alegra verte, Davis. Me alegro muchísimo. ¿Cómo están las niñas? —Rachael maniobró el coche y se trasladó al asiento del copiloto.

Davis se rascó la frente.

—Bien. bien. Todo va bien.

Rachael abrió la puerta y sacó las piernas, mirándole como si le estuviera pidiendo permiso para acercarse, pero no pareció encontrar anuencia en sus ojos ni en su gesto y retrocedió lentamente.

—No te he visto, últimamente. He visto a las niñas, pero… Bueno, sólo quería asegurarme de que todo iba bien. Me refiero a las niñas.

—¿Por qué no iba a ir bien? ¿Por qué me lo preguntas? —dijo él, enrojeciendo—. ¿Es que crees que algo va mal?

Rachael se quitó las gafas, y sus ojos verdes parpadearon al sol de la tarde.

—Realmente, no lo sé. ¿Cómo iba a saberlo? No llamas, no pasas nunca por casa. La verdad, no lo sé.

—Estupendo. Es estupendo. Estoy un poco harto de que todo el mundo me pregunte cómo nos van las cosas. ¿Tiene pinta la casa de estar cayéndose? ¿Se organizan fiestas los fines de semana? ¿Es que parece que no estoy cumpliendo con mis obligaciones?

Rachael no desvió la mirada, así que tuvo que hacerlo él, porque no quería ver sus ojos nunca más, no podía olvidar aquella mirada desde el otro lado de la cama de Deirdre en el hospital, y más tarde en el funeral.

—Sólo pensé… Sé que Deirdre hubiera querido que lo comprobara —dijo ella—. Yo era su amiga, Davis. Era su mejor amiga. Y hace meses que no puedo acercarme a las niñas ni a ti. Es como si anduvierais todos escondiéndoos.

El riego automático se disparó y él retrocedió mientras salían disparados los primeros chorros, para convertirse en penachos bordeando el césped, empapando las cuidadas plantaciones de Deirdre, las flores y los arbustos que ahora venía a arreglar una vez a la semana un jardinero.

—Estamos bien, Rachael. Ya sé que eras su amiga, pero estamos todos bien.

—También soy amiga tuya, Davis, ¿lo recuerdas? ¿Recuerdas aquellos tiempos? ¿Recuerdas nuestra vida?

Él la miró; los ojos le brillaban al recordar.

—Por supuesto, claro que lo recuerdo. Sólo que ahora las cosas ya no son igual. Lo sabes perfectamente. No necesito decírtelo.

—Pero ¿puedo echarte una mano? Lo he intentado…

Davis sacudió la cabeza.

—Todo va bien. De veras. Mira, ahora mismo voy a entrar, pero ya hablaremos. Más tarde.

Rachael se puso las gafas de sol.

—De acuerdo —dijo—. De acuerdo, Davis.

Rachael volvió al coche por el mismo camino que había salido, subió la ventanilla y se alejó. Durante un largo segundo de pánico, él se vio corriendo tras ella, golpeando la ventanilla trasera e implorando su ayuda. Pensó que podría decirle: «Por favor, llévatelas. Llévatelas a casa. Yo no puedo». Pero en vez de eso, entró en la casa, cargado de temores y de culpa, con el propósito de enterarse de qué era lo que Rachael veía, y él no.

• • •

—¿Cómo va todo, Tyler? —preguntó Davis de pie con las manos en jarras contra la puerta del garaje abierta al atardecer.

Ella se sobresaltó y, en aquel momento, tuvo ocasión de sorprender a la niña que todavía habitaba aquel nuevo cuerpo de mujer.

—¿Qué? —preguntó Tyler muy pálida desde el fregadero—. ¿Qué?

Davis se volvió hacia la entrada de los coches, el hastío y la desazón de Rachael flotaba todavía en el ambiente como una estela de perfume.

—Sólo quiero saber... Tenéis que... ¿Es que ocurre algo?

Nada más hacer esta pregunta Davis deseó tragarse sus propias palabras; el gesto de miedo y dolor repentino de Tyler habrían bastado para que volviera de un salto al coche y se marchara de allí sin despedirse siquiera, irse corriendo antes de que pudiera llegar a ver u oír algo más.

—¿Qué? —preguntó su hija con un monosílabo roto, un suspiro, un alarido a punto de escapar de sus labios, seguido de más, de muchas cosas más que se agolpaban tras aquel «¿qué?». Pero de repente fue como si se tragara el tono, el miedo pareció esfumarse, si es que alguna vez lo hubo..., y Davis vio sólo a Tyler, lavando unos platos, con los deberes sobre la encimera y la casa como siempre.

—Todo va bien —dijo ella haciendo una inspiración mientras le miraba serena—. ¿Por qué me lo preguntas?

—Sólo quería saberlo… Eso es todo. Ya sabes que puedes contarme… —dijo él—, contármelo todo. —Y realmente deseaba que así fuera.

Tyler cogió un paño y cerró el grifo. Davis se preguntó por un momento si las manos de su hija temblaban, o si eran sus ojos llenos de lágrimas los que distorsionaban la escena.

—Vale, papi, ya lo sé.

Se acercó a él y le abrazó colgándose de su cuello, un abrazo que todavía era el de una niña pequeña, que necesita ese contacto. Era el mismo abrazo que solía darle cuando papá volvía por la noche del trabajo. Ese era el abrazo que él esperaba de Tyler y Kate, mientras Deirdre les miraba sonriente desde la entrada.

Todos los libros que Tyler y Kate habían leído decían que el cordón umbilical cae al cabo de una o dos semanas. El nudo del cordón, que probablemente era más largo de lo debido —Tyler, de forma casi inconsciente, cuando llegó el momento lo cortó y lo ató lo más lejos posible del cuerpo de la criatura porque temía hacerle daño, o incluso matarla— estaba de color marrón y seco como una pasa arrugadita.

Armadas de alcohol y bolitas de algodón limpiaban el cordón, o lo que quedaba, cada vez que bañaban o cambiaban a Deirdre, y ponían mucho cuidado de que el pañal no llegara a rozarlo hasta que acabara de curarse.

—Esto está feísimo —dijo Tyler—. Mira lo blanco que está justo en el ombligo. Es como si hubiera que metérselo en la tripa.

Deirdre dejó de dar la lata al oír las palabras de Tyler y se la quedó mirando fijamente con sus grandes ojos negros.

—Para ya —dijo Kate cerrando el pañal por los lados y embutiendo los bracitos regordetes de Deirdre en una diminuta camiseta.

—Me gustaría que se le acabara de curar. Odio mirarlo. Me recuerda todo aquello. ¡Jo!

—Vale, vale, pero Tyler, lo hiciste —dijo Kate cogiendo a la niña—. Tú la ayudaste a nacer. Y sacaste también la placenta. No sé por qué dices «aquello».

Tyler sonrió a Deirdre y la tomó de los brazos de su hermana.

—Sí que lo hice, te saqué de ahí dentro —dijo entre risas besando la suave cara del bebé. Pero se paró inmediatamente al oír el timbre de la puerta—. ¡Mierda! ¿Quién será ahora?

Kate estaba ante ella con un tubo de Desitin en la mano.

—¿Y cómo voy a saberlo yo?

—¿Y si es papá?

—Habría entrado por la puerta del garaje. Además, vino ayer por la tarde.

—Pues abre tú, Kate. Yo no voy.

—Vamos a pasar de abrir. Además se supone que hoy no deberíamos estar en casa. Haremos como si no estuviéramos y ya está.

Cada vez que sonaba la puerta Kate se imaginaba quién podría ser: Rachael, la tía Gwen, la policía, una asistente social o, peor aún, el padre de la niña. Y todas las veces, mientras esperaba que Tyler abriera o mientras ella misma caminaba sobre las frías baldosas de mármol del vestíbulo, podía casi sentir cómo le arrancaban a Deirdre de los brazos y le quitaban para siempre a su niña.

Tyler sacudió del brazo a Kate.

—Ve a abrir. Actúa con normalidad. Di que estás mala. Todo va bien. Y además, lo más probable es que sea algún Testigo de Jehová, algún vendedor o algo así.

—Oye —dijo Kate que sentía el estómago como si lo tuviera lleno de avispas chiquititas—, los Testigos sólo vienen los sábados, y además no he acabado con Deirdre.

—Vale, estupendo —dijo Tyler saliendo de la habitación y encaminándose hacia la entrada—. Por lo que se ve todo me toca hacerlo a mí.

Kate volvió a tomar a Deirdre en sus brazos y pasó sus manos por la espalda del bebé; sentía la piel suave y delicada y la pelusilla que era como un suave plumón bajo sus manos. «Es asombroso» —pensó, haciendo caso omiso del sonido de la puerta y de la voz de Tyler—, que este cuerpo estuviera vivo dentro de mí y que ahora esté aquí, que respire, que coma, que llore.» Kate se sentó en la silla y dejó a Deirdre sobre su tripa, consciente de que la niña había cambiado ya, de que ya formaba parte del mundo.

Tyler cruzó la casa a la carrera hasta el cuarto de Kate.

—¡Sabe lo del bebé! Tienes que quitártelo de encima. ¡Está en el porche!

—¿Quién? —preguntó Kate, a sabiendas de que poco importaba el quién. Alguien lo sabía. Alguien que podía entrar y hacer que todo cambiara. Acunó a la niña en la silla, sintiendo su suave piel, pensando en cuáles serían las palabras adecuadas que debería decirle a quien fuera, incluido al padre de su hija. Necesitaba tiempo, mucho más tiempo.

—Es Sanjay. Dice que ha oído llorar a un bebé. La ha oído esta noche, creo.

Todas y cada una de las palabras que iba diciendo Tyler se iban clavando en Kate como puñales, palideció, se levantó muy rígida y alargó la niña a Tyler. Sentía cómo su cara se iba endureciendo con la máscara de la mentira.

—¡Dios santo, Kate! ¿Qué…, Kate! —exclamó Tyler.

—Nada. Cierra la puerta, echa el pestillo. Ahora mismo vuelvo.

Kate cruzó el vestíbulo hacia la puerta, se inclinó sobre la mirilla y vio al vecino de la puerta del lado, Sanjay Chaturvedi, que esperaba en el porche con los pantalones caqui y la camisa blanca abotonada que llevaba siempre; en invierno se ponía sobre ella una chaqueta o un jersey y en verano se desabrochaba dos botones en vez de uno. Kate se le quedó mirando un momento. Él no se movía, con la mirada fija sobre la puerta, como si supiera que ella lo espiaba tras el cristal. Llevaba las manos en los bolsillos, con los pulgares fuera, a la altura de sus caderas. Estaba lloviznando de nuevo y ella pudo ver las huellas que había dejado sobre la madera con sus pies calzados en el típico mocasín barato.

Hizo una inspiración profunda y aguantó el aire en su interior, como si en los pulmones pudiera retener el silencio de la casa, mientras pensaba: «Deirdre no puede ponerse a llorar ahora, no ahora no». Habría deseado que del otro lado de la puerta estuviera cualquiera menos Sanjay; habría preferido incluso a Meera, su mujer. Meera actuaba siempre de una forma rápida, algo brusca: hasta las bolsas del súper en su casa parecían militarizadas, el jardín provisto y contenido, y los niños, a los que pasaba revista antes y después de jugar, acuartelados. Sabía que para librarse de Meera bastaba con decirle: «Estoy haciendo los deberes del colegio y tengo que acabarlos» o «Mi padre quiere que tenga la casa limpia para la hora de la cena». Algunas veces, cuando hacía de canguro para los niños de los Chaturvedi, al volver a casa no podía evitar mirarlo todo con el ojo crítico de Meera: la colada, ropa limpia y ropa sucia, amontonada sobre el sofá, los platos sobre la mesa del café, la encimera de la cocina, el lavabo, y las bolas de pelusa del tamaño de un puño mutante bajo los muebles.

Kate abrió la puerta, comprobando primero su sonrisa —así, un poco más arriba ese músculo, sí ahí, perfecto— y se expuso a la mirada penetrante de Sanjay.

—Hola, Sanjay.

—Ah, hola.

Por un momento le pareció que él se había ruborizado, aunque no era fácil estar seguro con aquella piel color de miel.

Sanjay carraspeó.

—Me preguntaba cuándo estará tu padre en casa.

—Pues… esta noche. Está trabajando, y luego pasará por la casa de su novia. ¿Por qué?

—Bueno, me preguntaba si podía ayudaros.

Kate se rascó el brazo, y se fijó en lo blanco que parecía, comparado con Sanjay. Blanco y gordo, como una larva expuesta a la luz por la pala de un jardinero.

—¿Qué quieres decir?

—He oído llorar al bebé esta noche. Y también lo he oído de día, cuando traigo a los niños de la guardería. Creo que vuestro padre realmente no debe poder con tantas cosas. Nos gustaría echaros una mano con el crío. Tyler y tú os habéis portado siempre muy bien con nuestros hijos. —Sanjay calló y se quedó mirando la punta de los mocasines.

Kate tragó saliva, nunca se le había ocurrido pensar que el llanto de la niña, que se repetía varias veces a lo largo de la noche, pudiera molestar a nadie excepto a ellas dos. Se alegraba de que su padre se quedara todas las noches en casa de Hannah, y de que, al parecer, los niños de Hannah necesitaran más la comodidad de sentirse en su propia casa que Davis.

—Ah, el bebé, claro. Bueno, es de mi tía Gwen. Ha venido de Santa Rosa, de visita. Y... está fuera, ya sabes, de compras. Vaya, cuánto lo siento; lamento que os hayamos molestado.

Sanjay se aclaró la garganta, sin levantar la vista. Estuvo un momento sin contestar y Kate se quedó suspendida en el silencio. Cualquier otro, pensó ella, cualquier persona menos tranquila y educada que él —un hombre que siempre pedía permiso para todo—, ya habría entrado, pedido una limonada, y se habría puesto a charlar del tiempo o de la valla que los Dickinson habían levantado en la parcela de la esquina y aprovechado de paso para recabar pistas.

—Bueno, sólo quería ofreceros nuestra ayuda. Te hemos echado de menos en casa, Kate. Los chicos preguntan por ti todo el rato.

Kate empezó a cerrar la puerta.

—Diles hola de mi parte, ¿vale? Bueno, adiós...

Cerró la puerta, y se quedó agarrada al tirador, oyó el clic del pestillo, el metal deslizándose sobre el metal, la madera arañando la madera, sus pies topando contra el tapajuntas mientras permanecía allí, frente a la puerta, con la cabeza gacha. Pensó en volver a mirar por la mirilla, pero decidió limitarse a escuchar cómo se alejaban sus pisadas, y luego respiró hondo tres veces, largas inspiraciones y espiraciones y él ya no estaba, se había alejado, a paso lento al principio, dejando sus huellas otra vez sobre la madera y luego a pasos más rápidos que resonaban sobre el camino mojado de losetas.

Kate no estaba muy segura de sus sentimientos, era como si del cuerpo de Sanjay que se batía en retirada le hubiera llegado una tristeza lacerante, al tiempo que la invadía tal sensación de alivio, que tenía la sensación de que podía echar fuera su pasado, como quien exhala un suspiro, y de que este se desvanecería en el aire. En aquel momento supo que podía abrir la puerta, llamarle, y que una palabra suya bastaría para que él volviera a ella, a aquella casa, al vestíbulo, a aquella habitación, a su niña, que era también de él.

Sanjay no iba a montar un número, y todo, de pronto, tendría sentido. Se harían planes, habría discusiones y llamadas de teléfono. Habría discusiones muy fuertes en aquella casa, pero ella nunca estaría presente, porque para entonces ya no estaría allí, la habrían mandado lejos. Si le detenía, tal vez no tuviera que enfrentarse nunca con los terribles ojos negros de Meera, llenos de odio y desprecio; no tendría que asistir al dolor de nadie, salvo al suyo y al de su familia, que ya era bastante.

—¿Cómo te has deshecho de él? ¿Se ha marchado? —preguntó Tyler desde el cuarto.

—Sí, le dije que era el niño de la tía Gwen.

—¿De verdad? ¿Y crees que ha colado?

—No lo sé —dijo Kate dirigiéndose al salón donde se dejó caer en el sofá, asaltada de pronto por el olor de Sanjay, de su jabón de aceite de oliva y de su pelo corto y lacio. Recordaba el día en que él la tocó con aquella mano oscura y menuda, más pequeña que la de su padre, pero con un pulgar voluntarioso y una muñeca firme, algo a lo que realmente poder agarrarse. Y aquel momento, aquella fracción de segundo en que ella pudo sentirle antes de tocar siquiera sus dedos, en que algo se resquebrajó en el espacio que quedaba entre ellos, en que sintió que algo la llevaba hacia él, como si fuera electricidad estática. Nunca había sentido, hasta hacía muy poco, la necesidad de tener a otra persona, a alguien que no fuera su madre o su padre o Tyler; tal vez le ocurrió aquel verano, mientras miraba cómo bailaba la gente en aquellas fiestas a las que fue con Erin. Después, por la noche, en la cama, pensaba en cómo sería eso de dejar tu propio espacio y tener a alguien que te recibe en el suyo, que te toma, que acoge esos efluvios, esos movimientos tan personales, tan violenta y profundamente íntimos que apenas podía entender cómo era posible que se produjeran. Así que cuando Sanjay le preguntó si le importaba que la besara, dijo que no, que no le importaba y después consintió en todo lo demás, aunque lo único que le hizo al principio fue besar suavemente la palma de su mano. Dijo sí con los ojos, dijo sí al cuerpo de Sanjay aunque sabía que no era un cuerpo que fuera a poder reclamar para sí.

Aquella tarde de verano se sintió vieja bajo su joven piel, y sus huesos, sus nervios, sus músculos reposaron sobre el cuerpo de Sanjay como si necesitara de su carne para poder vivir al minuto siguiente.

—¿Estás asustada? —le preguntó él con su cuerpo tostado sobre el de ella, mirándola con unos ojos oscuros como cantos de río.

—No, no —dijo ella no muy segura, asustada tan sólo de lo distinto que era aquello respecto a lo que había esperado. No parecía haber ningún tipo de instinto ancestral que le indicara cómo debía doblarse, cómo acomodarse a la persona que estaba sobre ella. Habría querido fundirse con ella como había visto a las parejas en las películas, pero aquello resultaba muy rígido y nada cómodo. Estaban tumbados en su cama —la de Meera y él—, con las cortinas echadas, mientras el sol del verano disparaba sus rayos contra las paredes. La piel de Kate parecía oscura, como si tuviera los brazos bronceados mientras abrazaba el cuerpo de él contra el suyo, esperando a ver qué pasaba y, de repente, le sintió entrar en ella, parar un segundo, empujar de nuevo, una punzada de dolor y luego un manantial tibio que se derramaba, primero de ella, y luego de él.

—Lo siento mucho… No he podido contenerme. No he podido aguantar más.

Kate se preguntaba cuánto se suponía que tenía que durar, cuál sería la media, y si se suponía que ella debía estar decepcionada. No había aprendido mucho de Karl, su novio de octavo grado, el último novio de verdad que había tenido antes de que su madre cayera enferma. Con Karl había habido bailes muy calientes en los que él había recorrido todo el cuerpo completamente vestido de ella con sus manos, unos dedos insistentes una noche bajo su floreada ropa interior y unos labios más bien asustadizos sobre sus pechos. Nada de lo que Karl había hecho, besado o tocado parecía guardar relación alguna con los dibujos que les había enseñado la señora Kilmartin en sus clases de vida familiar en quinto grado: extraños úteros en forma de cabeza de vaca con cuernos de trompas de Falopio y unos decorativos ovarios, que parecían donuts, en los extremos. Kate y sus compañeras se habían quedado boquiabiertas viéndolos, sentadas en el suelo con las piernas cruzadas, mirando cómo el óvulo se desprendía de su folículo y emprendía su voluntariosa y fatigosa jornada trompa abajo y luego esperaba a que el espermatozoide nadador, una gota de lluvia con larga cola, consiguiera alcanzarlo y enterrar la cabeza en él como si fuera un montón de arena.

Más tarde, en los libros de fotos sin título que Erin encontró bajo la cama de su madre aparecían hombres y mujeres, hombres y hombres, mujeres y mujeres, dale que te pego, en una especie de ejercicios gimnásticos que se transformaban en ejercicios amatorios, retorciendo sus cuerpos en complicadas figuras, una cabeza sobre una entrepierna, una entrepierna sobre una cabeza, unas piernas sobre una espalda, una espalda contra una pared…

—¿De veras que la gente hace todo esto? —le había preguntado Kate a Erin.

—Algunos, supongo. Pero, normalmente es más sencillo. Simple mete y saca. Pene y vagina. O frotarse, frotarse mucho. Esto es demasiado. Pero espera, que voy a leerte la página 354.

Kate casi se rió al recordar lo que ponía en ella. Se volvió hacia Sanjay y le acarició torpemente el hombro.

—Está bien —dijo.

Sanjay se había retirado y yacía a su lado sobre la cama, acariciando el pezón de su pecho izquierdo, haciendo correr sus manos sobre el cuenco de su vientre de cadera a cadera.

—No, no está nada bien. Me gustaría intentarlo otra vez.

Kate sonrió y volvió la cabeza hacia la almohada. Él se puso sobre ella, besándola, cogiéndola por los hombros, acariciándole la nuca con los pulgares. Retiró la negra mata de pelo de su frente, mirándola a los ojos, queriendo que ella también le mirara mientras se movía, y modelando su cintura, sus pechos y sus muslos con sus manos. Y sin que ella se diera cuenta siquiera, sus cuerpos se fueron convirtiendo en palabras, frases, párrafos enteros de una historia que contaban lo que estaban haciendo y cómo lo hacían, puntuados por el aire denso, efluvios a sudor y a sábanas lavadas con Clorox. Esta vez, el segundo baile se pareció más a lo que ella había imaginado y no tardó en olvidar qué era lo que esperaba, dejándose llevar por la marea de su piel marcada por los jadeos y los latidos de ambos.

En aquella ocasión, sentada en el sofá, con el cuerpo de Sanjay tan distante del suyo, habría deseado poder traducir aquellos movimientos, articular un giro de muñeca, un movimiento de pelvis, el arco del cuello, de forma que pudiera recordar las cosas que sabía que estaba empezando a olvidar. Sabía que había olvidado ya la sensación de la piel desnuda del otro, el jadeo y la carne de gallina cuando él acariciaba sus pechos y sus muslos, la sensación de que estaban tan cerca que respiraban el mismo aliento, y que, por un instante al menos, en aquella hora que pasaron en un lecho robado, sus cuerpos unidos por el sudor, la carne y las palabras, vivieron juntos el mismo instante.

Más tarde sin embargo, después de aquella primera vez, en casa con Tyler y con su cena del Burger King, Kate tomó conciencia de que él estaba en casa con Meera, como tenía que ser, con los chicos pendientes del cuento, mientras Sanjay los abrazaba a los tres, todos juntitos, riéndose al ritmo de las canciones infantiles. Mirando a través de la ventana pudo ver la luz amarilla que venía del salón de los Chaturvedi, y supo que en el fondo de su corazón habría deseado estar lo más lejos posible de su casa, en algún lugar donde pudiera olvidar lo que había pasado en aquel dormitorio. Aquella primera noche se dio cuenta también de que podía olvidar, de que si Sanjay la dejaba tranquila y los minutos, las horas se volvían días y semanas, llegaría un momento en que ya no recordaría el placer del cuerpo de él, ni siquiera el del suyo propio, ni cómo habían gozado juntos.

Pero la vez siguiente, con Meera de guardia en el hospital toda la noche y Jagdish y Ardashir dormidos en sus camas, Kate se abrazó a Sanjay y le atrajo hacia ella.

—Esta vez soy yo la que quiere volver a intentarlo —dijo levantando la cabeza de Sanjay que este tenía apoyada en sus propias manos.

Y así aprendió que el cuerpo de él era más suave donde la espalda pierde su nombre, y que las uñas de sus manos y de sus pies estaban tan pegadas que no mostraban nada de blanco. Sintió su pecho lampiño, la uve de su caja torácica, y los pequeños pezones que se endurecieron entre sus dedos. Escuchó cómo se abría su propio cuerpo a él, cómo se relajaban sus articulaciones, sus tendones y sus ligamentos, y cómo descubría músculos de cuya existencia jamás había sospechado que se contraían y relajaban. Kate aprendió a reconocer cuándo Sanjay estaba a punto, cómo se aceleraba su respiración, el ruidito quejumbroso que emitía, el jadeo y el silencio.

En la época en que su relación estaba acabándose, ella sentía que podía encontrarse con él sin preguntas, quitarle la ropa sin miedo, yacer a su lado como una mujer y dar y tomar, dar y tomar, un lenguaje que se hablaba con los dedos, los brazos, el pelo y el calor de sus cuerpos.

«—Sé que esto no es nada razonable por mi parte, Kate —empezó a decir Sanjay un día a principios de agosto. El sol mecía el Monte Veda y toda California entre sus brazos y Wildwood Drive entera vibraba con el runrún de los aires acondicionados que no paraban ni de día ni de noche. Fuera, en el patio de los Chaturvedi, las caléndulas de Meera desmayaban sus corolas marchitas sobre los tallos como sombrillas rotas. Sanjay estaba sentado al lado de ella en el sofá, cogiendo sus manos entre las suyas, besándolas como si fueran criaturas con vida propia, a las que tuviera que suplicar perdón.

Kate no dijo nada, sentía en el pecho un pequeño campo de energía acumulada.

Sanjay suspiró.

—Debería haber sido más sensato. Estaba claro que no podía seguir así. Yo quiero…, pero luego Meera vuelve del hospital y los chicos me miran a la hora de la cena y pienso que los estoy traicionando a todos.

La energía, un torbellino de flecos blancos, se le había dispersado por todo el estómago, Kate pensó que iba a vomitar. Pero tampoco podía levantarse, porque las piernas le temblaban. Recordó cómo se había sentido en la sala de espera del hospital cuando los doctores retiraron el respirador de los pulmones de su madre. Cuando terminaron, hicieron pasar a la familia y ella se había ido aferrando al rígido respaldo de una silla de plástico, luego a la puerta, y

finalmente a la cortinilla de la cama de su madre, absolutamente segura de que no podía vivir para ver el próximo minuto, deseando que todo quedara congelado en aquel mismo instante. Ya.

Le miró, esforzándose por mantener su mirada, aunque estaba a punto de echarse a llorar, con las comisuras de
la boca tan tirantes que no podía decir palabra. Él no se hacía cargo de lo que estaba pidiéndole que dejara. No era sólo
él y la siesta de la tarde, sino algo que la había hecho sentirse diferente, mejor de lo que se había sentido en mucho,
mucho tiempo.

—¿Qué crees que va a pasar con nosotros, Kate? —le
preguntó él, que todavía tenía sus manos entre las suyas—.
¿Cómo piensas que acabará todo esto?

Kate no podía decirle que, por las noches, antes de dor-
mirse, fantaseaba con que él hacía la maleta, metía los pantalones caqui, las camisas blancas, los jerséis, las chaquetas
y dejaba su casa, cerrando la puerta tras él. No podía contarle que todas las noches él la liberaba de su cama gemela
y de su vacía y triste casa, que la llevaba a ella y a su maleta a su coche, y que daban la vuelta silenciosamente en el
callejón en el que vivían y se metían en la autopista 24, y
rodaban y rodaban alejándose del área de la bahía, hasta la
autopista 5. Tal vez podría contarle que sólo paraban en
sórdidos moteles del centro de California, The Bar-S Hotel,
Gateway to Yosemite Inn, y se registraban con nombres
falsos y nunca hallaban descanso, rodando y rodando por
una interminable autopista, como si estuvieran en una
mala película de carretera.

Habría sido imposible admitir que aquellas fantasías
eran los cuentos que acunaban sus sueños, que aquello con

lo que más se había familiarizado no era tanto el cuerpo de él, como la posibilidad de que su vida se pusiera en marcha, de que sucediera algo emocionante, algo excitante.

Tampoco le iba a decir nunca que algunas veces la historia derivaba en el sueño y los veía a ellos dos de vuelta a casa de Sanjay, ante Meera de cuya boca salían terribles verdades: «Nos habéis arruinado la vida a todos, habéis decepcionado a todo el mundo, sois de lo peor que hay. ¿Quién puede quereros después de lo que habéis hecho? No os va a volver a querer nadie». En sus sueños, cuando volvía a casa, no había nadie, ni Tyler ni su padre.

Sanjay apoyó sus labios sobre las manos de Kate.

—Eres tan joven —susurró en el hueco de sus manos—. Me he portado muy mal.

Mucho después, Kate pensó que la cólera, o tal vez la verdad habría sido una respuesta apropiada. Debía de haberle preguntado: «¿Y cómo pensabas tú que iba a acabar esto? ¿Qué pensabas que estabas haciendo?» y esperar una respuesta. Incluso en ese momento, sentada a su lado en el sofá, sintiendo el cuerpo tibio de Sanjay cerca del suyo, pensó que podía percibir el hormigueo de su mano derecha después de que le estampara una bofetada en la cara. Casi se llevó la palma de la mano hasta la nariz para poder sentir el olor a la colonia y a la loción que se ponía; un olor que conocía, y aunque se imaginaba cómo le subiría la sangre a la cara después de la bofetada, aún lo deseaba. Sin embargo, la verdad es que tenía más sentido volver al solitario, vacío, y deshabitado lugar de aquellos dos últimos años. De hecho, los últimos meses habían sido tan irreales como sus fantasías a la hora de dormir, otra cosa que se le escapaba de las manos para siempre. Se levantó, consiguió que sus piernas le respondieran y se dirigió hacia la puerta pisando la inmaculada alfombra blanca, con las marcas de la aspiradora indicándole el camino.

Al salir por la puerta, y después de que el calor que hacía fuera la abofeteara, sintió el pecho y la cara llenos de lágrimas y tuvo la repentina necesidad, en aquel mismo instante, de dejar que sus lágrimas salieran como cuchillos, tumbada lo mismo le daba en la cama que en el suelo o en el sofá. Sin embargo, se lo tragó todo, cogió mucho aire, y sencillamente, vio que lo más fácil era hacer como si nada la afectara, como si aunque la dejaran, ella pudiera estar perfectamente sola. Quizá, pensó, si dejaba de creer que las cosas sucedían, todos aquellos que la habían abandonado, volverían.

—¿Qué vamos a hacer? Hay que hacer algo. Lo más seguro es que vuelva —dijo Tyler llevando en brazos a Deirdre que ya estaba vestidita y dormida—. ¿Por qué te quedas ahí sin más?

—De repente me siento muy cansada —dijo ella levantándose y alargando los brazos para coger a la niña.

La besó en la frente, las mejillas, las manos y los pies, consciente de que estaba desesperada por volver a sentir el olor del padre en la criatura, desesperada por ella misma, ella que, durante un breve periodo aquel verano pasado, había respirado y reído, y podido sentir la piel de una vida enteramente nueva.

La esposa de toda la vida

Al principio creyó que eran imaginaciones suyas. A Sanjay, que yacía despierto noche tras noche mientras intentaba acallar su sentimiento de culpa y desespero pensando en el trabajo y en los chicos, le pareció de entrada que aquello sonaba a maullido de gatitos. Tumbado en la cama, con Meera dormida a su lado, se dijo: ya es primavera y los animales están criando. Pensó en mirar bajo el suelo de la casa o en la leñera para ver si daba con la camada abandonada, y se preguntó qué iba a hacer con ellos una vez que los encontrara: se los quedaría o los llevaría a la recién inaugurada Sociedad Protectora de Animales en Oak Creek, en el centro. Por supuesto, los chicos querrían quedarse con uno, o con todos, si se los enseñaba y él sabía perfectamente lo que iba a decir Meera: «Los animales son sucios. No son para estar en casa, y en este jardín, con nosotros, tampoco».

Cuando estaban en la universidad, Meera en la Universidad de California y él en Berkeley, un día él llevó a casa un pequeño cocker spaniel negro que le había dejado un amigo porque se iba a Nueva Delhi a pasar el verano y no podía atenderlo. Sanjay tenía sus dudas, porque por aquel entonces ya conocía bastante bien a Meera, pero el perro era todo ojazos húmedos y suave pelaje, correteando sin parar entre sus piernas mientras Swapan le convencía.

—Mira, Sanjay, ¡si ya te quiere! Seréis muy buenos amigos.

—Pero, Swapan, a Meera no le gustan nada los animales. Ni siquiera los gatitos —le contestó él.

—Pero ¿cómo va a resistirse a semejante cara? Mira —dijo Swapan, sujetándole la cara al perro y alzándola hacia Sanjay—. Pero ¿tú has visto qué cara?

Así que Sanjay se llevó a casa el perro, que se llamaba Cocoa; el nombre se lo había puesto la novia inglesa de Swapan. Se lo llevó metido bajo la chaqueta mientras caminaba bajo la lluvia, y le gustó mucho sentir la calidez de aquel cuerpo contra el suyo, y ver cómo el animal se dejaba llevar por él en esa claustrofobia de chaqueta bajo la lluvia.

Sin embargo, Meera no le dejó ni cruzar el umbral de la puerta. Y allí se quedó él, en el quicio, todo mojado, y con su bulto canino apoyado contra el pecho; los ojos tristes de Cocoa estaban fijos en Meera mientras ella, muy tranquila, le decía que lo devolviera.

—Pero, Meera, le he dicho a Swapan que cuidaría del perro. Él se va a casa a pasar el verano, a visitar a su familia. Sólo serán un par de meses.

Meera abrió un poco más la puerta, pero siguió sin franquearle la entrada.

—Sanju, ¿es que no has visto este apartamento?

Sanjay asintió con la cabeza, considerando las pilas de papeles y libros —los de él, de ingeniería, y los de ella, de medicina—, y las austeras mesas de cristal, las alfombras rojas, los tres ordenadores, las dos impresoras, el fax y la fotocopiadora.

—¿Tú crees que este es sitio para tener a un animal? ¿Crees que puede andar correteando por aquí? ¿Es que crees que cuando yo vuelva a casa después de haberme pasado un fin de semana en el hospital voy a tener ganas de cuidar de esta criatura?

Sanjay tuvo ganas de encogerse de hombros, pero no lo hizo. También tuvo ganas de decirle: «¿Y qué pasa cuando yo estoy en casa y tú en el hospital?», pero no lo hizo, y en vez de eso le contestó: «Se lo he prometido a Swapan. Es un buen amigo».

Meera suspiró, y luego avanzó hacia él y le pasó la mano por el hombro.

—Sanjay, lo único que tienes que hacer es devolvérselo y decirle que no puede ser. Ya encontrará a alguien que tenga más sitio. —Y empezó a cerrar la puerta—. Llévatelo antes de que empiece a acostumbrarse a ti.

—¿Ahora? ¿quieres que vuelva ahora mismo a casa de Swapan?

Meera se echó hacia atrás su larga melena negra y abrió aun más sus ojos negros, tan negros que Sanjay nunca podía verles el iris.

—Por supuesto. No queremos tener aquí un perro mojado. Y si sigues llevándolo encima mucho más, tendremos que mandar tu abrigo a la tintorería. Voy a llamar a Swapan para decirle que estás de camino.

Así que Sanjay devolvió al perro, se lo entregó en silencio a Swapan y volvió a casa. Meera le abrió la puerta, le quitó el abrigo, lo metió en una bolsa de plástico y le preparó la cena. Aquella noche le dio un masaje en la espalda, haciendo correr sus delgados dedos por todo su cuerpo hasta que despertó en él el deseo de hacerle el amor y desapareció la sensación de tristeza que se le había pegado como los pelos del perro. Y realmente no tardó mucho en desaparecer con aquellas piernas esbeltas y aquel cuerpo sensual que olía a uvas pasas y granada; con el pelo de ella en su cara; con aquellas enigmáticas y excitantes palabras bengalíes aprendidas de la madre y que susurraba en su oído, con la boca en forma de luna llena al llegar al clímax.

Más tarde, mientras se dormía, intentó recordar lo que ella le había dicho, pero nunca lo supo a ciencia cierta, convencido como estaba de que era algún mensaje misterioso, en código secreto con el que le informaba acerca de bajo qué circunstancias ella podría aguantar un perro, un abrigo mojado y a él mismo durante los fines de semana.

Habían pasado diez años y Sanjay ya sabía que lo de los gatos era una propuesta imposible; los niños, un chico primero y al año otro, eran los únicos animales que Meera podía soportar. Aun así, tras una semana entera de maullidos nocturnos, se levantó, le tapó los hombros a Meera mientras bajaba de la cama y salió del dormitorio; cruzó el vestíbulo y entró en el salón que la cruda luz de la calle pintaba entero a rayas. Encontró su sudadera de la universidad tirada sobre el sofá y salió al porche, a la noche primaveral preñada de humedad, iluminada por las luces de la piscina. Meera no consentía nunca en que las apagara, las quería siempre encendidas para avisar, con el resplandor azulado que emanaba de su superficie, a los bañistas confiados. Caminó hasta el límite del jardín y se aupó sobre el travesaño de la valla, con los oídos y el corazón atentos. Allá afuera los grititos sonaban con más fuerza y Sanjay se dio cuenta de que no se trataba de gatos grandes ni chicos, sino de un niño, de un niño pequeño, de un recién nacido. Se tapó los ojos, hizo una inspiración profunda y dolorosa y comprendió de pronto que había sabido desde el principio que se trataba de un bebé, incluso cuando yacía al lado de Meera imaginándose que eran animales. De alguna forma, había pasado nueve largos meses aguardando los llantos, escuchándolos.

Más tarde, trató de recordar lo que había sentido en aquel momento y llegó a la conclusión de que fue como si el corazón se le hundiera en el estómago, el estómago en la tripa y esta en la entrepierna; como si las piernas le fueran a ceder dejándolo doblado sobre la valla, pero a la vez como si algo tirara de él hacia arriba y lo levantara; tuvo que acomodarse a ello, atento a su propio cuerpo, inmovilizado y rígido, como paralizado, incapaz de moverse, de pensar ni de echar a correr; incapaz de saltar la valla que separaba los dos jardines y asomarse a la ventana, de ver a Kate con aquel niño que era suyo; porque en aquel preciso momento, colgado de la valla entre la bruma de la noche de primavera, envuelto en el desagradable halo de la luz de la piscina y de la calle, supo que así era.

Sanjay supo que iba a acostarse con Kate la tarde que la vio meterle a su hijo Jagdish la camiseta por la cabeza y ajustársela al cuerpo, desordenando el pelo negro y lacio del chico y acariciándole las mejillas después de remetérsela. Pensó que sus manos eran como suaves pájaros, pequeños pájaros blancos, con las uñas de un blanco pálido —no como los colores metálicos y apagados que llevaba su hermana, o como los brillantes rojos satinados de Meera—, y las llevaba cortas, unas perfectas y seguras medias lunas.

—Ya estás, Jaggu. Venga, ahora métete en la cama, a dormir la siesta —dijo Kate haciendo correr sus manos sobre el pecho y la espalda del chico, riendo sobre su hombros mientras el chico se refugiaba entre sus pechos.

—Ya soy mayor para dormir la siesta, Kate. ¡Papi!, díselo. Dile que ya soy mayor —dijo Jagdish, agarrado al oso de peluche llamado Peri que llevaba a todas partes, magro y desnudo consuelo de tantas pesadillas nocturnas.

—Vamos, Jaggu —dijo Sanjay—, ya hemos discutido ese tema. No tienes que dormir tanto rato como Ardashir, pero hay que dormir un poco. Lo sabes ¿no?

—Sí —dijo Jagdish.

—¡Pues, hale! Vete corriendo a tu cuarto, cielo —le dijo Kate—. Voy en un minutito, antes de marcharme.

—Vale, ¿me lo prometes? —dijo Jagdish.

—Claro. Venga, corre.

Kate se levantó y colocó el jersey sobre el bolso. Se estiró y Sanjay miró su torso tenso y esbelto bajo la camiseta blanca, su cuerpo largo como un camino desconocido, tan recto y delgado y aún por descubrir.

—No tengo ni idea de lo que te debo hoy —le dijo, levantándose para sacar la cartera.

—Meera no se ha ido hasta las once, después de que volviera de entrenar con el equipo de natación. Como son las cuatro, son cinco horas —dijo Kate.

—No lo podíamos gastar en nada mejor —contestó Sanjay alargándole los treinta dólares. Su mano tropezó con las suyas al tenderle los billetes; sintió su cuerpo tranquilo y le llegó su aroma: un olor a cloro, crema para el sol, día de calor—. Meera no volverá hasta el viernes. ¿Podrías venir mañana?

—Sí, ya hemos acabado. Nos vemos mañana por la mañana. Oye, tengo que ir a darle un beso a Jaggu y luego me marcho, ¿vale?

—Por supuesto —dijo Sanjay mirándola bajar al vestíbulo hacia la habitación de su hijo, seguro de que iba a arrodillarse al lado de la cama, a hacerle cosquillas, a estirar las sábanas y remeterlas, atenta hasta que Jagdish cerrara los ojos, retirándole los mechones de pelo de la frente. La había visto hacer lo mismo con Ardashir, mientras les contaba a los chicos historietas bobas, que suponía que Deirdre debía haberle contado a ella de pequeña, hasta que los dos se dormían, tarareando como sólo saben hacerlo las madres ese sonsonete que pasa de una generación a otra, una especie de «jum, jum, jum, duérmete, jum, jum, jum, duérmete».

Volvió a sentarse en el sofá, desabrochándose los dos botones del cuello de la camisa. El sol de las cuatro vibraba en la habitación, tan caliente que parecía cortar la corriente del aire acondicionado; cerró los ojos y se abandonó en brazos del calor. Pensó que sabía por qué Jagdish se aferraba a aquel oso, una criatura que siempre tenía la temperatura de su cuerpo y hacía todo lo que le mandaban: «¡Vamos, a jugar, ven aquí ahora mismo, ven conmigo!». Se preguntó cómo sería eso de ser oso, deseoso de hacer lo que le pedían a cambio de ser amado en una forma que a Sanjay le resultaba inconcebible. Todavía se acordaba de una mantita que tenía a los cinco años, y también de cómo se la había quitado su niñera diciéndole: «Ya no está. Ya eres un chico mayor, Sanju. Es hora de que crezcas».

Cuando Kate abrazaba así a sus hijos, él era consciente de que deseaba ser Jagdish o Ardashir, para que ella lo tuviera entre sus brazos y le hablara en aquella lengua extraña de las madres, con aquella nana sin verbos ni órdenes que era simplemente como el latido de un corazón tranquilo y abierto.

—Fue patético —dijo Sanjay y al abrir los ojos se encontró a Kate de pie ante él.

—¿Qué? —preguntó ella.

Sanjay se levantó, esperando que Kate no notara lo encendida que estaba su cara.

—¡Ah!, estaba pensando en el trabajo…

—¿Qué es lo que haces exactamente?

—Soy ingeniero químico. Trabajo con derivados del petróleo, gases ligeros, gases pesados…

—Ah, ¿en la refinería, en Martínez, no?

Sanjay asintió con la cabeza, sintiéndose autorizado a mirarla a los ojos, los mismos ojos oscuros que su madre, redondos y llenos, que le iluminaban la cara. Recordó a Deirdre mirándolo exactamente igual, pero consiguió quitarse la idea de la cabeza, empujándola al fondo de su memoria, tan hondamente que consiguió al fin no ver más que a su hija, a Kate.

—Sí, me temo que no es una línea de trabajo políticamente correcta, hoy en día, pero todos nos movemos en coche.

—No quería decir eso —dijo ella poniéndose el jersey—. Sólo que no sabía exactamente qué hacías… Bueno, tengo que irme.

—Sabes, Meera no vendrá a casa hasta muy tarde, ¿Por qué no les dices a Tyler y a tu padre si les apetece cenar aquí? Podemos bañarnos todos en la piscina. Los chicos se quedarán encantados de veros cuando se despierten.

Kate miró a Sanjay.

—Bueno, Tyler está en un campamento en San Diego esta semana. Y mi padre… Ahora tiene una novia, sabes. Se llama Hannah. Tiene dos niños pequeños, como de la edad de Jaggu y Ari. Su marido les dejó. En fin, es complicado. Es que últimamente no está mucho por casa. Vamos que hoy no estará.

Más tarde Sanjay se preguntaría por qué ocurrieron las cosas de aquella manera, cómo se las arregló para mover el brazo y abrir la mano y cómo Kate pareció entenderlo, cómo se agarró a la mano abierta y se llegó hasta él como si aquel brazo fuera una cuerda que tirara de ella. Y entonces él se lo pidió. Sanjay lo recordaría toda la vida. Fue él quien se lo pidió a ella. Y de repente ella estaba junto a él, con la cara pegada a su camisa y él junto a ella, con la cara pegada a su pelo.

Sanjay vio a Kate cerrar la puerta y le asaltó de pronto ese olor a bebé que le era tan familiar: un olor a polvos de talco sobre la suave piel, a leche empapada en algodón, a bálsamo, a aceites y a pipí. Se quedó inmóvil, como si Kate no acabara de cerrarle la puerta en la cara, y trató de imaginar cómo podría entrar en la casa. Sus mentiras no habían funcionado, y ahora quería echar la puerta abajo, pero no estaba seguro de cómo hacerlo. ¿A patadas o a puñetazos? ¿Con los puños o con los pies? ¿Podía entrar en la casa como había entrado en aquella cría que, el verano pasado, había sentido bajo él como una corriente trémula que lo arrastraba no sabía dónde?

Dio media vuelta, y caminó lentamente sobre los tablones del porche, una madera de secuoya que Deirdre había pintado sólo unos meses antes de morir de cáncer. Hasta entonces todo iba bien, lo que se dice bien: barbacoas en verano, Meera iniciando a Davis y a Deirdre en la gastronomía del cuscús y el cordero, las dos familias celebrando el Cuatro de julio en el jardín trasero de la casa, las explosiones de color iluminando el vecindario mientras los críos, que eran pequeños, comían perritos calientes, fritos y sandía.

El tranquilo calabobos del Pacífico se había convertido en chubasco y luego en temporal. Sanjay podía oír el repiqueteo constante del agua que invadía los canalones, y se preguntaba si el centro de la ciudad volvería a inundarse como solía ocurrir lo menos una vez al año, obligando a los coches y a los compradores a bajar con exagerada lentitud la Monte Veda Avenue, ralentizando, humedeciendo y pintando todo de gris. Así se sentía en aquel instante, como si estuviera atrapado bajo el agua. Entonces, se sacó las manos de los bolsillos, y se quedó mirándolas, con las palmas vueltas al cielo y luego hacia abajo, preguntándose cómo había dejado que se deslizaran por el cuerpo de Kate como un ladrón, desvalijando todo a su paso, a Kate, desde luego, pero también a su mujer e incluso, ahora se daba cuenta, a sí mismo. No tenía derecho a entrar corriendo, buscar al niño, o a la niña, y preguntar: «¿Tiene la piel como yo?». Nunca podría cogerlo, esconder su cabecita en el hueco de su hombro y reclamar la carne de su carne. Sanjay sabía que no podía reclamar lo que nunca había sido suyo.

La distancia que había hasta su casa —camino de ladrillo, acera de cemento, su propia entrada de coches— era demasiado corta, pensó, demasiado corta para que de camino él pudiera olvidar lo que tenía que hacer.

· · ·

Eran las once de la mañana, Meera estaba de pie ante la ventana de la cocina, mirando cómo el viento de la primavera rizaba la superficie del protector que cubría la piscina en gruesas ondas de goma. Los cincuenta y cinco bulbos que había plantado en otoño estaban floreciendo en los impecables maceteros que bordeaban el porche, rizados amarillos, naranjas y blancos contra el cielo gris. Mientras lavaba los platos pensaba: «Tengo que comprar bulbos de gladiolo y alguna dalia. Le diré a Sanjay que vaya por ellos hoy. Puede llevar a los niños a la guardería. Es bueno para los chicos ver cómo van creciendo las cosas».

Meera dejó la última copa, se secó las manos y fue por la cartera y el bolso mientras se iba quitando el delantal. Los niños estaban en la guardería. Sanjay los había llevado por la mañana temprano y ya estaba en casa; no había ido a trabajar, tenía la cara pálida y la voz débil.

—Deja que te mire la garganta, Sanju —le dijo ella aquella mañana.

—Ya no tengo tres años, Meera —le contestó él, echándose hacia atrás y retirando la cara.

Meera estuvo a punto de ceder, pero luego le puso la mano sobre el hombro y notó el calor de su cuerpo en la palma.

—¿No sabes que muchas enfermedades son las mismas independientemente de la edad? Puedes tener estreptococos, o una otitis. Déjame echarte un vistazo.

Sanjay se la sacudió y fue a sentarse en la silla de al lado de la cama.

—Sólo estoy un poco cansado. Nada más. Me quedaré en casa y arreglaré alguna cosilla.

Sanjay no se levantó del asiento mientras Meera se duchaba y vestía; sólo se movió cuando ella le dijo que ya estaban los huevos pasados por agua, y se sentó a comérselos en silencio. Cuando acabó, salió de la casa sin mirar siquiera a su esposa. Meera fue hasta la ventana del salón y le vio caminar por la acera y meterse por el camino de los Phillips.

Meera miró el espacio por donde acababa de pasar la figura de Sanjay, el asfalto vacío de la entrada de coches de los Phillips, negro y reluciente bajo la lluvia, del mismo color que su pelo. El pelo de Sanjay era igual que el que Meera recordaba de su madre, lacio, negro y espeso. Cuando era pequeña y su madre hablaba de pie ante ella, se imaginaba que los brillantes cabellos que le caían sobre el sari de seda eran pequeñas cuerdas por las que ella podría subir para alcanzar los brazos de su madre. Le habría gustado gritar: «Amma, Amma» y se figuraba que podía agarrarse a aquel sedoso material y ascender hasta su cuello, para aspirar la fragante y delicada flor que su madre llevaba con frecuencia detrás de la oreja izquierda.

Pero Meera nunca llegó a gritarle aquello a su madre, o al menos no recordaba que lo hubiera hecho. Tenía que contentarse con los pliegues de su sari, con las perfectas lunas rojas de las uñas de sus pies, y con el suave rumor del roce de sus sandalias sobre las baldosas de cerámica. Muchas veces, incluso ahora, cuando piensa en Delhi y en su madre, la ve sentada, riéndose, charlando con su padre por la noche, con su impecable brazo de bronce destacando sobre la blancura de la manga de la camisa de él. Meera todavía puede verse en una esquina del vestíbulo, mientras sus hermanos duermen y la nani charla con los criados, observando atenta, a la espera de alguna palabra que le indique que se preocupan por ella.

Meera encontró su maletín de piel y lo abrió para echarle un vistazo a la agenda. No tenía demasiadas citas. Seguramente podría llegar a casa sobre las cinco y media, las cinco con un poco de suerte, y así podrían cenar todos juntos —eso a Sanjay le gustaba mucho— a lo mejor *puri sabjee* y *dal makhani*. Pensó que si tenía tiempo incluso podría hacer *kheer* de postre. Se preguntó de dónde iba a sacar tiempo para acercarse al supermercado Sangam en Pleasant Hill. Tal vez podría hacer una lista (ocra, lentejas, pistachos) y pedirle a Sanjay que lo comprara él, pero sacudió la cabeza, no, hoy se sentía incapaz de pedirle nada. Cerró los ojos y luego pensó en llamar a su amiga Momta desde el trabajo. Momta tenía la misma edad que la madre de Meera; la había conocido en el templo, el primer año que estuvieron en el área de la bahía. Sanjay y ella se encontraban ante la puerta del templo un poco cohibidos y ella se giró hacia ellos desde el banco que compartía con otras mujeres y se levantó para darles la bienvenida con las manos juntas y utilizando el lenguaje de su familia, de su gente. Después de aquel día, en que la presentaron al grupo de mujeres, y arrastraron juntas las sedas de los saris por el pulido suelo, mezclando sus voces con el incienso y la música de las campanas, siempre tuvo alguien a quien llamar, aunque con el paso de los años, se fuera olvidando de Delhi y de lo que había sido su vida allí. De todas formas, sabía con certeza que podía contar con Momta para que la ayudara a la antigua usanza.

Meera ordenó su maletín y respiró pausadamente al darse cuenta de que la dominaba un sentimiento que no era capaz de diagnosticar, un pequeño pellizco en la boca del estómago, un ligero dolor detrás de los ojos. Últimamente habían dormido bastante mal y se preguntaba si Sanjay no estaría pasando una gripe tardía.

Él estaba entrando por la puerta principal, se sacó en silencio los zapatos y se quedó como paralizado ante la chimenea.

—¿Qué has ido a hacer a casa de los Phillips? ¿Es que les pasa algo? Desde luego no me extrañaría —dijo Meera dirigiéndose al armario de los abrigos para coger el paraguas y la gabardina—. Davis debería pasar más tiempo con esas niñas. La última vez que lo vi se lo dije, por supuesto. Si Deirdre levantara la cabeza...

—Meera —dijo Davis agarrándola del brazo que ella estaba introduciendo en la manga de la gabardina.

—¿Sí?

—Vas a tener que cancelar todas tus citas de hoy. Tenemos que sentarnos a hablar, y luego habrá mucho que hacer.

—¿Qué estás diciendo Sanju? No puedo cancelar mis citas de un plumazo. Sea lo que sea ya hablaremos de ello cuando vuelva a casa. Hoy tengo una jornada corta y he pensado que haré una cena estupenda.

Meera ajustó la trabilla del paraguas, asegurándose de que la tela quedaba perfectamente plegada antes de cerrar la cremallera de la funda; le gustaba sentir como corría la pieza de metal entre sus dedos.

—Meera —dijo Sanjay—, no puedes ir a trabajar.

—No seas ridículo. Ya hablaremos luego. Tengo pacientes esperándome, Sanju —dijo ella impaciente, golpeando la puntera metálica del paraguas contra la suave baldosa española.

—¡Meera, no soy ridículo! Tienes que quedarte en casa —dijo Sanjay; tenía la cara encendida y los ojos abiertos y brillantes.

Meera alzó la vista para mirarlo y dejó caer el paraguas. Él ya no evitaba su mirada, y ella habría deseado borrar la preocupación, el miedo y la ira que se pintaban en su cara y que volviera a ser como ayer, cuando todo aquello no existía, cuando aquella enormidad que había entrado con él por la puerta delantera no estaba.

Meera se quedó mirando de hito en hito a su marido, mientras el dolor de ojos le crecía hasta la jaqueca y el estanque de lágrimas nunca vertidas centelleaba en su interior. Recordó los pies de su madre, el suave susurro del cuero sobre las baldosas que indicaba que se iba dejándola a ella.

—Hay un recién nacido, Meera —dijo Sanjay.

—¿Un recién nacido? ¿Sanju de qué me estás hablando?

—Pues… bueno —dijo Sanjay que habría deseado no tener que pronunciar una sola palabra más, mientras el eco de las que acababa de decir vibraba aún en su garganta—. Un recién nacido, sí. En casa de los Phillips.

—Bien, ¿y de quién es? ¿Es de Davis?

—Creo que es de Kate.

Meera abrió la boca y tragó aire.

—¡No!, No puede ser, es terrible. ¿Cómo ha sucedido?

Sanjay bajó la mirada al suelo, intentando encontrar palabras.

—Bueno, ¿sabes si Davis está enterado? Por supuesto que no se habrá enterado. ¿Cómo iba a enterarse? Nunca está y si lo hubiera sabido no hubiera llegado a suceder. Probablemente a la criatura no la habrá visto ningún médico.

—No estoy seguro —dijo Sanjay—. La verdad es que no lo sé.

Sanjay cerró los ojos y Meera agarró su maletín.

—Voy a ir inmediatamente. Alguien tiene que ver a ese niño.

—Espera, espera. Antes de que vayas tenemos que hablar, Meera.

Ella volvió a dejar el maletín en el suelo y miró a su marido. Claro, por supuesto, pensó Meera, así llevaba yo todo el día con esta terrible sensación. Meera no movió un músculo y en ese momento ella también pudo oír el llanto de un niño que no era suyo. Por las noches, había sido casi como un sueño, un simple sueño de trabajo, eso era lo que había pensado mientras daba vueltas en la cama y se tapaba la cabeza con la manta, imágenes del hospital, algo que la impedía saber si estaba realmente despierta o dormida. Pero los llantos siempre procedían de la puerta de al lado, las ventanas de ambas casas estaban enfrentadas, separadas sólo por la valla del jardín, y ese llanto debía haberla sacado de la cama.

—Ven a sentarte —dijo Sanjay, dirigiéndose al comedor.

—Por Dios bendito, Sanju. Vamos a casa de los Phillips a hacernos cargo de ese niño —dijo Meera con la mano en el picaporte—. Supongo que te haces cargo de que es imposible que esas niñas hayan sabido cuidarlo adecuadamente.

Sanjay se detuvo y se volvió hacia Meera, alicaído y con la cabeza gacha.

—No Meera, no. Espera. Eso no es todo; tienes que atenderme —dijo Sanjay—. El niño es mío.

—Pero ¿por qué, por qué? —preguntó Meera sentada a la mesa del comedor frente a su marido.

—No estoy seguro.

—Por favor. Tienes que tener alguna idea, Sanjay —dijo Meera. Sanjay se preguntó si estaba imaginándose piernas desnudas y besos apasionados que no eran suyos—. Tienes que saber por qué.

Sanjay estaba sentado, los brazos le colgaban a los lados.

—Creo… No estoy seguro. Tal vez me sentí solo.

Meera se echó hacia atrás la melena y luego se agarró al reborde suave, pulido y redondeado del tablero. Por un momento, al ver la madera temblando bajo sus manos, Sanjay pensó que podía levantar la mesa y tirarla sólo con que tensara un poco los bíceps. Meera era lo suficientemente fuerte, estaba acostumbrada a levantar todos los días niños y adultos enfermos de sus camas o de las camillas. La espalda y los hombros eran sólidos, de tanto cavar el jardín. Cuando la sujetaba por las noches podía sentir sus músculos perfectamente definidos. Pensó que le habría sido muy fácil acabar con aquella conversación en ese mismo instante, lanzando por los aires el mantel, las copas y los platos, mientras él se derrumbaba ante el esfuerzo inútil y el día seguía como tenía que haber sido, haciendo que las imágenes de cuerpos desconocidos se detuvieran, desaparecieran, salieran de su cama, quedaran enterrados con los recuerdos más desagradables.

—¿Soledad, qué soledad? —dijo Meera finalmente—. ¿Cómo puedes haberte sentido solo en esta casa? ¿Qué me estás contando? Tienes a Jaggu y a Ari, me tienes a mí. Tienes a tus amigos y a tus colegas. Tú y yo compartimos la misma cama todas las noches. Dime Sanjay ¿te parece que eso puede llamarse soledad? Pues desde luego es una definición que no había oído nunca.

Sanjay miró hacia abajo, sabiendo que nunca podría explicarle a su mujer que aunque tenía razón en lo que decía, aun así, él seguía sintiéndose solo. No podía explicarle que había algo en él que ella jamás tocaba, donde no podía entrar a pesar de su preciosa cara, de sus esbeltas piernas y de sus suaves manos. Y Kate, de alguna manera, había sido capaz de moverse en ese vacío con él durante un momento, no es que hubiera conseguido llenarlo exactamente, pero lo había hecho llevadero, y a veces incluso hermoso. Y sabía que si se lo decía, corría el riesgo de que ella se levantara y de que aquella conversación quedara ahí interrumpida para siempre.

—No lo sé. Pero lo hice, y ahora… Hay que ir allí y ver qué pasa con el niño.

Meera se había quedado muda, con la mirada extraviada; él sabía que ella también tenía que haber oído llorar al niño, que todas aquellas horas que él había pasado en vela, sentado en la cama, atento a aquellos débiles maullidos, ella también tenía que haber estado escuchando, esperando que alguien los acallara. Y además, Meera tenía que haberlos reconocido, los oía a diario en el Hospital de Mount Diablo mientras hacía las rondas por el nido, los oía llorar por la leche y por la madre; tenía que haberse enterado de que una de las niñas de la puerta de al lado había tenido un hijo.

—¡Ay, Sanjay! ¿En qué cabeza cabe?

Sanjay bajó de nuevo la vista, sabiendo que la respuesta era «en ninguna», o que en cualquier caso la suya sólo podía pensar en Kate y en él. Tal vez ni siquiera en Kate, aunque la hubiera tenido contra su cuerpo, sintiendo cómo se estremecía de placer, sintiendo el suyo propio, aun cuando ella le mirara con aquellos grandes ojos castaños.

—Esto es el colmo —continuó Meera—. ¿Y qué esperas que haga yo? ¿Y ahora quieres que vaya a examinar a ese niño? ¿A ese… a ese niño? ¿Después de lo que acabas de contarme? ¿Cómo puedes pedirme algo así?

Meera echó hacia atrás su silla y se levantó. Todavía llevaba puesta la gabardina y el cinturón atado.

—Eres la única a quien puedo pedírselo.

—Pues iré. Iré, pero es el colmo que me lo pidas, Sanjay. Has ido demasiado lejos.

—Me doy cuenta —contestó él.

—¿Te das cuenta? ¿Ahora te das cuenta?

—A lo mejor no me doy cuenta de nada. Pero tendremos que averiguarlo.

—¿Cómo puedes estar seguro de que es hijo tuyo, Sanjay? ¿Qué pasa si es de Tyler? ¿Quién sabe lo que ha podido pasar en esa casa este último año?

Sanjay miró a su mujer que sabía que tenía la cara llena de lágrimas. Sólo la había visto llorar una vez, en su primer año en la Facultad de Medicina, durante una práctica de oncología en la Universidad de California. Estaba atendiendo a un hombre de veinte años con cáncer testicular cuyos genitales se habían hinchado como globos. Era incapaz de moverse por miedo al dolor y cuando Meera entraba a tomarle la tensión y auscultarle el corazón, se sentaba siempre y le tomaba la mano pecosa, con la piel marchita y amarillenta por debajo de las pecas.

Cuando volvía al apartamento donde vivían después de haberle visitado, se metía en la cama vestida todavía con la bata de médico y lloraba. Sanjay sólo podía sentarse a su lado, exactamente como ella hacía con el chico, y esperar, sólo esperar. Cuando el chico murió, Meera se sentó con los padres y la joven esposa a los pies de su cama, escuchando sus llantos, sacando su voz de médico, la misma voz suave que Kate utilizaba con los niños. Pero ese no era el tono de voz que Meera empleaba cuando estaba en casa, por lo que Sanjay suponía que lo reservaba para aquellos que ella pensaba que lo necesitaban de verdad.

—No tenemos por qué ir nosotros —dijo Meera secándose los ojos con la manga—. Podemos llamar a la policía, que se hagan cargo ellos. ¡No tenemos que ir ahí para nada! —gritó—. Pero aún así, Sanjay, va a dar lo mismo, ¿verdad? ¿Sabes lo que nos va a pasar, verdad Sanjay? Yo he visto casos como este.

Él asintió imperceptiblemente con la cabeza, con el pelo sobre los ojos.

—Sí —dijo, pensando en que la primera vez que tomó la mano de Kate recordó los anuncios que había sobre los carteles y laterales de los autobuses que llevaban a la refinería de Martínez y que decían: «Acostarse con una menor es un crimen». En el anuncio se veía a un hombre joven, generalmente negro, entre rejas—. Por eso es mejor hacerlo así. Si llegamos nosotros primero, la llevaremos a Mount Diablo, donde la gente te conoce. ¿Vas a venir conmigo a la casa? ¿Estás dispuesta a venir a ver qué nos encontramos? —le preguntó acercando lentamente su mano a la de ella.

—¿Donde me conocen? —dijo Meera siseando.

—Ayúdame —dijo Sanjay—. Ayúdame, por favor.

Meera se lo quedó mirando un buen rato, el suficiente, pensó él, para que todo su matrimonio volviera a pasar ante sus ojos. De alguna manera, el matrimonio ganó el pulso; el matrimonio y los niños pudieron más que la venganza, la soledad y el divorcio, porque Meera asintió y fue a buscar su bolsa. Pero antes de salir de la habitación se detuvo y se volvió hacia él, con los ojos negros rasgados por la cólera. Fue hacia la mesa y cogió un bote de chutney de mango, que le había encargado a Momta la semana anterior, una espesa salsa marrón con rodajas de mango, naranja y cebolla blandita, y lo estrelló contra la pared de la cocina lanzándolo por encima de la cabeza de su marido. Sanjay cerró los ojos al oír el estrépito, sintió que parte del líquido pringoso le corría por el cuello y se volvió para ver la blanca pared tachonada de churretes de chutney. Meera no miraba la pared, miraba fijamente por la ventana hacia la casa de los Phillips. Y entonces le dijo:

—Tendrás que vivir mucho tiempo en la misma habitación que yo antes de que te perdone.

Sanjay asintió; era lo menos que podía esperar.

* * *

Antes de salir de casa, Meera abrió su bolsa y se dio cuenta de que no llevaba gran cosa aparte del estetoscopio, el otoscopio y algunas muestras de antibióticos que le había dado un representante de los laboratorios Merck. Se preguntó si todo eso fuera del hospital serviría de algo, y se acordó de aquellas llamadas nocturnas a su casa, de las apremiantes voces de los criados y luego de la voz grave y serena de su padre que hablaba con los vecinos preocupados por un niño, una tía o algún abuelo que estaban enfermos. Algunas veces ella se colaba en el estudio y cogía un caramelo del frasco de cristal amarillo de los dulces. Mientras masticaba y chupaba el dulce, recorría el gabinete, toqueteando ampollas llenas de líquido, gruesos lomos de libros de medicina y la goma de las perillas y los estetoscopios. Allá donde fuera, su padre, Manjit, se comportaba siempre como un médico. Incluso cuando su hermano Nikhil estuvo a punto de morir de un sarampión, o cuando su madre tuvo un aborto en su último embarazo, que hubiera sido una niña.

Y allá donde fuera, ella podía oír la misma voz fuerte, podía verle hacer los mismos gestos, hábiles, seguros, como si nada pudiera cambiar una materia sometida al oficio, el conocimiento y la experiencia.

Se preguntaba si ella también podría comportarse con la misma ecuanimidad, mientras sentía que el corazón se le salía del pecho y el estómago se le encogía de angustia. Suspiró y cerró la bolsa.

—¿Qué tiempo crees que tiene ese niño, Sanjay?

—No estoy seguro. Empecé a oírlo hace unos pocos días.

Meera con gesto sombrío le agarró del brazo.

—¿Cuándo fue la última vez que te acostaste con Kate, Sanjay? Esa será la mejor forma de determinar la edad de la criatura.

—¿Y qué más da?

—¡Eres idiota! —exclamó Meera cerrando los ojos con una mueca de impaciencia—. ¡Por supuesto que importa! Tengo que saber qué preguntas tengo que hacer. —Meera hizo un esfuerzo para sacarse de la cabeza la idea de que el niño era de Sanjay y centrarse en la realidad que suponía la piel de un recién nacido, suave y frágil con sus delicados huesos bajo ella. Sabía que al cabo de una o dos semanas el bebé tenía que estar ya comiendo bien, unas ocho veces al día, y que la piel de sus manos debía estar ya más llena, y no arrugadita y flácida. Si era un niño de dos o tres meses, había que vacunarlo—. Además ese niño necesitará seguramente una inyección de vitamina K, pomada de eritromicina para los ojos y un análisis de sangre. Son cosas muy importantes, Sanjay.

Él soltó el picaporte.

—Por supuesto. Tienes razón. La última vez fue en agosto. Estamos en mayo. Así que debe de tener días, una semana, tal vez dos.

Meera escuchaba y se preguntaba qué había pasado en agosto. ¿Qué había pasado aquel mes? Volvió a abrir la bolsa y ordenó abstraída su instrumental, depresores de lengua y medicinas, mientras iba notando bajo sus dedos el tacto del metal, el plástico y la madera. Agosto. Meera recordaba ese mes de agosto: había sido especialmente caluroso, la temperatura había pasado de los cuarenta; recordaba a los niños en la piscina y a ella misma desenterrando los gladiolos, dedicándose a las capuchinas y podando el aliso blanco, mientras sudaba a chorros bajo su sombrero claro. Podía incluso recordar las risas de Jaggu y Ari mientras Tyler y Kate los lanzaban al aire, cogiéndolos antes de que cayeran al agua. Buscó entre sus recuerdos a Sanjay y lo vio en una tumbona, secándose sonriente mientras miraba jugar a los niños y se bebía un vaso de zumo de naranja. Se acordaba también de las últimas vacaciones de agosto en el Sea Ranch, al sur de Gualala. Habían alquilado una casa que resultaba más bien fría por las tardes con la bruma y el viento del Pacífico, el océano lamía las finas playas sobre las que dejaba suaves pendientes, y ella y Sanjay se sentaban juntos en el sofá con unos binoculares para observar a las gaviotas negras y a los pelícanos marrones sobre las rocas cubiertas de moluscos de la orilla. Juntos escuchaban el grito de las gaviotas y de las golondrinas de mar y el rumor del océano, mientras los niños, en el cuarto de al lado, dormían la siesta en las horas de calor de la tarde.

Meera sintió que en la garganta se le hacía un nudo que cada vez la apretaba más, le faltaba el aire, pero aún así dijo:

—Bueno, vamos allá.

Pensó en ponerse el abrigo, y luego se dio cuenta de que todavía lo llevaba puesto, como si nada hubiera sucedido, como si todavía estuviera a tiempo de meterse en el Volvo e irse a trabajar, a cuidar de los niños de otros.

Sanjay llamó a la puerta con los nudillos y también pulsó el timbre mientras sus dedos jugaban con las monedas que llevaba en el bolsillo. Meera estaba inmóvil, ante la puerta, con los ojos fijos en la veta de la madera, en el brillo, en el reluciente metal del tirador y de la aldaba. En el felpudo ponía: «Bienvenidos». Había dejado de llover y el aire era cálido y húmedo.

Meera oyó unos pasos y se volvió hacia Sanjay, deseando fundirse con él, para que él la protegiera de lo que se le venía encima, pero luego cambió de opinión, estaba demasiado enfadada para tocarlo, consciente de que debía guardarse de él. Cruzó los brazos sobre el pecho, estiró el cuello y mantuvo la respiración mientras Tyler abría la puerta y tapaba con su cuerpo el hueco. No dijo nada, el sol la hacía parpadear. Meera pensó que parecía que llevara meses encerrada, como un animal del subsuelo, indefenso y vulnerable a la luz o la verdad.

—Venimos a ver al bebé, Tyler —dijo Sanjay.

Más tarde, Meera se acordaría de la cara que puso Tyler cuando Sanjay pronunció la palabra «bebé». En aquel momento pensó que le temblaban las manos de miedo y que por eso se le aflojó todo el cuerpo. Pero luego se dio cuenta de que era de puro alivio, porque lo siguiente que hizo Tyler fue quedarse inmóvil y mirar a Meera y a Sanjay durante unos minutos que se hicieron eternos. Y en ese lapsus de tiempo Meera vio en su cara la vida que había llevado la niña todos aquellos meses: la tristeza, la pena, el miedo se pintaron sucesivamente en su boca, sus mejillas y su frente. Entonces Tyler abrió la puerta de par en par, y sin decir una palabra los dejó entrar, siguiéndoles en silencio por el pasillo hasta el cuarto donde Kate, sentada al lado de una cuna de cartón, canturreaba palabras ininteligibles a un bebé.

• • •

—¿Lloró la niña cuando salió del canal del parto? —preguntó Meera cogiéndola por las axilas con manos temblorosas y sintiendo la caja torácica firme y rolliza, la carne que cubría las costillas, y fijándose que tenía el mismo tono de piel que Jagdish, un marrón crema como un café con leche corto de café.

Tyler asintió.

—Cogí una perilla y le limpié la nariz, y luego le limpié tres veces la boca. Y entonces empezó a llorar. Muy fuerte; se puso muy roja.

—¿Cómo se llama? —preguntó Meera mirando los oscuros ojos de la pequeña.

—Se llama Deirdre —dijo Kate sentada todavía al lado del armario. No se había movido desde que Meera se agachó y se puso a la niña sobre el hombro, sin mirar a Kate a la cara.

Meera tragó saliva y se quedó mirando fijamente a Deirdre, que llevaba el nombre de aquella amiga suya que trabajaba la tierra del jardín y que había muerto, dejando sólo plantas y dos niñas para que ella la recordara. Pero mientras las plantas florecían, bulbos de primavera y verano, floraciones perennes en otoño y verano, las niñas se habían enterrado en aquella casa para devolver a su madre a la vida. Y habían necesitado de Sanjay para hacerlo, habían necesitado de un hombre para hacer el conjuro, para plantar la semilla y volver a traer a Deirdre entre los vivos.

La niña se estiró entre sus manos, bostezó y dejó escapar un gemidito. Deirdre…

Meera calentó el extremo del estetoscopio con su aliento antes de colocarlo sobre el pecho del bebé. Eran gestos rutinarios, preguntas, procedimientos, mediciones… y aún así le flaqueaban las piernas, quería agarrarse al cuello de su marido, quería abrazar a Tyler, confortar a aquella quinceañera que había ayudado a que esa criatura viniera al mundo. Meera recordaba el primer parto al que asistió siendo estudiante de medicina, lo que le impresionó el sufrimiento de la madre, porque de alguna manera pensaba que, estando en un hospital, podía evitarse. Había leído libros y lo había oído explicar en clase, y aun así se quedó sin habla ante la cantidad de fluidos y sangre que caían al suelo, el descomunal tamaño que adquiría la vagina y los labios dilatados y brillantes. Y luego apareció una azulada criatura que se escurrió por allí hasta la habitación del hospital, con la cara arrugadita como una pasa, con la boca y los ojos pegados hasta que el médico los limpió metiendo los dedos enguantados, limpiándolo del cuerpo de la madre. Al mirar al bebé, al bebé de Sanjay, Meera se maravilló de que hubiera podido hacer semejante travesía con la única ayuda de aquellas dos niñas, una empujando y la otra tirando hasta conseguir darla a luz.

Apretó los músculos del abdomen e imaginó su consulta, consciente de que hacía los gestos de siempre, aunque al coger la cinta métrica las manos le temblaban un poco. Midió la caja torácica y la cabeza, y fue apuntando los datos en una libreta amarilla que había sacado del maletín. La pesó en la vieja báscula de Deirdre que Tyler había traído del baño, lamentando no haber llevado la suya, aquella vieja que había cogido de la consulta hacía años para pesar a los niños entre revisión y revisión. Y se sorprendió a sí misma sacudiendo la cabeza. Casi cuatro kilos y medio, y era duro admitirlo, pero era una niña. «Sanjay ha conseguido por fin tener una niña; una niña fuerte y sana, Deirdre.»

Acarició la sedosa cabecita de Deirdre, a sabiendas de que aquel no era un gesto de médico, sino de madre, y que detrás de ella, Kate seguía sentada, como petrificada en lava. Tal vez, pensó Meera podría llegar a aceptar al bebé, tal vez conseguiría hacerle un hueco en su corazón, pero ¿y Kate? Le venían a la boca los términos injuriosos que había aprendido en el colegio, palabrotas que había practicado por las noches con las amigas: «Puta, zorra, putón». Meera miró a Sanjay, sabiendo que había roto la relación antes de enterarse del embarazo, pero ¿qué le había llevado al extremo de llevarse a Kate al lecho conyugal, qué les había llevado a todos a compartir aquellos momentos que estaban viviendo? Meera estuvo a punto de volver la cabeza, como para encontrar al responsable de aquello, alguien a quien poder cargar con la culpa de aquel embrollo, alguien en cuyas manos poder poner al bebé y decirle: «Hale, ahí lo tienes. ¿O no era lo que querías?». Las manos se le iban solas buscando otro frasco de chutney, algo que tirar y hacer añicos, algo que dejara la señal de su cólera.

Pero se limitó a hacer una inspiración profunda y a mirar los ojos abiertos de Deirdre, que buscaban a su madre, el pecho de su madre.

—¿Cada cuánto son las tomas? —preguntó Meera, pasando con suavidad un dedo por el arco interno del pie del bebé.

—Continuamente. Cada tres horas más o menos —dijo Kate.

—Más bien menos —añadió Tyler—. La tiene despierta casi toda la noche.

Sanjay se miró los zapatos, Meera se figuraba que estaba acordándose de los llantos nocturnos. Se imaginó a

Kate dando el pecho a la niña, los ruiditos de la mamada, el silencio, mientras en la parte trasera del jardín, él, paralizado, no se atrevía a moverse.

—¿Y las deposiciones? ¿Qué color tienen?

—¿Las deposiciones? Ah sí, son amarillas, y las hace todo el día. Desde el primero. El segundo día había unos pegotes negros, pero ahora es toda amarilla.

—¿Cómo mostaza? —preguntó Meera retirando su estetoscopio.

—Sí, como mostaza —dijo Kate en voz queda levantándose para coger a Deirdre.

—¿No se te pasó por la cabeza ir a una clínica para que le hicieran un reconocimiento prenatal? —preguntó finalmente Meera volviéndose hacia Kate—. Has tenido muchísima suerte. Es una niña sanísima. Habrá que hacerle algún análisis de sangre y darle alguna medicina, pero con lo que ha pasado, es un milagro que las cosas hayan salido tan bien.

Lo que Meera quería decir era que si ella hubiera tenido a Jagdish y Ardashir en casa, habrían muerto todos, ella y los niños, que estuvieron horas atascados en el borde del cuello del útero, y que, después de estar horas empujando, los médicos le pidieron que accediera a firmar la autorización de cesárea. Recordaba el nacimiento de sus hijos entre una nebulosa, muerta de cintura para abajo, la sensación del zigzag frío del bisturí y luego las manos que entraban en su cuerpo para retirar al niño. Recordaba cómo la mano de Sanjay apretaba la suya y sus palabras, en las dos ocasiones: «Meera, fíjate, qué chicazo tan guapo». Y luego el sueño, y el dolor: el abdomen hinchado con la cicatriz en la carne viva y los pechos igualmente hinchados, con los pezones también en carne viva, hacían de la primera semana un tormento difícil de superar.

—Leímos un montón de libros, y vimos unas películas —dijo Kate con voz queda—. Sabíamos lo que teníamos que comprar y lo que había que hacer. Y habríamos llamado al 911 si hubieran ido mal las cosas.

Meera siempre se había visto como el mascarón de proa de algún viejo barco de guerra, surcando un piélago de ignorancia, recogiendo a su paso los niños que la necesitaban mientras hendía las olas de los malos hábitos, la pobreza, el maltrato y la crueldad. En el trabajo, enfundada en su bata de médico que llevaba bordado en marrón su nombre en el bolsillo del pecho izquierdo, podía asentir y escuchar, pero luego iba directa a llamar a las autoridades, alargaba al adulto el panfleto correspondiente, y daba los informes correspondientes a los psicólogos y a los asistentes sociales. Y esa era también la imagen que tenía en casa, porque ella estaba por encima de todo aquello, sus hijos estaban perfectamente alimentados y felices, Jagdish cantaba el abecedario en la bañera. Pero en aquel momento, de haber sabido cómo, se habría arrancado de la proa del barco, se habría arrancado la bata de los hombros y se habría deshecho en gemidos, con la cabellera deshecha al viento marino que tanto había significado para ella hasta entonces. Sencillamente, no se había dado cuenta; no lo había visto venir.

«¿Cómo sonará una bofetada en este cuarto?» se preguntó, mordiéndose el carrillo hasta que sintió el gusto de la sangre entre los dientes. Pero ahí estaban, todos cómplices, rodeándola como si ella pudiera responder a la pregunta más difícil de todas, que no tenía que ver con la salud, tamaño y peso del bebé, sino con por qué estaban allí unos y otros. Era como si estuvieran esperando que su mera presencia con el maletín en aquella habitación y el hecho de medir un pecho y una cabecita diminuta bastaran para que todo volviera al orden. Meera sentía un irrefrenable deseo de sacudirlos a todos y de gritarles: «¡Dejadme en paz de una vez! ¡Yo no sé nada! ¡Esto es todo cosa vuestra!», pero en vez de eso apretó más los dientes, siguió estudiando a Deirdre, moviendo sus piernecitas, haciendo girar las delicadas articulaciones en los patucos.

—¡Por Dios bendito! ¿Por qué no se lo dijisteis a nadie? —preguntó al final, y nada más hacerlo deseó tragarse sus propias palabras.

Kate se la quedó mirando fijamente y Meera deseó poder entrar en su cabeza por un momento y ver cómo habían sido aquellos últimos nueve meses, y antes incluso, poder ver cómo se lió con Sanjay, las mentiras, aquel desdichado parto que había tenido lugar allí mismo. Por un momento le pareció que Kate estaba a punto de decirlo todo, pero no despegó los labios, tragó aire y calló. Meera casi asintió con la cabeza y luego cuando se dio cuenta de que la respuesta era que nadie habría querido saber nada de aquella criatura, se volvió. Ella misma habría preferido no volver a oír hablar del tema.

—Oye, hicimos todo lo que había que hacer —dijo Tyler con la cara encendida—. No necesitábamos a nadie. Nos valíamos perfectamente.

Meera se dio la vuelta, sentía una terrible flojera, le puso un pañal a Deirdre y se la tendió a Sanjay.

—Toma, ahí tienes a tu hija.

Tyler, todavía encendida de rabia, hizo un ruidito, algo a medio camino entre el silbido y el gemido, echando el aire lentamente entre los dientes apretados, mientras se le demudaba la cara hasta quedar de un blanco ceniciento. Miró a Meera, llevándose las manos a las sienes:

—¿Qué estás diciendo?

Meera miró a Tyler, y contempló su rostro pálido e inerte. A buenas horas, pensó Meera, le daban ganas de agarrar a Tyler del cuello y sacudirla. ¿Cómo podía haber sacado a esa criatura del vientre de su madre y no darse cuenta de que era igual que Jaggu y Ari, a los que había dado de comer, cambiado y bañado tantas veces? ¿Cómo era posible que nadie fuera capaz de ver nada?

—¡Tyler, por favor! ¿Me figuro que sabías de sobras que el padre de la niña era Sanjay?

Tyler negó con la cabeza, incapaz de articular palabra. Finalmente agarró a Kate del brazo y le dijo:

—¿Cómo has podido escondérmelo todo este tiempo?

Las hermanas seguían enganchadas, inmóviles en medio de la habitación, como en un cuadro. Las manos se tocaban, pero Kate no miraba a Tyler. En el silencio de la habitación sólo se oía el roce de los dedos de Sanjay que acariciaba la espalda de la niña. Meera se volvió hacia la pared, intentando controlar las náuseas, mientras le subía a la boca un sabor a bilis mezclado con la sangre del carrillo que se había mordido.

—Qué disparate… —susurró mientras se agachaba hasta el maletín—. Qué disparate —dijo en voz más alta enderezándose—. Bueno pues ya somos dos las que hemos recibido la poco afortunada noticia. Bueno… Tenemos que ir al hospital de Mount Diablo. —Y dirigiéndose a Kate le dijo—: Tienes que darme el número de teléfono de la novia de tu padre. Voy a llamarle ahora mismo.

Tyler y Kate la miraron conmocionadas, con las caras como lunas jóvenes, llenas y blancas.

—¿Ahora mismo? —preguntó Kate—. ¿Tienes que llamarle ahora mismo? ¿No podemos llamarle desde el hospital?

Meera volvió a buscar la señal del bocado y apretó de nuevo, echándose el pelo hacia atrás, de un lado primero y luego del otro y mirando fijamente a las niñas que, de repente, parecían tan niñas como cuando Sanjay y ella se trasladaron al barrio, cuando Deirdre todavía vivía, cuando Meera y ella charlaban asomadas a la valla sobre la salvia, las budleias y las variedades de patatas.

Meera se volvió a Sanjay que estaba con los ojos cerrados y tenía todavía a Deirdre sobre el hombro.

—De acuerdo; lo llamaremos desde el hospital. Querrán hacerle preguntas. Le vendrá bien estar con nosotros —dijo, y añadió—: Y también querrán hacerle preguntas a Sanjay.

Kate y Tyler se levantaron a la vez para seguir a los Chaturvedi. Sanjay abrió los ojos y dijo:

—Vamos a abrigar un poco a la niña, aunque sea una manta.

Kate fue al armario, sacó un pijamita rosa de una bolsa y se adelantó para tomar a la niña de los brazos de Sanjay; Meera observó que sus manos apenas si se rozaron mientras se pasaban a su hija recién nacida.

Kate sólo había ido una vez a hacerse una revisión ginecológica, cuando tenía dieciséis años, y el ruido metálico del espéculo la sobresaltó. Mientras yacía de espaldas, mirando el techo, sintiendo el frío instrumento en su interior, se imaginó la manivela de arranque de un coche antiguo, como los que salen en los dibujos animados, y todos los personajes revoloteando alrededor antes de que el coche echara a andar.

—Bueno, no voy a hacer casi nada, sólo abrir un poquito. Es para poder mirar con la linterna —dijo el médico.

Kate sólo podía verle la coronilla, unos cuantos pelos canosos alisados sobre la piel rosa.

—Muy bien, parece que está bien. Ya que estamos puestos, haremos un frotis. Eso es.

El médico se levantó y sacó el espéculo. Kate hizo una mueca y miró a la silenciosa enfermera que estaba en un rincón de la sala.

—¿Todavía sangras mucho?

—Una compresa al día más o menos. Tengo algún coágulo que otro. Como al final de la menstruación.

El doctor asintió.

—¿Has tenido fiebre? ¿Algún dolor? ¿Has expulsado algo raro o que oliera mal?

—Que yo sepa, no.

—De acuerdo. Voy a presionar un poco sobre el abdomen. A ver si te duele algo. ¿Aquí? ¿Y aquí? ¿Nada aquí tampoco? Estupendo. —El médico se sacó los guantes, los tiró al cubo higiénico y se sentó a escribir en la ficha—. Tienes un pequeño desgarro del parto que tendremos que coserte. Sólo un par de puntos, no es nada. Te voy a inyectar un poco de anestesia, no notarás nada. Y luego la enfermera Randall te hablará de los métodos anticonceptivos y pídele algún folleto sobre lactancia materna. Y también tienes que pedir cita para las siguientes revisiones a la enfermera que está en recepción.

Kate se sentó, cubriendo sus piernas con la falda de papel. Con aquella luz sus pies parecían brillantes y amoratados, estaba deseando vestirse y salir de aquella habitación.

—¿Cuándo me hará lo de los puntos?

—Pues ahora mismo. Aún no ha cicatrizado, así que todavía tiene arreglo.

—Ah.

La enfermera Randall se acercó a ella y la cogió de la mano.

—No te preocupes. Me voy a quedar aquí todo el rato. Túmbate. Hay que desinfectarte, y luego te pondremos la inyección.

Kate miró a la enfermera Randall y trató de sonreír; se sentía mejor oyendo aquella voz tranquilizadora, incluso cuando el médico le acercó la aguja. Trató de imaginarse qué estarían pensando de ella, con esa piernas tan largas, ahí despatarrada, sin curar, con un bebé en el otro cuarto, un bebé que a veces dejaba solo, y un montón de gente esperando para hablar con ella. ¿Cuántas chicas vería aquel médico en las mismas condiciones, heridas, solas, desgarradas por todo lo que les había pasado? Mientras sentía aquello que parecía subirle por la columna, deseó que aquella aguja pudiera sanarla de veras, curarlo todo: su casa, su vida, su familia.

Más tarde, Kate acabó sentada en un sofá bastante incómodo de tela gruesa en la sala de reuniones de la administración del Hospital de Mount Diablo, pensando que no le había ido mal con lo del desgarro —ni siquiera se había enterado de que lo tenía—, pero que ahora que se suponía que se lo habían arreglado, no sabía cómo sentarse, si sobre un muslo o sobre otro. Le molestaba el roce con las bragas, y parecía que sólo un baño de asiento helado podría aliviarla. Mientras esperaba, miraba a la gente ir y venir desde la ventana, todos iban con prisas, mujeres con trajes de chaqueta y medias, hombres con corbata y zapatos, como si se dirigieran a algún lugar importante, un encuentro crucial. También vio muchos médicos; solían andar cabizbajos, apuntando en sus libretas, o hablando unos con otros, moviendo las manos, señalando. Era un mundo muy diferente del que había sido el suyo aquellos últimos nueve meses en que los ritmos de su cuerpo habían prevalecido sobre cualquier otra cosa, en que sólo había pensado en qué tenía que comer, en qué iba a necesitar el niño, en dónde iba a esconderse cuando su padre volviera a casa. Y luego, cuando el niño nació, fueron las horas contadas, las horas de sueño, las horas entre toma y toma, las horas antes de que Tyler volviera del instituto y hablara con ella. Había olvidado, en todo aquel tiempo, en todos aquellos días y horas, que había lugares ruidosos y ajetreados como aquel.

—¿Kate? Soy la señora De Lucca, puedes llamarme Cynthia.

Kate miró hacia arriba, no la había oído entrar en la habitación.

—Ah —dijo en voz queda.

—Soy asistente social. Estoy aquí para hablar contigo de tu niña.

—Vale. De acuerdo.

—¿Quieres un poco de agua, una soda?

—No… gracias.

Cynthia se sentó y se acomodó en la silla de plástico, tratando de cruzar sus piernas rechonchas bajo su traje de lana; acabó desistiendo y optó por sentarse con las piernas juntas, y con los pies apoyados en el suelo bajo el asiento.

Mientras miraba cómo Cynthia se acomodaba, pensó que hacía ya mucho rato que le había dado el pecho a Deirdre. Estiró un poco la camiseta a la altura del pecho rebosante que empezaba a rezumar. Sintió una punzada de dolor detrás de los ojos.

—¿Dónde está Deirdre?

—A ver, Kate. A tu nenita le están haciendo un chequeo y le han puesto una inyección. También le han tomado una muestra de sangre. El señor Chaturvedi ha firmado los papeles.

—¿Y por qué no me los han dado a mí? Es mi hija.

Kate pensó que si no recuperaba pronto a Deirdre iba a estallar en lágrimas y leche. Se imaginaba tirándose al suelo como solía hacer cuando tenía tres años, dando puñetazos y patadas contra el linóleo.

Cynthia apuntó algo en su libreta.

—Kate, no eres mayor de edad. Tiene que firmar alguien de más de dieciocho años.

—¿Y mi padre? ¿Ya ha llegado? ¿Le ha llamado alguien?

Cynthia se quitó las gafas.

—Sí. Lo llamó la doctora Chaturvedi. Tu padre… Bueno, cuando llegue tendrá que hablar con alguien, como estás hablando tú conmigo. Hay que aclarar esta historia.

—¿Dónde está Tyler? —preguntó Kate que ya no estaba acostumbrada a estar sin ella y que habría deseado poder hablar con su hermana antes de que las separaran.

«¿Qué pasará si dice algo que no coincida con lo que diga yo?» pensó, tirando otra vez con ansiedad de la camiseta.

—Tyler está en otro cuarto. También tiene que hablar con alguien. Podrás verla en seguida —dijo Cynthia algo cortante, deseando proseguir.

—¿Cuánto tiempo va a durar esto? Tengo que darle el pecho a Deirdre —dijo ella mirando por la ventana.

—Si me cuentas lo que ha pasado, cómo sucedió, iré a ver qué pasa con Deirdre. Pero antes hay que hablar —dijo Cynthia con la impaciencia dibujada en el rostro, mal disimulada por una ensayada sonrisa.

—Ah —dijo Kate, hundiéndose un poco en el sofá—. De acuerdo. ¿Qué es lo que quiere saber?

Cynthia levantó las cejas y volvió a ponerse las gafas.

—De acuerdo, ¿puedes decirme cuando dejó de vivir tu padre en casa?

—Papá conoció a Hannah hace un año y medio. Creo que mamá se había ido, había muerto seis o siete meses antes. No lo sé exactamente, algo así. Un par de meses después empezó a pasar allí las noches. Venía a casa y todo eso. Quiero decir, todavía vive en casa —dijo Kate. Pero recordó cómo Tyler y ella vagaban por su cuarto y por el garaje cuando Davis y Hannah se iban, para saber que es lo que se había llevado en aquella ocasión: las cuchillas de afeitar, las corbatas para ir a trabajar, la caña de pescar, el recargador de gas del mechero, los discos de Steely Dan… Sentada en el salón, Kate se preguntaba después de la inspección cuál sería el objeto cuya falta señalaría definitivamente la última visita de su padre. Le hubiera gustado saber cuál era exactamente el objeto que tenía que esconder para conseguir que él siguiera viniendo.

—Así que tú dirías que pasaba una o dos noches a la semana en casa —dijo Cynthia mientras apuntaba en la libreta; en el silencio de la habitación se oía el rasguear del lápiz sobre el papel.

Kate hubiera querido asentir, pero de pronto cayó en la cuenta de que en los últimos meses del embarazo su padre sólo había venido de visita por las tardes, un par de horas para mirar la despensa o llenarla y para ajustar el sistema de riego. Luego, cuando empezaba ya a resultar imposible disimular la barriga había empezado a agradecer la tranquilidad de las noches, la seguridad que le daba la ausencia del padre.

—Bueno, puede que una noche. Pero ¿por qué me lo pregunta? Pensaba que quería saber cosas de la niña.

Cynthia levantó la vista del papel y miró a Kate.

—Esto también tiene que ver con la niña, Kate. Queremos saber por qué ningún adulto se enteró de que estabas embarazada. Por qué tu padre no se dio cuenta.

—Pues porque yo se lo oculté. Se lo oculté a todo el mundo menos a Tyler. Nadie lo sabía, ni siquiera mis amigas, ¡ni lo sabían en el colegio! Yo me las arreglé para que no se enterara nadie. ¡Fui yo, yo! ¡No es culpa suya, no lo vio! ¡Ni tampoco lo vio Sanjay! —gritó Kate mientras los pechos empezaban a rebosarle y la camiseta se iba oscureciendo más a medida que se empapaba—. ¡Quiero a mi niña! ¡Tengo que darle de mamar!

—Kate, no nos queda más remedio que acabar con esto si quieres que vaya a buscar a Deirdre —dijo Cynthia mientras garabateaba más rápido sobre el cuaderno.

—No voy a decir ni una palabra más hasta que la vea. ¡No pienso hacerlo! ¡Tengo que darle el pecho! ¿No ve cómo estoy? ¿Es que no tiene ojos en la cara? —Se dobló hacia delante, empapando de leche y lágrimas la camiseta y los pantalones, exactamente como lo había imaginado.

Cynthia se puso en pie muy rígida.

—Voy a darte un minuto para que te tranquilices. Iré a ver que puedo hacer.

Cuando salió de la habitación Kate se llevó las manos a la cara y se preguntó qué más iba a pasarle, a cuántas preguntas tendría que responder, cuántas mentiras tendría que decir para conseguir que Deirdre volviera a sus brazos.

Kate dejó de llorar en cuanto Cynthia volvió trayendo a Deirdre, que iba armando tal escandalera que la oyó antes de que abrieran la puerta. De repente, sólo por el mero hecho de haberle devuelto a la niña, se sintió casi capaz de perdonarle las preguntas que le había hecho sobre su padre.

—Desde luego tiene hambre —dijo Cynthia—. Qué hermosura de niña.

Kate la tomó en sus brazos, se levantó la camiseta mojada, y Deirdre se agarró inmediatamente a pesar de lo hinchado que estaba el pecho.

—Me subió la leche hace cuatro días. Al principio sólo tenía la cosa esa amarilla, ya sabe. Pero ahora estoy como una vaca o algo así.

Cynthia sonrió.

—Me acuerdo de esa época. En cuanto lloraba un niño, ¡hale! Ya tenía la camiseta empapada. Pero no te preocupes, se te adaptará el cuerpo.

Kate se recostó en el asiento echándose sobre el respaldo, habría deseado que Cynthia las dejara solas a la niña y a ella.

—¿Cuántas preguntas tiene todavía?

—No muchas. ¿Crees que podrás contestarlas ahora?

—Sí, supongo que sí.

Cynthia se sentó bolígrafo en ristre.

—Gracias. Bien. ¿Puedes contarme algo del parto?

—Bueno, Tyler y yo leímos todo sobre partos. Teníamos todo lo que hacía falta. Teníamos ese libro grande sobre el parto en casa que encontramos en la tienda de efectos de bebé de segunda mano. Así que, cuando me puse de parto, Tyler y yo lo seguimos paso a paso. Y mi hermana estuvo fantástica, fue ella la que trajo al mundo a la niña. Y todo fue bien. No hubo ningún problema con Deirdre.

Cynthia había dejado de escribir y la miraba.

—¿Tuviste miedo? ¿Habrías querido contárselo a alguien?

Kate levantó la vista para mirar también a la asistente social, preguntándose qué esperaba que le contestara. ¿Que no?, ¿que no estaba asustada? ¿Que siempre pensó que todo iba a ir como una seda? ¿Cómo podía aquella mujer pensar que no le preocupaba el trauma del parto, las hemorragias, el inimaginable dolor? ¿Es que se figuraba que aquello era una especie de proyecto de parto en casa, una especie de experimento científico extraescolar?

—Por supuesto —resopló, colocando mejor el brazo porque la niña se retorcía—. Por supuesto que estaba asustada. Pero contaba con que si algo empezaba a ir mal podíamos llamar al 911. No vivimos muy lejos del hospital, sabe…

Cynthia esperó por si Kate decía algo más y luego volvió a preguntar.

—Bueno, pues si estabas tan asustada, ¿por qué no se lo dijiste a nadie?

Kate se detuvo un momento y suspiró recordando que hubo un tiempo en que pensaba que si miraba con mucha concentración hacia la ventana del dormitorio de Sanjay, él acabaría recibiendo el mensaje: «Estoy embarazada. Ven a ayudarme, por favor». Pero aun así temía que Meera pudiera interceptarlo, y que se desencadenara sobre la casa una tormenta de palabras terribles que lo pusiera todo patas arriba. Más que nada, tenía miedo de los ojos de Meera. Conocía su mirada y sabía lo inexpresiva que era incluso cuando estaba contenta con algo, como cuando ella iba a jugar con Ardashir o le recogía la cocina antes de que volviera a casa. Sólo cambiaba cuando sonreía porque entonces levantaba un poco el rabillo del ojo y el párpado inferior se estrechaba, suavizando un poco aquella profundidad tenebrosa en la que tenía miedo de abismarse. También sabía que cuando Meera y Sanjay se peleaban había silencios que duraban días, toda la casa se hundía en la desesperación, con cenas tristísimas a base de pizzas de Boboli y comidas precocinadas para el micro, y con ella deslizándose silenciosamente en calcetines para atender a los niños, como si la relación de los Chaturvedi fuera una delicada copa de cristal que ella llevara en equilibrio sobre la nariz.

Hacía tan sólo unas horas que Tyler se había recostado en el asiento de atrás del Volvo de los Chaturvedi, e inclinándose sobre Deirdre le había preguntado a Kate: «¿Le quieres?». Sin embargo, ella había seguido mirando por la ventana sin hacer caso a las palabras y a los ojos de su hermana mientras se hacía la misma pregunta. Pensaba que lo había amado al principio, que el amor empezó con la proximidad de sus cuerpos, exactamente igual que en las novelas que leía, en las que, de alguna manera, aunque no se amaran al principio, después de un tiempo de hacer el amor y de encontrarse una y otra vez acababan viviendo felices para siempre.

Y en esos momentos, mirando a Cynthia, se preguntaba cómo podía hacerle entender que el hecho de no decirle nada a nadie, ni siquiera a su padre, ni a Sanjay o a Meera, le había permitido mantener por más tiempo la esperanza de que aquello era amor; le había permitido protegerlos a todos de la verdad, y la verdad era que aquella historia se resumía en tres hermosos y tristes encuentros en una cama. Kate pensaba que ahora la vida de todos estaba arruinada, sí, pero por algo más importante, más grande que unos besos y un intercambio de fluidos corporales. Y el caso es que no todo estaba echado a perder, y eso era lo que le resultaba más confuso, porque ahí estaba ella, con una niña preciosa, y el amor que había sentido por Sanjay, por el cuerpo de Sanjay, transformado en leche que brotaba de sus pechos para alimentar a Deirdre.

—No quería que Meera lo supiera, no quería que su relación… No quería que Sanjay… Bueno, lo mejor sería que se estuviera calladita.

—¿Tenías miedo de que Sanjay se enfadara? ¿Te sentiste amenazada por él? ¿Obligada alguna vez a mantener relaciones sexuales con él?

—¡Oh, no, nunca! Es tan amable, no… —Kate se calló al ver que Cynthia levantaba de nuevo las cejas y arrugaba la frente—. Nunca me ha amenazado.

—¿Él sabía que tú eras una menor?

—Sabía la edad que tenía.

—De acuerdo. Cuando te quedaste embarazada, ¿pensaste en abortar?

Kate asintió.

—Más o menos. En realidad no; quiero decir que contaba con el dinero que había ahorrado de haber hecho de canguro.

—¿En casa de los Chaturvedi?

—Sí, la mayoría de las veces. También para alguna que otra familia. Pero en realidad, yo quería, de veras. Tengo amigas que han abortado. Yo no podía. No hacía más que pensar en todos esos pro vida y en el póster ese de alguien sujetando esos piececitos. No era cosa de estar o no de acuerdo…

Cynthia asintió.

—¿Así que fuiste a alguna clínica? ¿A la clínica de Oak Creek?

—No, pero fue Tyler por algunas cosas y les hizo varias preguntas.

—Ya veo —contestó Cynthia.

Kate se quitó a Deirdre del pecho izquierdo y la cambió al derecho; la niña, con los ojos cerrados, buscaba a tientas el pezón.

—¿Ya has acabado?

—Todavía falta un poco. ¿Dejaste alguna vez sola a la niña, aunque fueran sólo una o dos horas?

Kate inclinó la cabeza hacia Deirdre y pensó en la cuna de cartón y en cómo Tyler y ella se habían quedado mirándola antes de dejarla sola. Y cuando por fin volvieron a casa, se dio cuenta de que no debería haberlo hecho, porque no había podido dejar de pensar en ella ni un momento. Día tras día, aunque Tyler llegara a casa antes que ella, y ella supiera que su hermana estaba allí, ella de lo único de lo que se preocupaba mientras hacía sus redacciones, los ejercicios de geometría, o los de historia, jugaba al baloncesto o atendía a las explicaciones del profesor acerca de las crisis económicas, era de cómo tendría la niña colocada la cabeza y si estaría mojada; se imaginaba el pañal empapado pegado a la delicada piel de Deirdre. Y en alguna ocasión, de vuelta a casa, mientras conducía a toda velocidad el BMW de su madre, se la había imaginado tumbada boca abajo, muerta, ahogada en su propio vómito de leche, o agarrotada en su pijamita, asfixiada, rígida y amoratada.

—Sí —susurró.

—¿Durante cuánto tiempo? —preguntó Cynthia.

—Tres veces. Durante una hora y media. El tiempo de ir al instituto, asistir a una clase de cincuenta minutos y volver —añadió, y luego, en voz más baja—: Tyler y yo lo planificamos lo mejor posible. Pero esos tres días no pudimos arreglarlo. ¡Yo tenía exámenes…!

—Vale, vale. Tenía que saberlo. Creo que eso es todo, por ahora. Volveré dentro de quince minutos por la niña.

—¿Qué quieres decir, con lo de volver por la niña? —preguntó Kate.

—Todavía no le han hecho todas las pruebas —dijo Cynthia guardando las gafas en el bolsillo.

Kate apretó inconscientemente a Deirdre contra ella.

—¿No me la van a quitar, o sí? ¿Tú no me la vas a quitar, verdad?

Cynthia se la quedó mirando.

—No puedo prometerte nada, Kate. No está en mi mano.

—Pero ¿por qué? Lo he hecho bien, ¿está sana, no?

Cynthia miró de reojo la puerta, suspiró y volvió a sentarse.

—Mira, hay que hablar con todo el mundo, la policía, los médicos, tu familia… para decidir lo que sea.

—Pero ¿cuánto tiempo se la van a quedar? ¿Adónde la llevarán? ¿Cuándo volverá a casa?

—Mira, cada cosa a su tiempo. No puedo contestar a ninguna de tus preguntas, Kate. Ahora ya no es momento de preocuparse, eso habría que haberlo pensado antes —dijo Cynthia mientras se levantaba y salía de la habitación; el ruido que hacían sus tacones sonaban como disparos.

Kate se quedó sumida en el silencio de la habitación, sacudiendo la cabeza. Nunca se había imaginado que aquello pudiera llegar a pasar de verdad. Nunca había llegado tan lejos en imaginarse cómo acabaría la historia. Desde el día que nació Deirdre, cada día había sido en sí mismo una pesadilla logística complicada, un agobio de tomas y cambios de pañal, de exámenes y deberes, y una discusión diaria acerca de los movimientos de su padre. Nunca se había imaginado que llegaría a encontrarse en aquella desoladora habitación, con aquellas rígidas y brillantes sillas y esa iluminación tan fría, con Deirdre en sus brazos e inconsciente a todo lo que no fuera el pecho de su madre.

Kate dio un respingo cuando se abrió la puerta.

—Hola. Me llamo Raylene. Voy a sentarme aquí contigo y con la niña. Si quieres hacerme alguna pregunta… —dijo la enfermera, pero no se situó frente a ella, como

Cynthia, sino que cogió la revista *People*, que había sobre la mesa, y dobló las piernas bajo el asiento.

Kate siguió dando de mamar a la niña mientras pensaba: «Debía haber salido corriendo hace rato, ahora es demasiado tarde. No volveré a ver a Deirdre. Me la van a quitar y se la darán a otra, porque no me he portado bien».

Se dio cuenta de que nunca debía haber dejado que Meera y Sanjay la llevaran a aquel lugar. O quizá, debería haber salido corriendo del coche, haber parado un taxi y haberle pedido que cogiera aquella larga carretera que soñaba recorrer con Sanjay, la carretera que no iba nunca a ninguna parte.

—¿Cuánto tiempo pasaba tu padre en casa, por semana?

Tyler hubiera querido poder contestarle: «Oh, está todas las noches. Vuelve a casa muy temprano, sobre las tres o las cuatro, y por las mañanas no sale nunca antes de las nueve. Nos ayuda con los deberes y nos lleva al cine. Ya sabe, como todos los padres». Pero en vez de eso dijo:

—Una vez cada, digamos, dos semanas. —Le sorprendió que fueran esas las palabras que pronunciara, y casi torció la boca por lo mal que sonó aquella frase tan fea.

Cynthia dijo:

—¿Tuviste miedo de tener que asistir tú al parto?

Tyler hubiera querido decir: «No, nunca tuve miedo. Yo sabía que todo iba a ir bien». Pero lo que le dijo a Cynthia fue que sí, que había sentido pánico todos los días, pensando en cómo iba a conseguir sacar el niño del cuerpo de Kate. Le contó que había tenido pesadillas en las que veía medio cuerpo del niño colgando del cuerpo de Kate, amoratado, sin vida, con el cordón umbilical enroscado en el cuello. Y también, lo mucho que había rezado para que el bebé viniera cabeza abajo y cómo a veces palpaba la tripa de su hermana intentando localizar las rodillas y el culo del niño. Le habló de todas las mentiras que habían dicho: a su padre, en el colegio, a sus amigos. Le contó que se había perdido un montón de deberes y de exámenes y que había tenido que dejar el equipo de animadoras porque tenía que volver a casa y cerciorarse de que Kate no se había puesto de parto, o peor, no había dado ya a luz un niño pálido y muerto en medio de la alfombra del dormitorio. También le dijo que a pesar de aquella angustia diaria y constante, habían conseguido que su padre, al no pasar por casa, no las descubriera, no se pusiera furioso, y no se hubiera puesto a tirar vasos, libros y papeles por el suelo. Le habló de la sangre y del Clorox y de cómo había cavado un hoyo para enterrar la placenta. Y por último, le confesó lo mucho que había odiado a veces a Kate por ser tan egoísta, por hacer todo aquello sin pensar en nadie más que en ella. Le contó a Cynthia cuánto habría deseado poder seguir con su vida de siempre, que todo aquel tiempo ignoraba que Sanjay fuera el padre, y cómo había pensado en llamar a su propio padre cuando, por las noches, con Kate ya dormida, murmuraba entre dientes: «Ven a casa, papá, ven a casa. No puedo más. Ven a ocuparte tú de esto».

—Claro, Tyler; claro, ¡cómo no ibas a sentirte así! —dijo Cynthia sacudiendo la cabeza—. ¿No te ha dicho nadie que eres una chica muy, muy valiente? Traer a un niño al mundo… Eso no lo hace cualquiera.

Tyler la miró, con los ojos llenos de los últimos seis o siete meses.

—Nadie me lo ha dicho. Kate me dio las gracias, pero nunca me han dicho que fuera valiente. Además, nunca he sido valiente. Me dan miedo las arañas, también las de patas largas.

—¿Sí?, pues yo te aseguro que demostraste muchísimo valor.

—Gracias —dijo Tyler limpiándose la nariz con la mano a falta de Kleenex y restregándoselas luego en los vaqueros.

—Quiero preguntarte un par de cosas más —añadió Cynthia—. ¿Tú no sabías lo de Sanjay, verdad? De acuerdo. Pero ¿alguna vez oíste hablar de él o notaste algo raro en la relación que tu hermana mantenía con él?

Tyler sacudió la cabeza.

—¿Sabes?, me acabo de enterar hoy mismo. Al principio pensé que era de ese chico que solía llamarla hace un año, Teddy… No sé; en realidad creo que sí sabía que no era Teddy. Me preguntaba por qué Kate no quería que fuera a hacer más canguros a casa de los Chaturvedi, pero estaba tan ocupada con el instituto que tampoco me preocupé de averiguarlo. Supongo que debería haber adivinado de quién era la niña; pero no lo hice.

Cynthia le sonrió y le dio unas palmaditas en el brazo.

—Está bien. Es todo por ahora. Vuelvo en un momento y hablaremos un poco más.

—Pero, Cynthia, ¿qué pasará ahora? ¿Qué será de nosotras? —le preguntó Tyler.

Cynthia la miró, con la cara crispada; Tyler se puso nerviosa. La asistente social se la quedó mirando y pareció echar el cierre, con la mirada preñada de realidades que la sobrepasaban.

—Todavía no lo sé, pero no te preocupes.

Tyler la miró mientras salía de la habitación y suspiró, tratando de hacer lo que esta le había dicho. Se dejó resbalar en el asiento, se sentía casi feliz. Puso los pies sobre la silla que tenía delante y, por primera vez en meses, cerró los ojos sin sobresaltarse por los ruidos que oía a su alrededor, sin pensar: «¿Dónde está Kate? ¿Cómo está la niña? ¿Necesitarán algo?». Dos minutos más tarde, con la cabeza caída sobre el hombro, se quedó sumida en un profundo sueño.

Lo que había retenido a Davis Phillips para no cruzar a toda velocidad las puertas del hospital, agarrar a sus dos hijas y al bebé y llevárselas corriendo a todas a casa, no era lo que pudiera encontrarse allí, sino aquel olor, aquel olor que él se imaginaba del mismo verde mórbido que el vestuario de los médicos, un olor a limpiador de suelos, amoniaco, vendas esterilizadas, aire que meten a la fuerza en los pulmones de alguien y que le golpeaba la pituitaria. Era el recuerdo del corredor del piso octavo que recorría hasta la habitación de Deirdre con las dos niñas a su lado, la hilera de ventanas frente a Mount Diablo, la niebla de la bahía envolviendo las colinas, rodeando la montaña como unas manos heladas. Era el rostro de su mujer, pálido, abotargado, los tubos que asomaban por sus labios finos y rojos, sus ojos cerrados, sus manos lánguidas. Era el olor de su aliento, el olor metálico de la quimioterapia que todavía no había asimilado. Eran los zumbidos y chasquidos del jadeante respirador, el murmullo del electrocardiógrafo, el lento goteo del suero. Y también las bolsas llenas de los fluidos corporales de Deirdre, colgando a un lado de la cama. Al menos, cuando estaban llenas, sabía que su cuerpo aún seguía funcionando, que todavía estaba viva. Ese día se había fijado en que alguien le había hecho unas trenzas a su mujer durante la noche, la enfermera, pensó, aunque cuando le tocó la pierna bajo la sábana notó que como mínimo hacía una semana que no se depilaba, algo que probablemente a ella le hubiera hecho reír. Probablemente habría bromeado diciéndole: «Estoy asilvestrada y voy a por ti», frotando sus piernas contra el cuerpo de su marido. Pero allí, en el hospital, aquellas piernas sin afeitar lo único que significaban es que Deirdre no podía cuidar de sí misma, que no podía siquiera sentir su propio cuerpo que iba a su aire, cada vez más apartado de él, de las niñas y de todo.

Hubo más visitas como aquella, hasta la última, el día en que le retiraron los tubos, aún tenía las manos cruzadas sobre el estómago; un trémulo hálito bajo las costillas y luego nada, se acabaron los ruidos de los monitores, el bombeo del respirador, la agitación de las enfermeras y las voces de los médicos haciendo preguntas. Sólo quedaron él y las dos niñas, su hermana Gwen y la monja, que le empujaba hacia la cama de su mujer diciéndole: «Le sentará bien verlo; es algo que tiene que ver». Davis intentó creerla, recordó la cruz que colgaba al lado de la cama de su mujer, el Cristo de bronce que los miraba desde arriba.

—Por aquí —dijo el policía franqueándole una puerta, asaltado de pronto por todos aquellos olores, aunque continuó el desfile de blanco y azul, médicos, asistentes sociales, y policías; lo llevaron a una habitación, lo sentaron en una silla y le dieron un vaso de agua Dixie.

—No, gracias, estoy bien. —Aunque al decirlo sintió casi vergüenza de aquella mentira, y se dio cuenta de que no estaba bien, de que hacía mucho tiempo que no estaba bien—. Oiga, quiero ver a mis hijas.

El policía que parecía responsable del caso se sentó a la mesa con él, sacó un cuaderno de notas finito y un bolígrafo. No le miró siquiera mientras hablaba.

—Eso es más bien complicado. Tenemos que aclarar un montón de cosas.

—No puede usted impedirme ver a mis hijas. ¿No estoy arrestado, o sí?

—No. De momento no. Pero no va a quedarle más remedio que esperar— dijo el detective.

—¿Qué quiere decir? ¿Por qué no puedo verlas?

El policía sacudió la cabeza.

—Primero vamos a tener usted y yo una charla. Me llamo Johnson. Entre los dos tenemos que averiguar lo que ha pasado con sus hijas.

—Oiga usted, yo tengo derecho a ver a mis hijas. Quiero ver si están bien. Quiero ver si Kate está bien —dijo Davis estrujando el vaso de papel— y también cómo se encuentra el bebé.

Johnson se le quedó mirando con sus ojos azules llenos de desprecio.

—Mire, las tres están bien. Y además eso está un poco fuera de lugar y llega algo a destiempo. En este momento su hija Kate y la niña están siendo examinadas por el personal médico y la asistente social. Su otra hija ya ha hablado con la asistente social. Y ahora necesitamos que usted nos proporcione cierta información antes de proceder.

Davis tragó un sorbo, apretando los dientes mientras el agua le bajaba por la garganta. Se puso en pie, conocía su complexión; era un hombre grande y alto, y sabía que podría salir cuando quisiera de aquella habitación. No estaba arrestado, pero había reglas, y eso también lo sabía, lo había sabido desde el momento en que vio cómo lo apartaban de su mujer después de las operaciones o cuando se la llevaban a la UCI: «No puede pasar ahora, señor Phillips —le decían las enfermeras—, ahora la están visitando los médicos; ya le avisaremos».

Y ahora, igual que en aquel entonces, le habría gustado echar abajo las puertas y tirar las mesas. Miró la endeble mesa de formica a la que estaba sentado el detective Johnson y comprendió que podría apartarla sin ningún problema, con una sola mano, dejando atrapado a aquel hombre que le miraba con tanto desprecio. Después saldría corriendo, subiría a pediatría, donde debían estar las niñas, o tal vez a maternidad, no lo sabía con exactitud, pero podría buscar a Meera y ella le diría adónde debía ir. Era ella quien lo había llamado; todavía debía de andar por ahí con ellas, como había hecho cuando Deirdre enfermó, asegurándose de que estaba bien atendida, comprobando los gráficos, leyéndole libros, aunque Deirdre estuviera sumida en un sueño químico.

Pero era demasiado tarde, eso era lo que le había querido decir el detective Johnson. No era el momento ni el lugar adecuados para empezar a preocuparse por las niñas. Eso debería haberlo hecho antes, el día que Rachael le salió al paso en el camino o cuando Meera le dijo que pasara más tiempo en casa. Tenía que haber estado en casa, atento a todo lo que podía ir mal, porque efectivamente todo había ido mal. Y por no haberlo hecho, ahora estaba allí, en el lugar donde las habían llevado después de todo aquel lío. Sacudió la cabeza. No había sido capaz de proteger a su esposa ni a sus hijas, así que ¿por qué razón iban a permitirle ir a aquellos lugares oscuros y privados que sólo a ellas les pertenecían?

—Siéntese, señor Phillips, por favor —dijo el detective, que había echado su silla para atrás como dispuesto a saltar sobre él en cualquier momento.

Davis se sintió ridículo. Mucho rugido, mucho aspaviento, pero sólo era mera fachada.

—De acuerdo —dijo tomando asiento y tratando de acomodar torpemente su enorme cuerpo en la silla de plástico—. Responderé a sus preguntas, pero quiero ver a mis hijas.

El detective Johnson carraspeó.

—Veré qué puedo hacer cuando hayamos acabado.

—De acuerdo —contestó él, cruzando las manos sobre el regazo, y disponiéndose a contestar a las preguntas.

—Vamos a ver, ¿dice que ignoraba que su hija estuviera embarazada? ¿Cómo es posible?

Davis sintió que se le encendía la cara, le hervía la sangre y le subía a la garganta una retahíla de maldiciones, pero siguió sentado y en silencio. El detective Johnson continuó:

—Embarazada de nueve meses, señor Phillips. Algo tuvo usted que ver...

—Pues no. Llevaba una ropa que le estaba grandísima, muy suelta, y ha crecido tanto... Supongo que ella intentó ocultarlo por todos los medios, o...

—O que usted no se fijaba en ella. ¿Cuánto hace que no vive en su casa?

—Sigo viviendo en mi casa.

—Pues no es lo que le han dicho las niñas a la asistente social. Una de ellas dice que pasaba allí una noche a la semana, y la otra que tal vez una noche cada quince días. Las dos dicen que venía usted por las tardes para echarles un vistazo, pero que muchas veces no estaban en casa cuando usted aparecía, así que todo se resolvía con notitas sobre la mesa.

Davis tuvo por un momento la visión de la casita de Hannah en la ciudad, tan ordenada, con Sam y Max en su cama nido, y la mullida cama doble donde no había lugar para pensamientos tristes.

—Paso bastante tiempo con Hannah, mi novia. En su casa, en el centro, tiene dos críos pequeños.

—Ajá. ¿Así que es una vez a la semana, o una vez cada quince días?

—¿Y eso qué importa? ¿Qué es esto un juicio, o qué? ¿Qué está usted intentando determinar, exactamente?

—Bueno, para serle franco, señor Phillips, estoy intentando determinar su comportamiento como padre. Se supone, en principio, que un padre se entera si su hija está embarazada de nueve meses antes de que esta se ponga de parto en casa.

Johnson tenía razón, pero Davis habría deseado estrujarlo como al vasito de papel encerado que apretaba en su mano.

—Una vez cada quince días, y no siempre. —El detective le miró de nuevo, se rascó la mejilla con el boli y siguió apuntando. Entonces él le preguntó—: ¿Tengo que llamar a mi abogado?

Johnson tosió de nuevo, y Davis pensó que era una tos nerviosa, algo para romper el doloroso silencio, porque las palabras que se decían en la habitación eran demasiado terribles.

—No vamos a arrestarle, si se refiere a eso. Primero tenemos que averiguar si hay que llamar al CPS

—CPS —repitió Davis, dando vueltas a las letras como si fuera un remedio repugnante.

—Sí, protección de menores.

—¿Por qué habría que llamarles?

—Señor Phillips, se lo voy a explicar claramente, porque no parece que acabe usted de entenderlo. Tiene usted dos hijas, las dos son menores, y están viviendo en su casa prácticamente solas. Una de ellas se queda embarazada y sigue embarazada nueve meses sin que nadie se entere. No se enteran los profesores, no se enteran, obviamente, los vecinos, y usted tampoco se entera. Llega el momento del parto y la más joven tiene que asistir a su hermana para traer al mundo a una criatura. Y ahí están las tres viviendo solas en su casa hasta el día en que el vecino oye los llantos del bebé y se las trae a las tres, porque además la madre y el bebé necesitan atención médica. Eso se llama imprudencia temeraria con menores, señor Phillips, y tenemos que hacer preguntas y enterarnos un poco de las cosas.

—Yo quiero a mis hijas —dijo Davis.

—Puede ser, pero ese no es el tema. Y es probable que necesite a un abogado, no para que le saque de la cárcel, pero sí para mantener la custodia de las niñas, aunque la decisión es cosa de las asistentes sociales y del juez. También tendrán que decidir qué se hace con el bebé. De momento, usted dígame lo que necesito saber para que yo pueda hablar con el asistente social y aclaremos este lío.

—¿Qué ha dicho del bebé? ¿A qué se refiere?

—Tendrán que decidir a quien le dan la custodia, si a su hija, a usted o al Estado. Habrá una investigación pormenorizada —dijo Johnson recostándose sobre la silla—, y no suelen ser muy agradables.

Davis apoyó los brazos sobre la mesa, se quedó mirando fijamente aquella extraña formica moteada, aspirando su propio aliento, el repentino sudor que le invadía, el calor que desprendía su rostro y su cabeza. Eran todos responsabilidad suya, Deirdre, Kate, Tyler y el recién nacido, y se sentía incapaz de que se le ocurriera nada para cuidar de ellas.

Pero ¿es que alguna vez había sido capaz de cuidarlas? Desde el día en que Deirdre se encontró el bulto, todo había ido pasando sin que él pudiera hacer nada. Recordó la ansiedad de Deirdre cuando le decía: «Aquí, toca aquí. ¿Lo notas? ¿Notas algo?».

A Davis le habría gustado poderle decir que no, que no notaba nada, y acariciar sus pechos como había hecho tantas veces, borrando con sus besos aquello que sí había notado, aquella bolita granulosa que sentía bajo las yemas de sus dedos.

Pensó en Tyler, la última vez que había ido por casa para ver cómo estaban sus hijas; recordó la furia con la que fregaba los platos mientras la interrogaba, el ruido que hacía al dejar los vasos, el delantal de su madre que daba dos vueltas a su cuerpo de mujercita. Ahora se daba cuenta de que le había mentido, y de que los labios le temblaban cuando le había dicho: «No pasa nada. Todo va bien». Y se preguntaba dónde andaría Kate aquel día, escondida detrás de una puerta, metida en el armario, oculta bajo la cama con el bebé, tratando de que no llorara…

—Mire —dijo el detective Johnson, dejando el bolígrafo—, es mejor que se lo tome con calma. Tenemos lo otro, lo de los cargos contra el padre.

Davis levantó la cabeza.

—¿Contra mí? Creí que me había dicho que no necesitaba abogado…

—No, contra el padre del bebé.

Davis se dio cuenta de pronto de que en medio del aluvión de malas noticias no se había parado a pensar en quién era el padre de la criatura. Cuando Meera le llamó, se limitó a decirle: «Davis, estoy con las niñas en el Hospital de Mount Diablo. Kate ha tenido un bebé». «¿Cómo?» le había dicho él, «Meera, qué estás diciendo?». Y ella había carraspeado: «Kate ha tenido un bebé. Tienes que venir al hospital. Y hay…, hay gente esperando para hablar contigo».

Davis no se había detenido ni siquiera a hablar con Steve, su jefe, ni con Roger, su compañero, que vio estupefacto cómo salía del despacho sin decir una palabra ni llamar a Hannah. En realidad echó la silla para atrás y salió sin coger siquiera la chaqueta que colgaba del asiento, y, como una exhalación, se subió al coche y condujo hasta Mount Diablo, medio catatónico, siguiendo un camino que se sabía de memoria, cambios de dirección, semáforos y badenes en Ygnacio Valley Boulevard. Y por supuesto no se había detenido a hacer esa pregunta: «¿Quién? ¿Quién ha sido?».

Johnson volvió a toser y se pasó las manos por el pelo.

—El padre del niño es su vecino, Sanjay Chaturvedi.

—¿Qué? —exclamó Davis—. ¿Sanjay, mi vecino?

El detective Johnson le miró un segundo antes de repetir:

—Sanjay Chaturvedi, sí.

Davis dejó caer la cabeza y cerró los ojos. ¡Sanjay!, su amigo, Sanjay. Cómo le había traicionado así, pero ¿y él qué? Sabía que en realidad a aquel detective le habría gustado arrestarle, aunque los traicionados fueran Kate y él, traicionados por Sanjay, por la vida, hasta por Deirdre, porque los había dejado, los había dejado empantanados en aquella espantosa situación…

—No tiene…, no tiene ni dieciocho años.

—Ya nos lo advirtió la doctora Chaturvedi —dijo el detective Johnson.

—¿Se lo ha dicho Meera? ¿Los llamó Meera? —preguntó Davis.

—Sí, eso hizo, señor Phillips.

—No me lo puedo creer. ¡Joder, no me lo puedo creer! —dijo Davis, levantándose y volviéndose hacia la tenue franja de luz que entraba por una hilera de ventanas estrechas casi a la altura del techo—. ¡Mierda! —dijo, pensando que aquello no era posible, mientras se tapaba la cara con las manos, sintiendo la barba crecida y el sudor, cerciorándose de que estaba allí de verdad, en aquella habitación, con la visión de los dos cuerpos impensable, ilegalmente unidos, su hija, su amigo, juntos en la cama, tal vez en su propia cama… El estómago se le subió a la boca y se quedó doblado en dos, apoyado sobre el respaldo de la silla, tragando con dificultad.

—Bueno, bueno —dijo el detective Johnson levantándose y empujando la silla—. Nos vamos a ocupar de todo. Y lo último que le conviene ahora es tomar iniciativas, ya no es momento para eso. Nos vamos a ocupar muy bien de sus hijas y de la niña Deirdre. Mire, quédese aquí, yo vuelvo dentro de un momento para seguir esta charla.

—¡Espere! —dijo Davis mirándole sorprendido—. Espere, ¿cómo ha dicho que se llama el bebé?

—Bueno, pues creo que era… —El detective Johnson hojeó su cuaderno de notas—. Sí, lo que le he dicho. Según tengo aquí apuntado la llaman Deirdre.

Después de que Sanjay firmara los papeles y entregara a su niñita a una enfermera, un policía de uniforme y un detective llamado Johnson se lo llevaron a una sala de espera.

—Señor Chaturvedi, ¿sabía usted que Kate Phillips era menor de edad?

—¡No contestes! —dijo Meera entre dientes clavándole los dedos en el brazo.

Sanjay cerró los ojos y sintió que el «sí» tenía en su boca todo el peso de la culpa.

—Sí.

—En ese caso, señor Chaturvedi, queda usted arrestado por estupro. Tiene derecho a permanecer en silencio. Todo lo que diga podrá ser utilizado en su contra. Tiene derecho a pedir la presencia de su abogado durante los interrogatorios. Si no puede pagarlo, se le asignará uno de oficio. ¿Entiende lo que le digo? ¿Necesita usted un traductor de hindi?

Sanjay miró a Meera. Por un momento se preguntó si iba a enfadarse y a volverse a mirar al policía con ojos coléricos y gesto sarcástico y a exclamar: «Mi marido y yo hemos sido educados en inglés británico e inglés americano estándar», como había dicho en tantas ocasiones a tenderos, maestros de preescolar y agentes inmobiliarios. Pero en esta ocasión no lo hizo, se apartó de él y se apoyó en la pared. Sanjay miró a los policías, habría querido contarles cosas de su abuela, que se casó con trece años y tuvo su primer hijo a los quince. Habría querido decirles que Kate no parecía en absoluto una menor, que su piel y sus palabras estaban llenas de sabiduría. Habría querido decirles que si hubiera podido, habría borrado todos los besos, todas las palabras tiernas, todo el placer, la pasión y el error, pero se limitó a articular escueta y serenamente, en un inglés impecable:

—Sí, lo entiendo. No necesito traductor.

—De acuerdo. Vamos a llevarle al centro, desde allí podrá usted llamar a su abogado.

Meera se volvió hacia él y siguió hasta la salida a su marido escoltado por los policías.

—Voy a llamar al abogado, Sanjay. No digas nada hasta que llegue. No digas una sola palabra más.

Por primera vez desde que cruzaron el vestíbulo de los Phillips hasta el cuarto de Kate, Sanjay la miró. Vio bajo sus ojos tenues arrugas, trazadas por el tiempo y la fatiga. De pronto se sintió proyectado hacia el pasado y recordó el día en que la conoció, en el apartamento de su amigo Swapan; Meera tenía una copa de vino tinto en la mano, una figura menuda envuelta en púrpura. Cuando los presentaron ella le miró con aquellos mismos ojos, sólo que entonces no tenían arrugas y miraban abiertamente, sin saber lo que él recelaba, todo lo que les había llevado en mala hora hasta allí. Y a pesar de todo, ahí seguía ella, la misma de siempre, observándolo, y, en aquel momento, conociéndolo mejor que nunca, porque ahora sabía lo solo que se sentía y la tristeza que no había querido compartir con ella. Y fue en ese momento cuando Sanjay se echó a llorar porque, a su manera, sin tocarlo siquiera, pero ocupándose de llamar al abogado y mirándolo con aquellos ojos fieros, Meera le estaba diciendo: «Sanju, yo sigo a tu lado».

Cuando Meera colgó el teléfono después de hablar con el abogado, el mundo empezó a oscilar al ritmo de una sorda vibración fluorescente, mientras las enfermeras pasaban deslizándose a su alrededor y ella se inclinaba sobre el mostrador, oyendo las voces de la centralita, el zumbido de los monitores, los timbres estridentes de los teléfonos en una confusa mezcla de luz y sonido que latía en su cabeza como una jaqueca. Por primera vez, le pareció que haberlos llevado a todos a aquel hospital, su hospital, donde gozaba de ciertos privilegios, había sido una locura, algo de lo que habría de arrepentirse toda su vida. Al principio, había pensado que llevarlos a Mount Diablo le permitiría supervisar el tema, averiguar qué era lo que sabía cada cual y hasta qué punto lo sabían, pero en cuanto traspasaron las puertas, Sanjay, las niñas y el bebé se los arrebataron y allí estaba ella, ignorante de todo y tan sola como lo habría estado en cualquier otro sitio.

Meera no estaba segura de poder alzar la vista; le asustaba la idea de encontrarse a alguien cara a cara, de sentir una sonrisa, o unas palmaditas en la espalda, o cualquier muestra de compasión hacia ella como aquellos dolorosos pellizcos que le propinaban en el patio de escuela.

—Doctora Chaturvedi… —dijo una voz de mujer del otro lado del mostrador.

Meera levantó la cabeza y reconoció a la enfermera; solía hacer pasteles de bourbon durante las vacaciones y llevaba pins de gatos prendidos de la bata. Phyllis, se llamaba Phyllis.

—¿Sí?

—Ejem…, ¿necesita algo? ¿Quiere que llame a su consulta para decirles que no va a poder ir?

Meera negó con la cabeza.

—Ya les he llamado, gracias, Phyllis. Creo que voy a irme a casa. Si se entera usted de cualquier cosa, si pasara algo, ¿querría hacer el favor de llamarme?

Phyllis asintió.

—Por supuesto, claro que sí. Sabe, lo siento de veras…

Pero anticipando ese «lo siento», Meera ya se había dado media vuelta y caminaba hacia las puertas de entrada, con la esperanza de que el aire, el aire de la calle, lo cambiara todo, barriera esa sensación que arrastraba y se llevara sus preocupaciones.

El Volvo todavía olía a bebé, pensó Meera, aspirando el aroma a polvos de talco y champú. La niña de Sanjay había viajado allí con ellos, en los brazos de su madre. Se sentó, arrancó el motor y miró por el parabrisas. Hacía días que no paraba de llover, todo era niebla y nubes. Meera recordó la frustración que había sentido con los girasoles, los tomates y los pimientos, su enfado ante tanta languidez y tanto moho, al ver los tallos desmayados de agua y las manchas oscuras en las hortalizas, llena de nostalgia por el calor del jardín de su madre en Delhi, el sol constante y el aire inmóvil que hacían que todo creciera de forma casi milagrosa. Pero Deirdre la había ayudado, la enseñó a sembrar en el interior, en las cajas de huevos y luego en tiestos pequeñitos, y a no sacar los plantones hasta que el tiempo fuera seguro, a principios de mayo, cuando el sol y el calor hacen que las flores y las hortalizas crezcan y se abran rápidamente de cara al verano.

«Lo que pasa es que aquí no es como en la India —le había dicho Deirdre—. Si quieres tomates tienes que adaptarte, pero también puedes plantar otras cosas.»

Deirdre le llevó rododendros californianos que tenían nombres como Countess of Haddington, Atoon Van Welie, Countess of Sefton y Saffron Queen, y la ayudó a preparar el suelo con la composición adecuada. Y cuando Tyler y Kate deambulaban por el jardín trasero, ella le susurraba: «No mires, pero ahí van las Saffron Queen» y ella se reía, se acercaba a su amiga, se cogían las manos llenas de tierra y aprendía a conocer la profunda sombra del jardín trasero, las frías cuevas que formaban el roble y los laureles, la humedad y la suavidad del suelo arcilloso, la materia de la cual el tiempo y la descomposición hacía brotar aquellas flores de rododendro rosas y amarillas del tamaño de la cara de un niño.

Posiblemente, cuando el cáncer les arrebató a Deirdre, primero su cuerpo y luego la mente, ella ya había aprendido todo lo que su amiga podía enseñarle. Pero todavía en algunas ocasiones, al mirar al suelo húmedo, pensaba: «Tengo que preguntárselo a Deirdre», o «seguro que Deirdre conoce esta planta», y poco le faltaba para dirigirse a la valla y asomarse al jardín vecino, buscando aquella mirada de ojos castaños, cuyo esbelto cuerpo esperaba ver arrodillado al pie de un árbol o ante una hilera de judías verdes.

En aquellos momentos, a Meera le hubiera gustado poderle hacer unas cuantas preguntas a su amiga, poder entrar en su cocina, sentarse ante la mesa de madera rústica y esperar a que ella le pusiera una taza de té. Deirdre habría estado allí hablando, echándose el pelo hacia atrás, sacando las bolsitas de té del aparador. Entonces seguro que le sonreiría, le daría unas palmaditas en el hombro, sacaría unos catálogos de flores de plantas perennes de los cajones y los extendería por la mesa, como abanicos japoneses, con esos ojos llenos del potencial del suelo de Monte Veda que ambas compartían. A veces se quejaba de las niñas, las llamaba «plastas», y se reía de que Tyler hubiera escondido los deberes bajo el sofá, o le preguntaba a Meera por Jaggu y Ari, de cómo les iba la dentición, de si dormían o no y de cómo era eso de educar a dos chicos.

Entonces, de pronto, sintió la urgente necesidad de darle las gracias a Deirdre: «Ya basta, me has dado ya tanto… ¿Y que puedo hacer yo por ti?». Habría deseado ir a verla, como había hecho mientras estaba enferma, sentarse en una silla al lado del sofá y leer. Sabía que la mayoría de las veces Deirdre no estaba despierta, lo notaba por su respiración profunda y regular, pero ella seguía. Pensaba que así podía ayudarla a entrar con ella en otro mundo, un mundo con otras vidas, las de la página que le leía. Por un momento, a veces horas enteras, ambas se paseaban por Inglaterra, andaban por las calles de Londres, compraban flores para la fiesta de aquella noche, pensando en el amor, en el desamor y en la belleza de los niños. Juntas, habían estado en Sri Lanka, viendo cómo una abuela amasaba bolas de arroz y freía pan dulce para su nieta. Esa era la manera que tenía Meera de mostrarle a Deirdre su amor, de devolverle las muchísimas horas de ayuda y atención que ella le había dedicado.

«¿Cómo voy a ocultarle a la niña?», se preguntó Meera sintiendo la comezón de quien guarda un secreto. Aunque no quería hacer de aquello un culebrón, sentía que no tenía más remedio que contarle a Deirdre que habían cogido a Kate y la habían metido en su familia sin pedir permiso.

Davis se fue del hospital después de que el detective Johnson le dijera: «Mire, es mejor que se vaya a casa. Las niñas y el bebé están todavía en manos de los médicos y de los asistentes sociales. De todas formas, a estas alturas no es momento de darles ningún consejo», estuvo un rato aguantando la respiración, echando el aire poco a poco por la nariz y tratando de retener todo el oxígeno que podía almacenar en los pulmones, como si pudiera retener también las puertas acristaladas por donde había entrado.

Había permanecido cuatro horas en Mount Diablo, contestando preguntas y rellenando formularios de quejas mientras sentía que el corazón se le salía por la boca con cada nueva noticia: Kate, Sanjay, la niña, la nueva Deirdre. Sabía que el detective Johnson le había tenido en aquel cuarto mientras interrogaban a Sanjay y se lo llevaban a la cárcel; tal vez había tenido miedo de que Davis cruzara el vestíbulo corriendo detrás de su vecino y se le echara al cuello para estrangularlo. Davis se preguntaba cómo sería eso de coger a Sanjay por el cuello y apretarle la tráquea hasta cortarle el aliento que necesitaba para seguir viviendo. Se lo imaginaba agarrándole a él a su vez del cuello, e intentando ahogarle, hasta que los dos, responsable y culpable se mataran el uno al otro, desapareciendo para siempre y dejando a Meera con la responsabilidad de poner orden en el lío que habían montado.

Podían haber esperado a acabar con las entrevistas y las revisiones y a que sus hijas estuvieran listas para salir adonde hubieran decidido mandarlas. Pero daba igual, ya que él había reaccionado de inmediato a las instrucciones de Johnson, sintiéndose impulsado por los recuerdos y por una sensación de alivio que le impidieron hacer lo que hubiera debido y, sin saber cómo, cruzó la puerta, llegó al aparcamiento y subió al coche.

Trató de evitar la mirada de las visitas, los enfermos y los médicos, y anduvo pegado a la pared hasta que llegó a la puerta y consiguió salir al aire libre e inhalar con una inspiración profunda el cielo húmedo que se extendía ante él, exhalando de golpe aquel aire miasmático que olía a tristeza y muerte, el mismo que flotaba ominoso sobre el lecho de su esposa en sus últimos días. Más tarde, después de que los médicos le convencieran de desenchufar las máquinas, se preguntó si se había perdido algo, si Deirdre le había dicho en algún momento que no la mantuviera con vida hasta el final. ¿Habría estado conforme con eso de estar conectada al tubo del respirador que le bajaba por la tráquea, a la máscara del oxígeno que tenía la nariz, y a los monitores? ¿Por qué sufrimientos habría tenido que pasar para volver de nuevo sólo por unos minutos, una hora, tal vez un día? Quizá debería habérsele acercado, haber abrazado su cuerpo frágil, con aquella piel que parecía de papel y el pelo tieso, y haberle preguntado, acercando los labios a la suave piel de detrás de la oreja: «¿Y ahora qué? ¿Qué quieres que haga?». Si lo hubiera hecho y hubiera esperado junto a ella, desmadejada e inmóvil en aquellas últimas horas, tal vez habría acabado moviendo la mano, tocándole mientras él apoyaba la frente contra las sábanas azules, y, pasándole la mano por el pelo, le habría dicho qué era lo que había que hacer.

—Señor Phillips —le dijo aquella doctora tan joven, una mujer de ojos negros, con las cejas y el pelo oscuro que resaltaban sobre la luminosidad de su rostro. Esperó a que él la mirara y entonces echó un vistazo al gráfico mientras jugueteaba con el bolígrafo que llevaba en la otra mano—. Mire: cuando su mujer sufrió el paro cardíaco en casa, creemos que se lo provocó el impacto de la quimioterapia, se quedó sin oxígeno durante demasiado tiempo. El último encefalograma es plano, no da muestras de ningún tipo de actividad cerebral.

Davis se la había quedado mirando, mientras pensaba: «encefalograma plano, encefalograma plano».

—¿Y todos esos movimientos que hace?

Deirdre parecía retorcerse en la cama, echaba para atrás la cabeza, volvía los ojos, y agitaba los pies como si estuviera nadando.

—Bueno, no sé si se habrá dado cuenta, pero hasta esos movimientos se vuelven cada vez más débiles. Lo llamamos postura de descerebración. Es una señal que envía el sistema límbico para levantarse. No es más que el instinto de supervivencia heredado de los más remotos antepasados de la especie.

Davis sintió que se quedaba sin sangre en las venas, y que le envolvía el aire frío con olor a antiséptico. Durante toda la semana había estado pensando que Deirdre luchaba por volver a la consciencia, que tenía que aguantar, no moverse, para estar allí cuando ella saliera de aquel marasmo.

Se volvió para mirar la habitación; allí estaba su hermana Gwen, Kate y Tyler sentadas al lado de la cama; Gwen acariciaba la mano de Deirdre y abrazaba a Tyler en su regazo. Fuera, en la salita de espera, estaba John, el marido de Gwen, Rachael y Bob, Meera y Sanjay, tres mujeres del grupo de apoyo a los enfermos de cáncer y su jefe Steven, sentados en los sofás de polipiel, hablando bajito, y mirando todos hacia la puerta que, como él ya sabía, se iba a abrir muy pronto para dejarlos entrar a despedirse para siempre de su mujer.

—¿Y qué cree usted que hay que hacer?

La doctora se frotó la frente, con los ojos fijos en el gráfico.

—Desconectar el respirador.

—Pero ¿podrá… podrá respirar por sí sola? —preguntó Davis.

—Cabe esa posibilidad, pero sinceramente no creo que pueda hacerlo.

—Así que se morirá —dijo Davis, con los brazos cruzados sobre el pecho como si se abrazara para mantenerse en pie y no caerse delante de todo el mundo.

—Sí. Se va a morir —respondió levantando la vista. Él pensó que tenía los ojos llenos de lágrimas, pero no pudo seguir mirando la cara grave de la doctora.

—Ya, ya. ¿Y cuándo quieren desconectarla?

La doctora miró a su alrededor.

—Creo que todos deberían reunirse con los demás en la sala de espera mientras retiramos el tubo. Luego les dejaremos volver a entrar para despedirse.

Davis sacudió la cabeza de arriba abajo.

—O sea, ahora mismo…

—Sí. Las enfermeras vendrán en cuanto las avise.

—De acuerdo —dijo él volviendo a entrar en la habitación para contárselo a su familia. Sin embargo, antes de entrar, se detuvo en el quicio de la puerta para contemplar una escena que en esos momentos veía por última vez: su familia, todos reunidos, aunque Deirdre estuviera ya prácticamente muerta. Su pequeño cerebro reptiliano intentaba decirle que tenía que ser humana, levantarse, sobrevivir, pero ya ni eso funcionaba. Tal vez, pensó Davis, aquel minuto podía durar más de lo que duran los minutos, alargarse para convertirse en un recuerdo mejor, y de pronto imaginó que su mujer estaba despierta, que se reía de aquella extraña noche en que se le había parado el corazón, un corazón que los médicos de azul habían conseguido poner en marcha de nuevo, y se llevaba la mano al pecho, agradecida de seguir con vida, ya que de pronto se encontraba mucho mejor, que por fin el veneno había conseguido purgar sus huesos y su sangre del cáncer y todo iba a seguir como siempre.

A las puertas del Hospital de Mount Diablo, Davis sólo conseguía respirar su propia tristeza, un aliento tan negro como sus pensamientos, la imperecedera imagen de su esposa en su lecho de muerte le apretaba las sienes como una redecilla. En los últimos y terribles momentos de la vida de Deirdre, cuando estaba encamada en casa, mientras su cuerpo y su mente se había ido apagando lentamente, él no había estado con ella, no la había sostenido mientras algo en su interior vacilaba y se apagaba. ¿Dónde estaba él? ¿Viendo la tele? ¿Haciendo la cama de las niñas? ¿Comiendo cacahuetes Planters sobre la pila de la cocina? Ni se acordaba. Sólo había estado con ella más tarde, cuando se llevaron al hospital su cuerpo maltrecho, que absurdamente habían conseguido revivir; cuando yacía retorciéndose sobre la cama del hospital, movida por atávicos impulsos. Y entonces se preguntó de qué se podía cuidar, a quién podía abrazar ya en aquellos momentos ¿Qué podía hacer ya por su esposa?

Y ahora era exactamente la misma historia, con su hija se había mostrado igual de inútil, la había cagado igual que con su mujer. ¿Podía hacer algo todavía? Habría dado cualquier cosa, lo que fuera, lo habría dado todo por que fuera 1981 de nuevo y que la joven madre que estaba en el hospital fuera Deirdre y no Kate. Davis abrió la puerta del coche y deseó con toda su alma poder volver a aquellos días y detener el tiempo para siempre.

Kate puso a Deirdre sobre su hombro y la meció como había aprendido a hacer para que la niña se durmiera, de atrás adelante, de un lado a otro, una y otra vez. Escuchaba la respiración del bebé, atenta a que se regularizara con el sueño, a que su cuerpecillo se relajara, se quedara flojo, dispuesto finalmente para poderla meter en la cuna. Había venido otra enfermera —Raylene se había marchado a casa ya hacía bastante rato— con una cunita de plástico del nido y había ocupado el lugar de Raylene en un rincón del cuarto.

Kate dejó a la niña en el moisés, retirando las manos con cuidado para que no se despertara y la tapó delicadamente con la mantita.

La enfermera se acercó y las dos se quedaron mirando cómo dormía.

—Desde luego duerme bien —susurró la enfermera—. Qué suerte tienes…

Se apartaron de la cuna y se sentaron en el sofá.

—Bueno, al principio fue un poco duro, sobre todo la primera semana. Quiero decir que me despertaba cada media hora o así, pero ahora la cosa va mucho mejor.

—Eso está bien. Ayuda mucho —dijo la enfermera.

Kate la miró y se preguntó en un momento de cansancio y mal humor si estaría intentando ser amable o si simplemente era una estúpida. Se preguntó a qué la ayudaría. No había visto a su padre ni a Tyler en todo el día, sólo a las enfermeras, a Cynthia De Lucca, al detective Johnson y a los médicos. Tenía el presentimiento de que algo malo iba a pasar, pero no sabía exactamente el qué. Todos le habían hecho demasiadas preguntas acerca de su padre, de las tomas de Deirdre y del embarazo. Nadie le habría hecho tanto caso de no ser porque querían a Deirdre, que era lo mejor que ella tenía.

Andaba en esos pensamientos cuando Cynthia De Lucca entró en la habitación; hacía cara de cansada, el maquillaje se le había corrido, y llevaba el cuello torcido: uno de los picos le apuntaba a la oreja. Se percató también de que se le había bajado un poco la cremallera de la falda y asomaba un pedacito de satén de la ropa interior.

—Bueno, Kate. Ya tenemos todos los análisis de la niña. Le han dado todas las medicinas. Todo va bien. Está criándose bien.

Ella que estaba segura de que no podía ser de otra forma se encogió de hombros.

—Bien.

Cynthia dejó el bolso y una bolsa grande.

—Entiendo que esto va a ser muy duro para ti, pero es lo que ha ordenado el juez. Quiero que me escuches atentamente. Estoy muy cansada y sé que tú también lo estás. No tenemos más remedio que hacerlo, ya lo hablaremos mañana.

En ese momento entró un agente de policía calladamente y se quedó al lado de la puerta con los brazos colgando. Kate sintió que le subía algo por los brazos y el pecho, se levantó, volvió donde tan cuidadosamente había dejado a la niña dormida y la volvió a coger en brazos, colocando la pesada cabecita de Deirdre sobre su hombro. La apretó contra ella, sintiendo la cabeza y la espalda de la niña en sus manos. Vio que Cynthia hablaba con el agente de policía, pero la conversación sólo le llegaban retazos inconexos, imágenes detenidas y borrosas de la conversación.

—¡Kate, Kate! El juez del caso ha ordenado que se os busque alojamiento a Tyler y a ti —dijo Cynthia poniéndose el abrigo—. Y os he encontrado un sitio, juntas, en casa de una antigua amiga mía. —Kate parpadeaba. Tenía la boca seca y era incapaz de despegar los labios—. Y de momento el bebé irá a un lugar seguro. Podrás verla un día de cada dos, por lo menos, bajo vigilancia. Puede seguir tomando leche materna, te he traído un sacaleches.

Kate sacudió la cabeza.

—Estoy dándole el pecho, Cynthia. Me necesita cada dos o tres horas —dijo Kate tomando aire para poder articular las palabras.

Cynthia hizo como si no la hubiera oído y sacó el aparato del bolso.

—Pon la leche en estas bolsitas y métalas en el congelador. Ruth te enseñará a hacerlo. Sabe de estas cosas. Llamaré mañana para arreglar la primera visita.

Cynthia se dirigió a Kate haciendo ademán de coger a la niña y ella se volvió hacia la pared.

—No, no te la puedes llevar. Es mi hija. La he cuidado. Está perfectamente. Estoy haciéndolo bien, hasta Meera lo dijo.

—Kate, te he tratado bien durante todo el día, ¿verdad? —le preguntó Cynthia mirando al agente de policía que se dirigió lentamente hacia ella.

Kate se volvió y fulminó a Cynthia con la mirada.

—No, no puedes quitarme a mi niña.

—Kate, deja a la niña en la cuna. Necesita estar tranquila. No quiero peleas y no quiero que Deirdre sufra ningún daño —dijo Cynthia retrocediendo.

Kate acunaba a la niña que seguía dormida.

—Yo nunca le haría daño. Lo he hecho todo por ella. —Cerró los ojos y puso su mejilla contra la cabecita de Deirdre tapada por la manta mientras sentía las pestañas húmedas rozar contra la franela.

—No, eso no es cierto. Arriesgaste su vida y la tuya propia por tenerla sin que nadie se enterara. Tu hermana y tú tuvisteis mucha suerte, pero podía haber sido una tragedia. Y a Deirdre debió de verla un médico nada más nacer; tampoco hiciste eso por ella.

Kate, anonadada, empezó a llorar al oír las duras palabras que le estaba dirigiendo Cynthia.

—¡Pero si está perfectamente! Todo lo demás lo he hecho bien. Y ahora ya la han vacunado y la ha visto el médico. Yo puedo hacer absolutamente todo igual que tú.

—Kate, dame a la niña. Dame a Deirdre. No querrás que le pida al agente Dillon que me ayude, ¿verdad? ¿No querrás que pueda pasarle nada?

Ella negó con la cabeza y hundió la nariz en el cuello de Deirdre, aspirando el maravilloso perfume a vida nueva, a jabón, y a todos los cuidados que le había dado a su hija.

—¿Me la devolverán?

—No lo sé, Kate. Eso depende. El juez tiene que investigar el comportamiento de tu padre y el tuyo durante un tiempo. No sé si te das cuenta de que aquí los que salen perdiendo son Tyler y Deirdre, y la familia de Sanjay.

Kate escuchaba a Cynthia y en el silencio repentino de la habitación sus palabras adquirían un significado claro y preciso: «comportamiento», «salen perdiendo» y «la familia de Sanjay» la golpearon brutalmente, casi sintió que se tambaleaba. Sabía, con tanta certeza como la que tuvo de que iba a quedarse con el niño cuando supo que estaba embarazada, que no podía hacer absolutamente nada. ¿Cómo iban a poder todos, ella misma, Sanjay, Deirdre, su padre, Tyler y Meera volver a sus vidas sin órdenes ni despiadados papeles que les dijeran lo que tenían que hacer? Ahora era imposible volver a casa esa misma noche con Tyler y Deirdre, y retomar la secreta rutina cotidiana de los últimos nueve meses, evitando a los vecinos de la puerta de al lado y apartándose de los amigos y los profesores…

Kate se miró los pies. Llevaba los mismos zapatos que se había puesto por la mañana antes de vestir a Deirdre, unas Keds blancas de suela gruesa que la hacían casi tres centímetros más alta. Cuando se los puso por la mañana era una madre que estaba en casa con su bebé, y ahora había dejado de serlo. Había cometido demasiados errores y a partir de ese instante le iban a hacer pagar sin piedad alguna todo el daño que había hecho a los que la rodeaban. Sabía que Cynthia, el detective Johnson y los médicos pensaban que le estaba bien empleado que le quitaran a Deirdre, a su hijita; a todos les parecía que no se merecía el amor que fluía del diminuto cuerpo de aquella maravillosa criatura.

Miró a Deirdre, acercó su cara a la frente de su hija y supo que se pertenecían la una a la otra. Si algo tuvo claro en esos momentos es que haría todo lo que pidieran para conseguir que Deirdre y ella siguieran juntas.

—No hay derecho —dijo Kate, pero fue hasta la cuna y depositó a Deirdre con suavidad, igual que había hecho antes, entre suaves murmullos, y remetió la mantita para taparle bien los pies y las manos.

Cynthia no dijo una palabra mientras ella acariciaba al bebé. Tal vez, pensó Kate, se esperaba algo más: un ataque de histeria, convulsiones, gemidos de desesperación... Pensó en las mujeres de Oriente Medio que había visto en el vídeo en clase de Sociales, llorando en el funeral de un chico joven; sus voces eran tan monótonas y tristes que formaban un continuo gemido. «Aúllan —había dicho el profesor—, porque en esa sociedad consideran que la pena tiene que expresarse así.»

Cynthia se acercó lentamente y la miró, esperando a que se retirara. Ella le devolvió la mirada, intentando distinguir algún sentimiento en ellos, ver qué cara ponía cuando tenía que hacer ese tipo de cosas, cuando tenía que tomar decisiones, decisiones duras, decisiones que cambiaban las vidas de los otros. Y luego casi se echó a reír pensando: «Yo también he tomado decisiones difíciles, y sé que si de verdad tienes claro que la decisión es acertada, puedes hacer cualquier cosa».

Cynthia recogió a Deirdre y la acunó contra ella mientras ajustaba la mantita de algodón a la cabeza del bebé.

—Ha sido una decisión acertada, Kate. Has hecho muy bien en tomarla.

Miró al agente, este recogió la bolsa y salió de la habitación con el bebé en brazos mientras el policía sujetaba la puerta y la enfermera dejaba la revista *People* y se quedaba mirándola a ella.

Kate recordó el momento en que Tyler cortó el cordón umbilical, el frío del metal sobre la carne, el corte de las venas mayores que la habían conectado a Deirdre, que las habían mantenido unidas durante nueve meses mientras sus cuerpos latían y respiraban al unísono, noche y día. Se dio cuenta de que en realidad aquello no se había cortado hasta el momento en que la puerta se cerró y ella se quedó sola, sola con su cuerpo, sintiendo que no sólo tenía el vientre vacío, sino también el pecho, como si le hubieran arrancado el corazón. Ya no le quedaba nada dentro, salvo aquella sensación oscura que parecía llenarle la garganta. Se preguntó si podría expulsar alguna vez todo aquello, si podría convertirlo en un grito y sacarlo por la garganta, alzar la voz y aullar, aullar dando a luz el dolor que su cuerpo retenía apresado.

Eran las nueve y cuarto. Meera estaba sentada en el desierto vestíbulo de entrada del hospital, con las piernas metidas bajo la silla y los pies cruzados. Todavía llevaba la bata, no se la había quitado para volver a casa con Jaggu y Ari, ni para calentar las salchichas y la lata de maíz mientras ellos veían la tele, ni siquiera cuando su amiga Momta llegó para hacerse cargo de los niños; Momta la había abrazado nada más entrar por la puerta.

—¡Meera! ¿Qué ocurre? Parecías muy disgustada cuando me has llamado —le dijo Momta mientras se quitaba el abrigo.

Meera no podía mirarla a la cara, así que se quedó con los ojos fijos en el sari de su amiga, un sari de rayón azul, muy adecuado para aquella época del año. Tuvo una visión fugaz de la oscura cintura de Momta y le asaltó el deseo de apoyarse un momento contra el cuerpo de ella, para reponerse.

—Algo espantoso, Momta. Ven al dormitorio, por favor, no quiero que nos oigan los niños.

Cruzaron el vestíbulo; Meera podía oír los amortiguados pasos de su amiga sobre la alfombra mullida. Se sentaron en la cama y su amiga le tomó la mano; llevaba las uñas pintadas de rojo.

—¿Qué ocurre, Meera?

—Estoy tan avergonzada…

—No. ¿Qué puedes haber hecho tú para estar tan avergonzada? No será tan grave…

—No soy yo. Es Sanjay —dijo Meera.

—¿Sanju? ¿Qué, qué es lo que ha hecho?

Meera retiró su mano de la de Momta y se la llevó a la frente.

—Ni yo misma puedo creerlo. Se ha liado con una mujer, más bien con una niña, y la ha dejado embarazada; ha tenido un bebé. —Momta empezó a hacer ruiditos compasivos, pero Meera levantó la mano—. Y, desgraciadamente, no queda ahí la cosa: le han arrestado porque la chica es menor. He llamado al abogado, pero quiero ir a la cárcel del condado para ver si consigo enterarme de qué va a pasar. A lo mejor me dejan verle. —Momta se había quedado callada. Meera bajó la vista a la alfombra, mientras pasaba los pies por la lana marrón clarita, que combinaba perfectamente con el papel de la pared—. Espero que puedas quedarte con los niños… no sé si volveré en toda la noche. Me hago cargo de que tendrás que contárselo a Rama, pero te agradecería que a ser posible no se lo digas de momento a nadie más. Ya se enterarán…

Momta se inclinó sobre ella ofreciéndole el apoyo que necesitaba y ella hundió la cara en el grueso tejido y notó el hombro firme de aquella mujer mayor que ella, la piel perfumada, un aroma a jabón de lavanda, a efluvios de curry y canela, y le asaltaron los aromas de su infancia aunque sabía de sobras lo lejos que estaba de casa.

Meera salió de casa pensando que iba de camino a la cárcel en Martínez, pero se encontró de pronto en dirección al Hospital Mount Diablo. Aparcó en la plaza que tenía reservada en el aparcamiento y cerró las puertas del Volvo. Cuando salió se dio cuenta de que las estrellas asomaban entre los jirones de nubes que habían colgado del cielo todo el día, como una jaqueca; en el aire frío revoloteaban miles de pequeños insectos. Se imaginó los bulbos y las semillas bajo la tierra; las aleluyas, los ancianos púrpuras, los lirios, las lechugas y pronto el maíz y las calabazas haciendo brotar delicadas raíces y verdes hojas, las hojas del verano, las flores y sólo unas semanas más tarde los frutos.

Entró en el hospital, el guardia de seguridad la saludó con la mano, y las puertas automáticas se cerraron tras ella. Entonces, cruzó el vestíbulo que daba a la salita donde sabía que estaba Kate y se sentó, alerta a cualquier sonido, bajando la vista cuando pasaban las enfermeras, y haciendo caso omiso de sus miradas, del gesto de asombro que ponían, de cómo se iban parando y luego volvían a acelerar el paso. Pronto oyó voces y luego el ruido de una puerta que se cerraba y vio que pasaba la asistente social con el bebé en brazos; llevaba una bolsa grande y la seguía un policía.

—Señora De Lucca —la interpeló levantándose y dirigiéndose a ella.

Cynthia se detuvo y reculó de forma casi imperceptible, aunque Meera se dio cuenta de ello.

—Doctora Chaturvedi, ¿qué hace usted aquí?

—Es extraño, pero… querría volver a ver al bebé.

Cynthia hizo un gesto con la cabeza.

—Me la llevo ahora mismo para darla en acogida. Está perfectamente. Los análisis son todos buenos. Es una niña muy sana.

—Ya lo sé. Sólo quería echarle un vistazo, será sólo un momento.

Cynthia miró al agente de policía que venía tras ella y se encogió de hombros; se veía en su cara que había sido un día duro y el cansancio había pintado dos medias lunas moradas bajo sus ojos.

—De acuerdo —dijo finalmente acomodando a la niña en sus brazos—. Pero vámonos a otro sitio. ¿Hay alguna consulta libre?

—Síganme, por favor —dijo Meera llevándolos a la zona de pediatría, al final del vestíbulo. Cuando entraron en la reducida salita, Cynthia dejó a Deirdre sobre la mesa, la niña aún dormía con los puñitos cerrados a la altura de la cara.

Meera retiró la mantita y se quedó mirando la cara del bebé. Sabía que era una niña y que la madre era Kate, pero se parecía tanto a los suyos; Ari y Jaggu de pequeños tenían la piel tan suave como la de Deirdre, igual de delicada, con ese color que daban ganas de lamer.

Cuando los niños dormían, Meera se sentaba al lado de la cuna, atenta a la suave y tranquila respiración por la que se iban adentrando más y más en el mundo, en la familia, y también en ella. Ciertamente, los había llevado dentro durante nueve meses, pero fue la vida diaria la que le dio de verdad a sus hijos: lavarlos, peinarlos, manejar todos los días sus cuerpecitos. Y ahora pensaba que ahí había otro cuerpecito, uno que no era suyo, aunque en parte también lo era porque tenía una parte de Sanjay que un poco era de ella, y de Jaggu y Ari que también eran parte suya. Meera no acababa de ver cómo se las iba a arreglar con aquel lío.

—Doctora Chaturvedi, de veras, me tengo que ir. Los padres de acogida están esperándome —dijo Cynthia tomando suavemente la mantita de las manos de Meera.

Meera levantó la vista.

—Claro, por supuesto. Muchas gracias —añadió poniendo las manos sobre el respaldo de la silla giratoria que estaba al lado de la mesa.

Cynthia tomó en brazos al bebé y salió con el silencioso agente siempre detrás de ella. Meera se sentó y escuchó cómo se alejaban sus pasos antes de abandonar la habitación en medio del silencio en que estaba sumido el hospital por la noche, entre las luces bajas y algún ruido de pisadas que reverberaba sobre los pulidos suelos de linóleo.

Dobló una esquina y vio a Tyler y a Kate dirigirse hacia las puertas automáticas escoltadas por otro policía y otra mujer, quizás otra asistenta social. La mujer tenía un brazo sobre los hombros de Tyler, pero Kate iba ligeramente separada del grupo, movía las piernas de forma mecánica y la suela de sus deportivas sonaba a cada paso sobre el piso reluciente. Meera sintió que le fallaban las piernas, todo su cuerpo se echó hacia delante, con la intención de alcanzarlas y detenerlas, pero era como si tuviera las articulaciones sólidamente soldadas y los pies de plomo, pegados al suelo.

En una ocasión, leyó una historia acerca de una mujer india cuyo marido tuvo una aventura. Según el cuento, la mujer indagó hasta descubrir a la amante de su marido y la adornó con sus mejores joyas, sus más ricas telas, saris de pura seda de color agua y rosa, porque pensaba: «Si mi marido la ama tanto, yo también debo amarla». Meera miró entonces a Kate, angulosa, cansada, con el pelo sucio, oscuras y tristes guedejas colgándole por la espalda. Se preguntó si alguna vez le había parecido atractiva, si la había llegado a considerar una mujer y no sólo la niña de Deirdre, la mayor de sus hijas, la canguro de Jaggu y Ari. «¿Soy capaz de quererla?», pensó. «¿Puedo compartir mi marido con ella, uncirla con flores cogidas de mi jardín, vestirla primorosamente con mis saris de seda especiales, los de las fiestas? ¿Puedo amarla tanto como debería?»

Cuando se abrieron las puertas ante el grupo, Meera consiguió salir de su parálisis, y las palabras en su boca se fueron tomando forma, como la de una oración, como un don para todos, capaces de parar todo aquello. Pero luego se detuvo y volvió a quedarse inmóvil, ya que se dio cuenta de que no había don alguno, ni ira ni pena que fueran adecuados, y que ninguna mano tendida, ninguna tela, ninguna palabra podía ya retenerlos para evitar su caída.

El agente de policía y Susan, otra asistente social, estaban sentados en el asiento delantero del coche, discutiendo sobre cómo llegar hasta la dirección del centro de acogida que estaba a unos treinta y dos kilómetros, en Antioch, a casi cincuenta kilómetros de Monte Veda. Kate estaba hundida en el asiento trasero, con la cara vuelta hacia la ventanilla. Escuchaba a los adultos desde el otro lado de la mampara que separaba el asiento delantero del de atrás y contemplaba el rifle que colgaba detrás de sus cabezas.

—Bueno, para llegar a la casa de Antioch hay que coger la 680 en la salida 4. Hay que girar a la izquierda en Mariposa, doblar a la derecha a la altura de Salida y la encontraremos a unos ochocientos metros. Ya he estado ahí alguna vez.

—De acuerdo, me parece bien —dijo el policía poniendo en marcha el coche. Iba a salir cuando alguien golpeó la ventanilla.

—¡Por Dios bendito! —exclamó Susan—. ¡No pare! No entiendo cómo no tienen nada mejor que hacer a estas horas de la noche. Pues no, y quieren grabarlo en directo.

El policía metió la marcha y el coche salió disparado.

—¿Quién era? —preguntó Tyler, mirando a ver si Kate se había fijado.

Susan se volvió.

—Nada, no te preocupes. Es el reportero del canal siete. Es su estilo, es así de pelma, el de «Noticias de la Bahía». Pero no nos seguirá.

—¿El de las noticias? ¿Y qué quiere? ¿Cuál es la noticia?

Susan miró al agente de policía y luego se volvió hacia Tyler levantando las cejas.

—Bueno, probablemente lo del arresto del señor Chaturvedi. Pero no os preocupéis más por ello.

Susan se volvió y siguió hablando con el agente de policía. Tyler miró la oscuridad de la noche que rozaba las ventanillas. Durante todos aquellos meses en casa, había llegado a creer, por eliminación de posibilidades, que Kate estaba envuelta en alguna trágica historia de amor, que la debía hacer sufrir tanto que ni siquiera podía contárselo a ella, su única hermana. Por las noches, cuando su padre se iba, y Kate se sumía en el profundo y típico sueño de las embarazadas, ella, tumbada en la cama, fantaseaba con el amante de su hermana, un jovencito rubio, parecido a Brad Pitt, con un cuerpo esbelto enfundado en ropa de marca, lo suficientemente joven para ser mono —con hoyitos en las mejillas y en la barbilla y la cara bien afeitada, suave y perfumada— pero lo suficientemente mayor para tener trabajo, dinero y un buen coche. Lo habría conocido una noche que bajó al centro, pensaba, y él se la había llevado a tomar una copa al Hotel Hyatt, una cerveza que Kate se había bebido a sorbitos. Luego se la había llevado a bailar, apretándola estrechamente contra su cuerpo por lo que ella se había enamorado perdidamente de él. Por supuesto era rico y poderoso y, creyendo que Kate era mucho mayor, veinte o veintiuno por lo menos, se la había llevado a la cama y le había enseñado todo lo que hay que saber del amor. Luego había desaparecido. Puede que tuviera que irse por negocios, o porque tenía que divorciarse de su mujer para poder casarse con su hermana. Pero iba a volver; Cory —Tyler decidió que se llamaba Cory— volvería en cualquier momento, las salvaría, las llevaría de paseo en su Porsche, compraría ropita para el bebé en las tiendas más caras de Monte Veda, y cuidaría de Kate y del bebé.

Y en vez de eso, resulta que había sido Sanjay. El bueno de Sanjay, que no decía nunca ni una palabra, que sólo sonreía y asentía con la cabeza, apalancado en un rincón de cualquier habitación, con las manos en los bolsillos, siempre con la misma camisa blanca desgastada y los pantalones caqui. «Con lo viejo que es», pensó Tyler mientras sentía que la embargaba la cólera, que se le subía a la boca y a las narices, tenía ganas de resoplar. Se volvió hacia Kate y siseó furiosa:

—¿Por qué no me lo dijiste? No me puedo creer que no me lo dijeras. Tanto tiempo, y no era más que Sanjay…

Kate no movió la cabeza, siguió con los brazos cruzados sobre el pecho. Miró a la lejanía y susurró casi para su manga:

—No podía contarlo, ni a ti ni a nadie. Lo que quiero decir es que mira lo que ha pasado. No quería que Meera se enterara, pero se ha enterado y ves…

—Bueno, pero yo no se lo habría dicho a ella. Como no le dije nada a papá, ¿te acuerdas? —Tyler sintió el peso de aquellos seis meses de silencio sobre su pecho, las frases como piedras que hubiera querido poder decirle a alguien, el poder y el peso del miedo que había pasado por Kate, por la niña y por ella misma—. Yo, que lo he hecho todo por ti, y tú no has sido capaz de contármelo… Él estaba allí mismo y me hiciste hacerlo todo a mí.

Kate la miró casi sin verla. Se abrazaba con fuerza y a Tyler le pareció que temblaba.

—Lo siento —dijo.

—Bueno —contestó ella en voz baja. Se acercó a su hermana deslizándose sin ruido sobre el cuero del asiento—. Pues estupendo, ¿no? Aquí estamos en un coche de la poli que nos lleva sabe Dios a qué agujero. Y sin Deirdre. Arrestadas. ¿Y qué pasa con papá? —Las palabras cortaban el aire como cuchillos.

Kate se la quedó mirando y dijo:

—¿Qué pasa con papá?

—Está solo, y tiene problemas.

A Kate le faltó poco para echarse a reír y contestó bajando la voz:

—¡Venga ya, Tyler! Nosotras hemos estado solas meses y meses. El que nos dejó tiradas fue él.

—¿Y por eso lo hiciste? ¿Para conseguir que volviera? ¡Qué estupidez!

—¿De qué me hablas? —dijo Kate.

Tyler se echó a reír, echando para atrás la cabeza.

—Sí, muy inteligente… Ahora sí que volverá a casa de verdad. Como si las cosas no estuvieran ya bastante mal antes de todo esto…

Ninguna de las dos volvió a decir una palabra. Ante ellas la noche era como un océano oscuro. Tyler aspiró el aire caliente y cargado del coche y reclinó la cabeza en el respaldo del asiento. Algunas veces, cuando le mentía a la gente de la tienda de segunda mano o le ocultaba a su padre la verdad, y también cuando cogió por primera vez la cabecita de Deirdre entre sus manos, se figuraba que su madre lo veía todo. Le sucedía con tanta frecuencia que en ocasiones se detenía y miraba hacia atrás, le daban ganas de decir: «Lo siento, estoy mintiendo», o «mami, ayúdame, por favor» o «díselo, mamá; tú puedes decírselo». Ahora se preguntaba qué habría dicho su madre, qué habría querido que hiciera.

Tyler miró de nuevo a Kate, mientras notaba que iba haciendo acopio de nuevas y malignas energías. Sabía que aunque su madre hubiera estado allí en aquellos momentos habría sentido exactamente lo mismo. Le entraron ganas de darle un par de tortas a su hermana para barrer de su cara ese aire de suficiencia.

—Eres una auténtica estúpida. Todo esto es culpa tuya. Y no será porque no te lo dijera. ¿Ves como tengo razón?

—¿Estúpida? Mira, calla la boca. No sabes lo que dices.

—¡No, cállate tú! Tú eres la que no sabes lo que dices —contestó Tyler en voz baja dándole un puñetazo tan fuerte que sintió el hueso del hombro de su hermana chocar contra sus nudillos.

Susan giró la cabeza.

—Chicas, chicas… Habéis estado sometidas a mucha tensión todo el día de hoy. No os peleéis. Mañana tendréis ocasión de hablarlo con alguien. Intentad relajaros.

—Vale —dijo Tyler volviendo a sentarse con los ojos llenos de lágrimas mientras sentía que la cólera iba disminuyendo en sus pulsos hasta que al final sólo quedó el latido de su corazón, al principio acelerado por el pánico, como si estuviera en la montaña rusa, aunque después se fue calmando a medida que dejaban atrás una población tras otra. Miró las dos cabezas del asiento delantero, la melenita de señora mayor, corta y canosa, de la asistente social y los rizos negros del policía. El espacio herméticamente cerrado del coche olía a piel; Tyler no podía oír los ruidos del exterior, ni siquiera el de las ruedas sobre el asfalto de la carretera. Le vinieron a la memoria los últimos trayectos nocturnos en coche cuando volvían de cenar en casa de algunos amigos de sus padres, pasada ya la media noche, trayectos largos con la lucecita interior del coche encendida y su madre inclinándose sobre ella, susurrando: «Enseguida llegamos a casa; duérmete otro poquito».

Suspiró y se preguntó qué estaría haciendo su padre, si se habría ido a casa de Hannah o andaría vagando por la casa vacía, mirando la cuna, las ropitas de la niña, los pañales, todo lo que Kate y ella habían reunido y comprado, todo el trabajo que habían hecho. Se preguntaba si tan siquiera habría visto a la niña.

Davis no estaba cuando salieron del hospital y Tyler esperaba que no lo hubieran metido en la cárcel. Pero probablemente lo habrían hecho, ya que de lo contrario las habría esperado. En aquel momento faltaba su padre como había faltado siempre desde el día en que murió su madre.

—Si no lo hubieras hecho no estaríamos en estas —cuchicheó Tyler mientras Kate seguía mirando fijamente al frente—. Te lo dije, te dije que me daba miedo.

—Tienes razón. No estaríamos en estas —susurró Kate, y luego se quedó en silencio.

Tyler sentía el cuerpo oscuro de su hermana en el asiento de al lado mientras el coche atravesaba la noche, y se la imaginaba moviéndose con Sanjay de una manera que ella sólo había visto en los libros y conocía por las charlas. Aquel hombre siempre le había parecido rarísimo y distante, con aquella actitud despegada y aquella manera de hablar tan ridícula. Siempre había tenido la sensación de que nunca estaba contento, como si todo le pareciese poco: el almuerzo que Meera preparaba para ir de picnic, el tiempo que no mejoraba, los titulares de los periódicos. Siempre que iba a cuidar de los niños o a echarle una mano con ellos, andaba a su alrededor tratando de no hacer caso de la cara de tristeza que ponía, la voz suave y monótona que empleaba al hablar y de la decepción insidiosa que parecía llenar la casa como el gas de un calentador estropeado.

Se quedó encantada el día que Kate le dijo:

—Mira, ya no voy a hacer más canguros en casa de los Chaturvedi. Son demasiado raros.

—¿Ha pasado algo? —le preguntó pensando en el dinero que Kate y ella sacaban, y que les permitía ir los fines de semana de compras por Oak Creek, o hacer escapadas a Nordstrom y Macy's.

—No ha pasado nada pero no pienso volver. No me gusta estar por ahí cuando discuten.

Tyler asintió, conocía bien el frío silencio que reinaba en aquella casa algunos días. Así que después de que Kate le dijera a Meera tres o cuatro veces : «No, no puedo hacer de canguro» y «Tampoco creo que Tyler pueda», aquello se acabó y la relación se cortó. Meera consiguió encontrar otra chica del vecindario para las noches de los fines de semana y después apuntó a los niños a una guardería en el centro durante la semana. Cuando Sanjay los llevaba por la mañana, los niños saludaban a Tyler desde el coche con la mano.

Por aquel entonces, bastó con unas palabras de Kate para que dejara a los Chaturvedi y se olvidara del dinero que se sacaban, y de las barbacoas de verano y las cenas de otros tiempos, y de las charlas de su madre y de Meera en el jardín hablando del suelo, el fertilizante o el tiempo. No le resultó difícil volcarse en su propia vida, sus amigos, las animadoras y los deberes que les mandaban, al menos hasta que Kate dijo que estaba embarazada y ahí se acabó todo, absolutamente todo.

Tyler no podía imaginarse cómo se lo había hecho Kate para insinuarse a Sanjay, para atraerle a sus brazos y mantenerlo todo en secreto, todo, sin haberle contado nunca nada a nadie. Se preguntó si alguna vez su propio cuerpo llegaría a unirse con otro sobre un colchón, sobre el suelo o en la trasera de una furgoneta. ¿Se enamoraría ella de alguien alguna vez? ¿Tendría, pensó, la misma necesidad que Kate, de que alguien la tocara, la abrazara, la abriera? ¿Sería ella capaz de tenderle la mano a alguien que no fuera Kate o su padre?

Suspiró. El día había sido todo oscuridad, primero en los mortecinos cubículos del hospital y ahora en aquella invisible carrera entre tinieblas. Aun así, su corazón se fue aquietando, se le secaron los ojos y se fue adormeciendo mecida por la voz de Susan y del poli que hablaban del tiempo y de sus niños, unos niños que ahora estarían en casa, dormidos en sus camas. Al poco rato, pasaron la desviación que llevaba a otra autopista en dirección sureste, lejos ya de casa. Entonces sintió la mano de su hermana entre las suyas y la tomó, como había hecho siempre, toda la vida.

• • •

Davis se sentó en medio de la oscuridad en la casa en la que vivió durante una época con su esposa. Sólo se veía la luz de los números del contestador automático, uno, luego dos, y así hasta cinco llamadas: Hannah, pensó dejando la cerveza, o la policía, o puede que fueran las niñas. Se acercó a la máquina con la mirada clavada en el destello verde y siguió su reflejo hasta el suelo de roble encerado del comedor, hasta la porcelana de Haviland, y hasta la plata de la abuela de Deirdre. Era consciente de que debía escuchar los mensajes. Todos serían importantes, no podía haber ninguno irrelevante porque todos sus amigos, su jefe y sus colegas, y hasta los del marketing telefónico llamaban a Hannah primero. Una noche, mientras colgaba a uno que intentaba venderle un seguro, le dijo a Hannah entre risas: «Estos tíos te buscan hasta bajo las piedras». Pero volvió a su cerveza y a las cuatro botellas vacías que tenía ante él, pensando que habría más en la nevera.

Se levantó y se dirigió silenciosamente al cuarto de Kate, sin soltar la cerveza. Encendió la luz de la habitación y luego la volvió a pagar, sobresaltado ante la idea de haber alertado a Meera de su presencia. Se sentía incapaz de enfrentarse a ella. No hacía más de una semana que habían estado hablando mientras él lidiaba con un aspersor de riego roto. Meera llevaba puesto un delantal de jardinero y un sombrero de ala ancha; le recordó a una monja con toca.

—Hola, Davis —le dijo ella, sacudiéndose la tierra de las manos y del delantal—. ¿Qué es de tu vida? No te veo desde hace tiempo.

—Bueno, como siempre, ya sabes. Lo de siempre en el trabajo… —respondió él mientras se levantaba. Se quedó sorprendido al darse cuenta de lo pequeña que era. No le llegaba siquiera al pecho—. ¿Cómo están Sanjay y los chicos?

—Todos muy bien, gracias —le respondió ella impaciente—. Tengo que hablar contigo, Davis.

Él movió incómodo los pies, le iban a echar otro sermón, como el de Rachael. Se llevó la mano a la cara y se frotó los ojos con el pulgar y el índice; le habría gustado podérsela quitar de encima.

—¿Qué sucede, Meera?

—Ya sé que tu vida personal no es de mi incumbencia, pero las niñas… Hace mucho que no las vemos y parece que están muy a menudo solas en casa.

Davis enrojeció hasta la raíz del pelo y se volvió hacia ella.

—Ya son mayores, Meera. Kate tiene diecisiete años. Y además yo vengo por casa, ¿ahora mismo estoy aquí, no?

—No quiero hablarte de mi experiencia, Davis, pero sólo son unas adolescentes, todavía son muy niñas. Vete a saber en qué líos pueden meterse si se las deja demasiado a su aire…

Davis se volvió a mirarla; estuvo a punto de ceder ante la intensidad de su mirada, el rictus de sus labios apretados y su autoritario gesto de médico.

—Tomo nota. Gracias por preocuparte, pero creo que lo tengo todo controlado. Las niñas están perfectamente —dijo él muy envarado mientras se dirigía al garaje—. Te veré luego.

Presumida —pensó entonces— bruja; más te valdría ocuparte de tus cosas.»

Pero en ese momento, en la habitación de Kate, habría querido poder liarse a puñetazos contra aquel idiota arrogante, llevarlo hasta la casa, meterlo en la habitación y mostrarle la triste cunita que había encontrado esa misma tarde en el armario de su hija; la pila de ropitas de bebé, los paquetes de pañales, los cacharritos que recordaba de la época en que las niñas nacieron: chupetes, tijeritas de uñas de punta redonda, mordedores, toallitas limpiadoras. Le habría enseñado a ese idiota del jardín lo que de verdad pasaba en aquella casa, habría levantado la camiseta enorme de su hija, le habría tocado la barriga redonda y dura de nueve meses de embarazo y le habría dicho que se la llevara al médico, ¡pero ya!

Incluso habría cogido al idiota en cuestión del cuello y se lo habría llevado hasta la puerta de Meera, para pedirle perdón, para pedirle que le ayudara a poner un poco de orden en aquel desastre, para arreglarlo, para traer a sus hijas a casa. Le habría obligado a decir: «Ahora pasaré todas las noches en casa, todas. Seré un buen padre, lo juro. Tenías razón, nunca pensé que podían tener semejantes problemas».

Davis se desplomó en la alfombra con un biberón y una mantita que había encontrado tirados en el suelo. Reconoció la mantita; era de Tyler, de cuando nació; aunque parecía de color rosa, estaba tan descolorida que ahora se veía blanca. Pero olía como entonces, a jabón Ivory y a bebé. «Qué lástima —pensó—, fíjate cómo estás, como si fueras un bebé, con el biberón y la mantita.» Dejó las dos cosas en el suelo y se recostó contra la pared.

Cerró los ojos y volvió a abrirlos, tratando de pensar. «¿Así que soy abuelo?» Qué estupidez, pensaba. «Claro —pensó—, por supuesto.» Casi le parecía oír la risa de Deirdre mientras decía: «¡Hola! ¿Hay alguien en casa?».

Pero era algo más que saber que ahora ya le podían llamar «abuelo»; sobre todo era el hecho de haberse encarnado en otro cuerpo, un cuerpo nuevo, mezclado con los cuerpos de la casa de al lado, de haber participado en hacer aquella niñita que no le habían permitido siquiera ver porque el detective Johnson tenía miedo de que montara una escena.

Deirdre siempre había hablado de lo de ser abuela, incluso antes de que tuvieran hijos, incluso cuando estaba muriéndose: «Quiero tener en mis brazos a un niño hasta que me canse y devolvérselo luego a sus papás —decía riéndose—, que es lo que hacen las abuelas». Pero Davis sabía perfectamente que nunca habría devuelto un niño si no se lo hubieran pedido, que lo habría seguido teniendo en sus brazos por más lágrimas, enfermedades o largas noches en vela que hubiera pasado, como había hecho siempre con Kate y Tyler. Todas aquellas noches él se despertaba cuando Deirdre, descalza sobre la tarima, volvía a taparle con las mantas. Una vez que Davis cayó en la cuenta de que a su mujer le gustaba levantarse para darles el pecho por la noche —al menos, una vez que se convenció a sí mismo de que así era— no se levantó nunca a coger al bebé para calmarlo y darle un biberón lleno de leche materna. «No te preocupes —decía ella—, así es más fácil. No tengo que andar sacándome la leche para llenar un biberón. Además, a mí me gusta. Es muy agradable, sólo la niña y yo».

A lo mejor se había perdido algo quedándose en la cama, dejando a Deirdre sola todo aquel tiempo. «Deirdre me lo puso fácil. Nunca he tratado realmente ni a Kate ni a Tyler, y ahora ya es tarde».

Davis se levantó, cogió la mantita y se acercó a la ventana, atisbando entre las lamas de las persianas la casa de

Meera. Podía ver luces en la sala de estar, el destello de la tele, el aura azul de la luz de la piscina. Sacudió la cabeza. No estaba nada claro que fuera capaz de hacer las cosas mejor. Ahí estaba, un abuelo, abuelo de una criatura que no tenía en aquel momento ni a su padre ni a su madre, sin padres a los que agarrarse y sobre todo sin abuelo que pudiera protegerla.

Por un momento se quedó sin aliento, sentía que se ahogaba en su propia tristeza. Se alejó de la ventana y salió del dormitorio de Kate y de su casa para zambullirse en la noche. Todavía no podía respirar bien, así que echó a andar calle arriba por Wildwood Drive hasta llegar a la acera frente a la ventana principal de los Chaturvedi. La habitación refulgía como una calabaza de Halloween encendida; la casa era toda sombras negras y las masas de los arbustos del jardín semejaban animales inmóviles. Se metió en el césped, como siempre perfectamente cortado, y caminó sobre las húmedas briznas, sintiendo de vez en cuando crujir la concha de algún caracol bajo la suela de los zapatos. Entonces, al acercarse a la ventana se detuvo de pronto recordando que Meera tenía muchas plantas y cuando miró hacia abajo vio que estaba pisando algo blanco de delicadas hojas. Levantó con cuidado el pie y la planta volvió a recuperar su estado anterior, como si él nunca hubiera pasado por allí.

Sin dejar de mirar al suelo, se deslizó hasta la ventana, y se hizo un hueco entre las hojas de un arce japónica y unos frondosos helechos para poder observar la escena sin ser visto. Al otro lado de la ventana estaba Momta, una mujer que había visto una o dos veces en casa de los Chaturvedi; estaba sentada en el sofá y los dos niños bien abrigados en sus pijamas se acurrucaban a su lado como dos cachorritos. Se fijó en que la mujer había estado llorando, ya que tenía cercos de rímel bajo los ojos, aunque en aquel momento estaba absorta en la tele. También observó a los chicos; eran morenos, con el pelo negro, la piel oscura y recordó que tenían los ojos color caramelo. A Davis le gustaba mucho Ari, el más pequeño, que a los nueve meses ya saludaba diciendo «hola», como si tuviera dos o tres años. Muchas veces se había sentado con él en el suelo y siempre le había parecido que el Ari adulto estaba allí mismo, rodeado de mantitas y muñecos de peluche.

Tanto Kate como Tyler habían tardado mucho más en hablar. Kate no dijo una palabra hasta los tres años cuando, de repente, los ruiditos y las sonrisas se convirtieron en frases completas. Una mañana, Deirdre estaba haciendo el desayuno y Kate dijo de manera inesperada: «Un trozo de tostada para mí, por favor», como si llevara toda la vida eligiendo menú en el restaurante.

—¿Davis? ¡Davis! ¿Qué haces aquí mirando por mis ventanas? —dijo la voz de Meera a sus espaldas.

Él se volvió de inmediato, parapetado tras el pequeño arce.

—¡Ejem!, Meera, ¡ejem! —dijo mirándola a la cara mientras se apartaba cuidadosamente del macizo de flores. Intentó una respuesta ingeniosa, pero no se le ocurrió nada. Así que se quedó con la vista gacha, avergonzado y agradecido de que la oscuridad le cubriera el rostro.

Meera, haciendo caso omiso de su silencio, se plantó ante él con el abrigo puesto, el pelo despeinado y los ojos entrecerrados.

—He estado en Mount Diablo —le dijo—. He vuelto a ver a la niña. A Tyler y a Kate se las han llevado. Había periodistas en el aparcamiento.

Él siguió allí de pie, y de pronto se percató de que el aliento le olía a cerveza. Bajó la barbilla y procuró no echárselo a Meera.

—El policía me dijo que me fuera a casa. Que desapareciera hasta el día de la vista. Me dijo que ya había hecho bastante.

Meera le miró fijamente. Él sabía que se merecía que ella le diera un puñetazo con sus manitas morenas apretadas en un nudo de ira. Podía escupirle y arañarle, zaherirle con palabras hirientes, porque la dolorosa verdad era que él y sólo él era el culpable de todo. Aguantó la respiración y esperó el chaparrón.

Meera observó un coche que bajaba por Wildwood Drive y que hizo una maniobra perfecta marcha atrás en una entrada de coches para salir en el otro sentido volviendo a pasar ante la casa. Las luces del coche arrancaron destellos de su pelo y de sus pestañas. Suspiró.

—No sé qué hacer, Davis. Quiero llamar al abogado y presentarme yo misma en la cárcel y acabo en el hospital. Quiero entrar para estar con mis hijos y acabo aquí fuera, quitando malas hierbas y por si fuera poco me encuentro contigo merodeando por mis ventanas.

Davis se agachó sobre el césped, le dolían las rodillas. Meera se sentó a su lado. Miraban la calle vacía, ocupada sólo por los coches aparcados y los cubos de basura. Bajo la luz de las farolas revoloteaban mosquitos e insectos efímeros como pequeños temporales de nieve.

—Tengo el contestador lleno de mensajes que no puedo contestar. No he llamado a mi novia. Tenía miedo de encender la luz porque no quería que vinieras a decirme que tú tenías razón. —Meera asintió en silencio—. Y la tenías —le dijo.

—¡Por supuesto que tenía razón! ¿Cómo pudiste dejarlas aquí solas para que se las arreglaran como pudieran? Deirdre se hubiera horrorizado, las quería muchísimo.

Davis se sobresaltó al oír el nombre de su mujer, el nombre de la niña nueva, juntas para siempre.

—Yo también las quiero. Son todo lo que me queda.

—¡Pues vaya una manera de demostrarlo! Tus hijas no tienen a nadie que las guíe. Tú te has limitado a dejarlas aquí, a pesar de todos nuestros intentos de ayudarte. Todos lo hemos intentado, Rachael, las amigas de Deirdre, todos —le dijo Meera con voz temblorosa.

—Kate me lo ocultaba, Meera. Yo no podía adivinarlo —le contestó él a la defensiva.

—¿Y cómo ibas a adivinarlo, Davis? Si ni siquiera estabas por aquí, ¿qué querías ver? ¡Kate estaba embarazada de nueve meses hace semana y media! No puedo creerlo, qué situación más absurda… —Meera cerró los ojos, apretaba las palmas de las manos sobre sus muslos—. Sí, desde luego. Claro que tenía razón, tenía toda la razón. Lo estaba viendo venir, pero no fuimos capaces de verlo. O por lo menos, yo no fui capaz.

Davis se imaginó el cuerpo de Kate, la barriga hinchada, los pechos grávidos. Vio su ropa, amplia, oscura, informe. Vio su cara serena y apagada, su palidez, la papada bajo la barbilla, vio a Tyler hurgando en el cuerpo de su hermana para encontrar un nuevo ser, sacándolo y desatando el nudo de carne del vientre de Kate. Vio esos días tristes en que se habían encontrado solas las tres en el silencio de la casa abandonada.

—He hecho algo terrible. Tú tenías razón, Meera, siempre la tuviste.

—Sí, claro, y mira de que me ha servido en mi propio matrimonio.

Davis se sonrojó y luego se quedó helado pensando en la infidelidad matrimonial y en Kate con Sanjay.

—A Deirdre le parecería repugnante mi comportamiento —dijo Davis hundiendo la cabeza entre sus manos—. Deirdre nunca habría dejado que pasara esto.

—No, desde luego. Y muy probablemente le pareceríamos todos una panda de asquerosos: mi marido, que sedujo a tu hija; tú, que no te enteraste de nada de lo que ocurría y yo, que no hice nada por ayudarla. Pero Deirdre ya no está, Davis. Está muerta, y nosotros no podemos cambiar lo que hemos hecho —dijo Meera sin mirarlo, fijando la vista en el césped y luego en el pavimento que se extendía ante ella.

Él sacudió la cabeza y se tapó las mejillas y los oídos con las manos, como si quisiera detener sus pensamientos y las palabras de Meera. De alguna manera Deirdre tenía que estar todavía junto a ellos, contemplando los jardines, las casas, la gente que vivía en ellas. Debía de haberlo visto todo: la seducción, el parto, la detención. Debía de haber visto a las niñas saliendo del hospital sin él, conducidas a un hogar extraño. Tenía que haber gritado, que haber tendido los brazos, haberles sacudido a Meera y a ella, haberles suplicado que prestaran atención, que salvaran a Kate de la soledad y de Sanjay. ¿Cómo podía no haberlo visto todo, estando todavía tan presente, siendo una parte tan importante de su vida, de la de las niñas, incluso de la de Meera? Davis aún podía ver las plantas que su mujer le había traído a Meera para enseñarle cuáles eran las más apropiadas para este clima, ayudándola a protegerlas del viento, de la niebla y de los meses lluviosos. Su propia casa era como un museo de Deirdre, pensó, ahí estaban el papel pintado, las alfombras, las cortinas, la pintura de las paredes y las tapicería que ella había elegido. ¿Y cómo era posible que Deirdre no viera a Kate, con lo que se le parecía a ella, si movía los brazos y las manos con los mismos gestos que su madre? Era inevitable que alguien tan profundamente vital como Deirdre dejara su huella en los cuerpos, en la piel, en las telas, el papel, la madera y en las plantas que crecían en la cálida tierra.

Meera seguía con la mirada perdida y las manos inertes sobre su regazo en un gesto de cansancio. Davis habría deseado poder tocarla de alguna manera, rozar su mejilla o ponerle la mano sobre el hombro, pero se retrajo en sí mismo y empezó a llorar. Lloraba por sí mismo, borracho y empapado sobre el césped de la entrada de Meera; por su mujer traicionada en la muerte por aquellos que había amado tanto; por Meera, que ahora estaba sola porque él no había sido capaz de quedarse en casa, porque no había querido volver al dormitorio donde echaba demasiado en falta a su mujer. Lloraba por los horribles momentos que se había perdido, por la sangre derramada de su hija, por el miedo de su otra hija alzando un recién nacido ensangrentado en sus manos.

Más tarde, se preguntaría cuánto tiempo se pasó allí sentado, en el césped de Meera, a la luz de las farolas, y lo que más recordaría sería el silencio de ella, la forma en que le ayudó en su dolor no pronunciando una sola palabra. Se dio cuenta de que durante todo el día había estado intentando encontrar un tema, una frase para poderlo decir, para explicárselo a los compañeros de trabajo, a los amigos:

«¡Oh, ha sido un verdadero trauma! La sedujo el vecino mientras yo estaba en el trabajo. Es espantoso. Lo hemos demandado. No se va a librar de la cárcel». Aquellas palabras lo libraban de toda culpa, aquello no era culpa suya. Pero el aire de la noche y el silencio de Meera decían: «No, piénsalo bien», y eso fue lo que hizo, pensarlo, y la noche los envolvió como un manto de olvido.

Meera se sentó en el sofá al lado de Momta que dormía y escuchó el zumbido de la tele, una reposición de Matlock llena de ruidos y voces dramáticas, cólera y susurros. Había llevado primero a Ari y luego a Jaggu a la cama, arropándolos con las mantas y dejando la puerta de la habitación un poco entreabierta; luego volvió a sentarse en el sofá despacito y con cuidado. No se había quitado los zapatos ni el abrigo, que estaban húmedos, igual que su vestido, de haber estado sentada en la hierba con Davis; tenía los ojos secos y le parecía que le quemaban. Visualizó las venas rojas, la esclerótica oscura, la mirada brillante, y puso los dedos bajo el párpado inferior acariciando con las yemas las ojeras hinchadas de pena y de cansancio.

Suspiró, se frotó la frente y sintió un aliento ácido pasar entre sus labios resecos; hizo el gesto automático de ir a coger la crema de cacao del bolsillo de la izquierda y estuvo un rato untándose los labios.

Todo había sido mentira, y ahora comprendía que ella era la primera que había estado mintiendo para no tener que ver las cosas. Sanjay y ella nunca habían sido la familia con la que ella había fantaseado, unos profesionales de éxito que habían emigrado a Estados Unidos, que entendían el país, que lo habían hecho suyo, una pareja, y luego una familia que se movía al ritmo de aquel país enorme, apoyándose en universidades americanas y empleos americanos, porque todo lo demás era agua pasada y de Delhi sólo quedaba la comida, la ropa y los rituales de los fines de semana.

Meera se quitó los zapatos y sacudió las briznas de hierba de sus pies sobre la alfombra. Después se levantó, se quitó la bata de médico y la dejó sobre el sofá, aspirando casi por primera vez el perfume acre de sus axilas, picante y oscuro. Se volvió a sentar y Momta suspiró y se dio la vuelta con el sari enrollado a la cintura; llevaba las uñas de los pies pintadas de rosa y su piel era morena como una tostada.

«¿Qué tendría que haber hecho? —pensó Meera—, ¿qué habría tenido que hacer para evitar que Sanjay se fuera, que se fijara en una mujer tan niña, tan distinta de él que me avergüenza pensar en esos cuerpos de sudor, química y fuego tan diferentes…»

Meera pensó en el día en que Sanjay y ella se conocieron. Él la había hecho reír trayendo un vino americano inaceptable, Almaden, Gallo, que se bebieron acompañando a una comida todavía peor que el vino: burritos de fríjoles del puesto ambulante que había bajando la calle, y una pizza gomosa y repugnante con el doble de queso. En una ocasión, él la fue a recoger un sábado por la mañana y se la llevó a Bodega Bay, costa arriba, donde ponían aquella película terrible y perversa de los pájaros. Se pasearon por la bahía, en el Doran State Park y comieron en un restaurante llamado Tide Water Inn donde sorbieron una espesa sopa de almejas servida en unos cuencos del año del caldo. En otra ocasión, tomaron el ferry desde el muelle 46 a Alcatraz, y se pasearon por las mismas salas que los antiguos criminales; volvieron en el barco a San Francisco inundados de sol, con el poniente reflejado en el pelo y en los ojos.

Por las noches, Meera lo tocaba, y sentía su cuerpo suave y cálido, sus ojos tranquilos que resplandecían mientras la abrazaba. Cuánto le habría gustado abrirse a él y olvidarse de todo, del trabajo, de los estudios, de la familia, de su propio nombre y hasta de su piel y traerle a él, al aire que los envolvía y a su propia cama hacia su cuerpo, con la sensación de que lo necesitaba más que comer. Pero luego llegaba la mañana, las cinco y media, y había que desplazarse al trabajo, y asistir a una clase a las ocho, coger varios autobuses, comer con los colegas, hacer turnos de noche y guardias de treinta y seis horas. Lo más importante era siempre el puesto de residente y de interno, la carta de recomendación perfecta, el consejo ocasional a la hora de la comida; la cama era sólo para cuando había tiempo, necesidad urgente o propósito práctico, e incluso entonces, ella no podía dejar de pensar en los pacientes y en el hospital, el mundo del trabajo seguía girando en su cabeza como un disco rayado.

Más adelante, según lo previsto, llegaron los niños, los embarazos controlados al pie de la letra, las vitaminas adecuadas, las horas de sueño estipuladas, los atuendos perfectos para amamantar. Y según iban creciendo, ella los mantenía bajo un seguimiento casi clínico, los medía, los pesaba y seguía su desarrollo en casa, absolutamente resuelta a que nada pudiera fallar ni salirse de la normalidad establecida, para que ni ella ni los demás pudieran salirse lo más mínimo del rumbo fijado.

Lo que no estaba previsto era que Sanjay pudiera tener secretos. Lo que no había sabido ver eran las necesidades que su cuerpo ocultaba, las razones en su impasible rostro, los efluvios de melancólico y anhelante deseo que emanaban de su piel como un perfume. Durante todo aquel tiempo había pensado que él estaba siempre tras ella, que siempre había querido lo que ella quería, que los dos estaban de acuerdo respecto a la vida que llevaban allí, en Monte Veda, respecto a los niños, los trabajos de uno y de otro, acerca de cenar fuera un día sí y otro no, el templo, las amistades, las idas y venidas. En ese momento se puso en pie y el abrigo se le cayó al suelo, así que hizo unos estiramientos de espalda a sabiendas de que no estaba diciendo la verdad. Sanjay ya hacía tiempo que callaba, mucho antes de lo de Kate. Le contestaba con aspereza, con gesto colérico y luego se pasaba días sin abrir la boca. ¿Qué tendría que haber hecho? ¿Debería haber consultado a algún consejero matrimonial? ¿O tal vez a algún colega?

Meera pensó en los hombres que habían pretendido sus favores: Oscar García, Doug Jones, Inyoung Kim, hombres que habían deseado hacer el amor con ella sin conseguirlo: noches de café y pizza fría durante las guardias, charlas en la salita de personal, besos robados en el anexo de farmacia. Incluso ahora, ese Jim Ziegler de radiología, había que ver cómo le miraba las piernas y los pechos; le recordaba a los chicos que la seguían del colegio a casa. Pero nunca, ni una sola vez, ni en la facultad, ni durante los años de prácticas, ni ahora, se le había pasado por la cabeza entregarse a ellos, respirar sus olores, tan diferentes del de Sanjay. Estuvo a punto de echarse a reír. Tal vez hubiera debido hacerlo… A lo mejor se había perdido algo importante durante todos aquellos años, algo que Sanjay descubrió y de lo que disfrutó una y otra vez, algo que ella nunca conocería. Y ahora nunca llegaría a saber si realmente no se había equivocado rechazando una y otra vez todas aquellas proposiciones. Se preguntó si sería demasiado tarde. A lo mejor podía volver e intentar encontrar una respuesta en el cuerpo de los hombres.

Meera se acercó a la ventana, las medias sudadas se deslizaban por la alfombra; se preguntó adónde habría ido Davis. ¿Todavía tendría miedo de volver a casa y notar lo vacía y silenciosa que estaba desde que había muerto Deirdre? ¿O se habría quedado rondando por ahí fuera, deseando que no hubiera pasado nada? Meera sabía que podía haberle abofeteado, que tenía todo el derecho de hacerlo, y había algo que la empujaba a agarrarlo del cuello, ponerle los pies en la tierra y aporrearlo con sus puños huesudos. Era muy fácil echarle la culpa de todo, y ya lo había hecho en algún momento del día. De hecho, mientras conducía había estado susurrando cosas como: «Nos has destrozado la vida… Te lo dije, ¡te dije que podía pasar algo terrible y mira! ¿Por qué no me hiciste caso, Davis? ¡Loco, estúpido!».

Pero a la vez también sentía el impulso de buscar refugio en aquel cuerpo enorme, en aquellos brazos extraños, reposar allí olvidándose de todos los problemas, pasar sus manos sobre su arrugada camisa, aspirar el día terrible que él había tenido, las cervezas y la pena que le embargaban a partes iguales, y fundirla con su propia tristeza uniendo sus cuerpos como habían hecho Kate y Sanjay.

Pero en vez de eso le había dado lo que ella quería para sí misma: silencio. Un vacío sin palabras y sin juicios porque ella aún no tenía todavía claro a quién podía echarle la culpa de todo aquello y no había querido empezar en ese momento ya que sospechaba que era ella la que se había equivocado. El llanto de Davis y el césped húmedo la habían dejado vacía e insegura, pero tenía la esperanza de encontrar pronto la manera de aclarar todo aquello, de dejarlo todo bien atado, sin cabos sueltos, para que no se le escapara de las manos.

Momta se movió y se sentó en el sofá, quitándose el pelo de la cara, y ajustándose el sari sobre el hombro.

—Meera, no te he oído entrar. ¿Cómo está Sanju? ¿Qué ha ocurrido?

—No lo he visto —dijo Meera—. Fui al hospital a ver otra vez a la niña. —Momta no dijo nada, la miraba con cara inexpresiva—. Me recuerda a mis hijos. Se parece a ellos, de pequeñitos. Creo que tiene la cara y los ojos de Sanjay.

Momta la tomó de la mano.

—¿Qué va a ser de ella? ¿Y Sanjay, qué le pasará?

Meera sacudió la cabeza.

—No lo sé. No sé lo que nos va a pasar a ninguno de nosotros.

Sanjay llevaba puesta la ropa de la cárcel del condado de Orange, esa con la que salían vestidos los presos en las noticias de las seis del canal siete, aquellos supuestos criminales que sacaban y metían de las salas de juicio, con las manos esposadas a la espalda, y a veces con las piernas cargadas de cadenas. Nadie le había puesto las esposas, por ahora, y en ese momento su abogado, Zack Samuels, hermano de un compañero de la refinería, estaba sentado frente a él del otro lado de una mesa de metal, sacando papeles de un maletín y encendiendo un ordenador portátil.

—Bueno, la mala noticia es que acaban de aprobar una ley que castiga el estupro con penas de cárcel. Es por todos esos casos de malos tratos a menores, por la ley Megan, el secuestro de Polly Klaas, el rapto y asesinato de las niñas Sund, Christina Wiliams… Ya sabe.

Sanjay sintió que se le revolvía todo el cuerpo, le dio una arcada como si se le subiera a la boca el estómago y la bilis. En ningún momento en los últimos nueve meses después de la última tarde con Kate se le había ocurrido pensar en sí mismo; ingenuo, corto, egoísta, podía admitirlo, pero desde luego no podía considerarse en el bando de los pedófilos y asesinos. ¿Acaso era él como aquellos hombres que le obligaban a poner dos y tres seguros en las ventanas del cuarto de Jaggu y Ari? ¿Era tan malo como los hombres que veía entrar en las librerías de adultos al lado de la refinería y que se metían allí después del trabajo con sus trajes de chaleco?

—¿Cómo se traduce exactamente eso en términos penales? —preguntó Sanjay cuando recobró el habla.

—Bueno —dijo Zack—, eso es lo que hay que ver. Hay atenuantes, cosas que pueden influir en el juez y en el jurado. Por ejemplo, si fue ella quien empezó la relación, si no la forzó o manipuló…, ese tipo de cosas. Pero esperemos que no tengamos que ir siquiera a juicio.

—¿Y qué pasará con el bebé?

—Por lo que yo sé el bebé ha sido entregado en acogida mientras dure la investigación. A la madre y a la hermana de la madre las van a mandar a un centro de acogida.

El padre probablemente tenga que presentarse ante el juez si quiere recuperar la custodia de sus hijas y la de su nieta.

Sanjay se preguntaba qué hora sería. No habría podido decir si habían pasado años o sólo unos minutos desde que Meera le dijera: «Esto es demasiado, Sanjay». Y con todo aquello, apenas sí podía recordar la tibia piel de Kate, ni si había sido por eso por lo que había empezado todo. ¿Porque a quién si no podía cargarle con la culpa de todo aquello? ¿A Meera por ser tan ambiciosa? ¿A Davis por no estar nunca en casa? ¿A Kate por aquellas piernas y aquellos brazos tan largos? En realidad toda la culpa era de Deirdre, porque ¿a quién se le ocurría morirse dejándolos así a todos? ¿Cómo iba a culparse él de los cambios que estaban sucediendo en todas aquellas vidas? ¿Cómo podía vivir sabiendo que en el momento en que se abrió a lo que necesitaba para seguir vivo, lo había echado todo a perder? Sanjay no podía siquiera pensar en sus hijos, que probablemente en esos momentos estarían en la cocina inmaculada de su casa con Meera, sentados ante un tazón de cereales, y embobados con algún dinosaurio morado que bailaba y cantaba en la pantalla para evitar que nadie pudiera pararse a pensar.

Apoyó la cabeza sobre el frío metal de la mesa y notó que su frente estaba grasienta. Se preguntó cómo funcionaría allí lo de la ducha, y estuvo a punto de sonreír recordando las palabras de su primer amigo estadounidense, Alex: «Tío, tienes que llevarte este jabón con cuerda a las duchas del dormitorio. Esto es como la cárcel, no te conviene agacharte, ¿sabes lo que te digo, no?». Sanjay sacudió la cabeza, de pronto la broma había dejado de tener gracia.

—También vamos a pedir una prueba de paternidad, por si acaso…

Sanjay se sentó.

—No hace falta. Estoy seguro de que soy el padre. De hecho estoy seguro de que nunca había estado con un hombre.

Zack le miró por encima de sus apuntes.

—Sí, seguro. Pero el tribunal querrá saber quién es el padre con toda certeza, y no fundar una decisión tan importante en una mera apreciación sobre el color de la piel.

Sanjay echó a andar a pasitos de un lado a otro de la habitación.

—Comprendo. Pero no quiero que Kate aparezca como alguien… despreciable —estuvo a punto de decir «tan despreciable como yo», pero rectificó—: No quiero que las cosas vayan por ahí. No quiero empeorar la situación.

—Oye, Sanjay, esto no es una situación. Estamos hablando de tu vida, de tu familia, de tu trabajo. De qué vas a vivir cuando pase todo esto. Estamos hablando tal vez de la cárcel. Puede que tengas todavía algún sentimiento de afecto por esa muchacha, pero tienes que dejarlo de lado. Estamos hablando de ti y de tu familia —dijo Zack, y sus ojos negros eran sinceros, los ojos de un amigo, de alguien que se preocupaba por él.

—Pero el bebé es mío —dijo Sanjay recordando aquel cuerpecito, los delicados signos de vida bajo la piel de la niña, sus latidos y el ruidito que hacían contra sus costillas.

—Claro, por supuesto. Pero siéntate. Tenemos que hacer lo del test, sólo para quedarnos tranquilos.

Sanjay no se sentó, iba de un lado a otro del cuarto.

—Mira, todo esto es culpa mía. No puedo echarle la culpa a nadie más que a mí. Que Davis no estuviera en casa y que ella se mostrara receptiva no significa que yo pudiera hacer lo que me apeteciera. Ocurrió por mi culpa. El adulto era yo. Quiero declararme culpable.

Zack se echó sobre el respaldo de la silla.

—Puede que sea cierto, Sanjay. Por supuesto que podemos presentarnos mañana por la mañana ante el juez y declararte culpable de estupro. Pero ¿qué vas a conseguir con eso? Acabar en la lista de agresores sexuales, ¿eso es lo que quieres? No, y te advierto que nos va a costar bastante evitarlo. Si te declaras culpable, te condenarán inmediatamente, y puede que a una pena larga. Pero, si hay caso, puedo luchar para reducirla al máximo, hasta puede que no tengas que ir a la cárcel, que no entres en la lista… Hay atenuantes. No fue sólo culpa tuya, está su padre, que también es adulto y participó en todo el asunto.

Zack siguió hablando y Sanjay se apoyó contra la pared color cemento, abriendo su pecho a la oscuridad, a los duros términos jurídicos, a la triste idea de que nunca podría reconstruir su relación con todas aquellas personas, de que tendría suerte si conseguía salvar su matrimonio, amarrar sus sentimientos a los de Meera y confiar en que aquello no se fuera a pique. Pensó en el bebé, aquel cuerpecito diminuto que había tenido en sus brazos sólo diez minutos, cómo le olía la piel a arena limpia, los ruiditos que había hecho en su cuello y cómo la había cogido haciendo de sus manos una especie de coraza articulada que ajustó a la espalda de la criatura.

Suspiró, recordando que había sentido lo mismo al tomar en sus brazos a sus hijos recién nacidos, primero Jagdish y luego Ardashir. Olían exactamente igual que la nueva Deirdre, habían hecho los mismos ruiditos y él los había protegido de la misma manera con su cuerpo.

Sabía que nada volvería a ser igual, por mucho que hiciera Zack. Meera no podría llegar a olvidarlo nunca, y él tampoco, sobre todo porque había por medio una niña, que estaría esperando a que algún día él la reconociera como hija suya. Mañana mismo, todos sus compañeros de la refinería se enterarían de la historia, que Jordan, el hermano de Zack, se apresuraría a contar, sin mala idea, pero con cierta gracia. Y luego, acabarían enterándose todos los fieles del templo, los tenderos, y la gente del club de tenis de Sleepy Hollow. Meera no podría ir a comprar al súper de Safeway sin ser objeto de cuchicheos y ojeadas, miradas repugnantes que dirían. «Ahí va, la mujer del pedófilo, el violador, ese enfermo que ha dejado embarazada a una niña, ¡a una niña!» Y también sabía que probablemente ya habría aparecido algún reportero del periódico *India Journal*, y que andaría esperando en algún lugar del edificio, o incluso en el hospital, para conseguir una buena historia, algo horrible que poder dar a sus lectores. No hacía ni una semana habían sacado una historia a propósito de una familia india pobre de New Jersey. Los padres trabajaban todo el día por el salario mínimo y casi no podían pagar el apartamentito de un dormitorio en el que vivían. Los dos hijos, un chico de diecisiete y una niña de doce dormían en la misma habitación y se habían acostado juntos. Ahora la niña estaba embarazada y Sanjay y Meera habían seguido los detalles pormenorizados en la cadena india *Namaste American* y leído reportajes sobre aquella desgraciada familia en el *Journal*.

Pues bien, su historia resultaría igual de interesante, sólo que más escandalosa porque él pertenecía a una familia adinerada de Nueva Delhi. Se imaginó cómo los hechos daban la vuelta al mundo y salían en las páginas del *Ajj* y del *Pragati*. Y para mayor vergüenza todos los leían. Suspiró, consciente de que para su familia sería todavía peor que se declarara culpable, reconociendo públicamente lo que había hecho con Kate.

—Déjame explicarte que tendremos que discutir sobre la seducción, mostrar que ella estaba deseándolo, que participó activamente, que le gustó. Puede que te resulte desagradable, pero tú lo que quieres es volver a casa con tu mujer y tus hijos. Piensa en tu familia, Sanjay.

Él se dio la vuelta, asintió con la cabeza y volvió hacia la mesa. Se sentó y miró a Zack, preguntándose si sería posible lidiar con semejantes historias y vivir luego con ellas. Si abandonaba a Kate y a la niña podría seguir con una vida que no le satisfacía, pero que era la suya, la adecuada.

—De acuerdo —dijo.

—Bueno, pues vamos a ello —dijo Zack deshaciéndose el nudo de la corbata y encendiendo el ordenador portátil—. Adelante, cuéntame cómo empezó todo.

Por la noche, la cárcel del condado vibraba con el eco de demasiados sonidos que reverberaban en las paredes, las camas y las rejas. Toda la noche se oían ruidos apagados, puertas de metal que golpeaban, repiqueteos contra las rejas, gritos, sollozos y cuchicheos. A Sanjay los sonidos se le antojaban tan cercanos que llegó a preguntarse si no provendrían de su interior, de su cabeza. Pero luego el ruido se acalló, y en su lugar aparecieron los recuerdos haciendo más ruido aún, un pasado tan espantoso como los ruidos que le asaltaban desde todas partes mientras yacía allí, en el camastro, cubierto por una manta áspera de color tabaco.

Sabía que no iba a pegar ojo. Ni aquella noche, ni ninguna de las que estuviera allí hasta la vista. Y luego, cómo podría dormir en la misma cama que Meera ahora que ella sabía que una cría había usurpado su lugar en el lecho conyugal, por breves que hubieran sido esos encuentros. Sanjay trataba de dejar la mente en blanco, de liberarse de cualquier tipo de pensamiento, intentando asimilar con su cuerpo y su mente el aspecto gris de la vida y los ruidos que los rodeaban, pero se distraía de este propósito, olvidando su vigilia y pensando en Deirdre.

Otras veces, antes de lo de Kate, cuando pensaba en Deirdre, cuando se atrevía a hacerlo, lo que siempre recordaba eran sus manos. Cuando la veía llenar de leche los vasos de los niños durante la cena, o sacar aleluyas amarillas de entre los barrotes de la valla, siempre pensaba que había algo misterioso bajo su piel, no sólo huesos, sino una fuerza, una dirección que las orientaba hacia donde era necesario, que hacía que los niños se criaran fuertes, y que la casa estuviera tan agradable y bien decorada como él nunca hubiera podía concebir, ni tampoco Meera. Bajo los rollitos de carne morena del bebé los huesos revelaban también aquella destreza, pero en Deirdre había algo más, una especie de magia que él no había logrado entender.

—¡Ay, Sanjay! —solía decir ella riéndose mientras le ponía la mano sobre el hombro cuando él le hacía alguna pregunta. Los ojos de Deirdre eran del color del oro bajo el sol, tan brillantes que tenía que apartar los suyos. Pero cuánto deseaba mirarla, mantenerse firme, encorvarse ligeramente para abrazarla contra su pecho... Sanjay tenía la certeza casi absoluta de que ella le habría rechazado y él no se habría arriesgado nunca a semejante rechazo porque sabía que eso hubiera significado perder para siempre su sonrisa, el contacto de su mano en el hombro, las largas conversaciones en las tibias noches durante las cuales casi podía olvidarse de la presencia de Davis y de Meera.

Una vez, Sanjay creyó percibir algo más, una chispa de atracción, un destello de deseo, el reconocimiento de sus propios sentimientos. Estaban a la puerta de un atestado restaurante del centro, Casa Orinda, esperando a que Davis recogiera el coche que habían dejado aparcado al lado del cine. Meera, embarazada de Ari, se hallaba en un congreso médico en Los Ángeles y Tyler y Kate se habían quedado en casa cuidando de Jaggu, que entonces tenía un año. Los carteles del cine anunciaban *Waterworld* y la gente pasaba al lado de ellos riéndose y tratando de imaginarse de qué iba la película, mientras Deirdre y Sanjay se apretaban contra la pared del restaurante empujados por las voces y los ruidos de pasos sobre el pavimento.

A todo esto, él se encontró de pronto hablando, de nada en particular, hablando por hablar, para seguir mirándola el mayor tiempo posible. Puede que ella no fuera hermosa. Desde luego no tanto como Meera, su cuerpo era menos menudo y más pesado, su cutis, como suele suceder con los anglosajones, presentaba manchas rojas en las mejillas y cerca de las aletas de la nariz, pero cuando sonreía, sus ojos conseguían que su cara resultara perfecta iluminada con un resplandor que él nunca había visto antes, dándole un aura de emoción que él pensaba que hubiera podido tocar con las yemas de sus dedos.

Aquella noche había sacudido la cabeza y lo había mirado mientras lo tomaba de la mano apretando sus dedos encogidos en el hueco de su mano. Él le agarró la mano y la apretó a su vez. Tal vez ella pensara que intentaba consolarla de la enfermedad que le acababan de diagnosticar, o tal vez fue algo más.

Deirdre se llevó la mano de Sanjay a la cara y la apoyó contra su mejilla.

—Sanjay —dijo—, si tú supieras…

Sintió que se le abría el pecho, el corazón se le disparó y se quedó sin respiración, pero en ese momento empezó a acercarse la gente que iba a entrar al cine y luego apareció Davis con el coche, tocó el claxon, y un instante después Deirdre ya estaba sentada cerrando la puerta del BMW mientras que Sanjay todavía sentía arder en el dorso de la mano el contacto de su piel, una sensación tan vívida y real que muchos años después aún se miraba la mano, asombrado de no ver en ella ninguna cicatriz.

Pero ella nunca le dijo nada más, y luego se puso enferma, muy enferma y todo lo que podía hacer ahora era recordar cómo había sido la Deirdre de antes. Algunas veces, por las noches, cuando Meera y los niños dormían, yacía despierto en la cama y se imaginaba cómo sería tocarla, tocar a la mujer de su vecino, la mujer que había enseñado a su propia esposa las costumbres en Estados Unidos y cómo trabajar allí la tierra. Pero incluso en sus fantasías retenía las manos que nunca llegaban a tocar aquellos maravillosos y pesados pechos o su vientre redondo, y se echaba atrás, porque ni en sueños era capaz de fundirse con el cuerpo de ella.

Así que se imaginaba que él era Davis, que de repente crecía y se llenaba de pecas, y así podía acercarse al cuerpo de su esposa de todos los días, taparla en la oscuridad con su propio cuerpo y acariciarla por donde quisiera. Con estos pensamientos, Sanjay atraía a Meera hacia sí escuchando los ruiditos que hacía en su sueño mientras sentía su propio cuerpo vibrar de amor por otra mujer. Pasaba lentamente las manos por sus menudas nalgas y se las figuraba grandes y algo caídas, y seguía las largas y plenas curvas de una esposa imaginaria, la esposa que nunca tendría, una esposa a la que nunca podría tocar ni entender.

Cuando la enfermedad de Deirdre se hizo tan evidente que nadie podía ignorar su cara cansada y cenicienta, Sanjay sintió de pronto cierto alivio al ver que su cuerpo ya no resultaba tan mágico, ya que el veneno que se la comía por dentro y sus huesudas manos la habían hecho desaparecer del todo. Sin embargo, cuando algún tiempo después vio los esfuerzos que hacía por salir a trabajar el jardín después de las sesiones de quimioterapia, tragó saliva y se sintió terriblemente culpable y habría deseado poder volver a colocarle el pelo sobre la cabeza y la carne bajo la piel. A veces la veía cruzar el patio y detenerse de pronto para agarrarse a lo que tuviera más a mano, esperando que pasara el vértigo maléfico, con la cabeza gacha, y la mano crispada sobre su apoyo. «A lo mejor puedo tomarla ahora entre mis brazos —pensaba—. A lo mejor me deja que apoye su cabeza sobre mi pecho. A lo mejor vuelve a tomar mi mano y me dice lo que quería decirme.» Pero en vez de eso la saludaba con la mano, sonreía y le preguntaba: «¿Cómo estás? ¿Te encuentras bien?» o decía: «Hace un día precioso para disfrutar del jardín». También iba a casa de Deirdre llevando comida preparada por Meera, *matar banir* o *puri sabji*, y se la daba a Tyler o a Kate, alargando el cuello hacia el salón donde reposaba Deirdre. «¿Cómo está?», preguntaba con la esperanza de que contestara ella misma.

Sanjay estaba seguro de que Meera nunca supo lo que sentía por ella y él no la dejó ver cómo lloró después del funeral. Le dijo a Meera que tenía que ir a la refinería, cogió unos papeles del despacho y se fue con el coche por la autopista 24 hacia el sur; a punto estuvo de perderse por unos parajes desconocidos del condado de Contra Costa, entre campos de fresas y tomates que desfilaban por las ventanillas como pintorescas postales.

Tiempo después, no sabía exactamente si habían pasado meses o quizás un año, se volvió a mirar a Kate al oírla reír de los chistes tontos de Jaggu, vio en ella a Deirdre, reencarnada en un cuerpo más joven, igual de largo, con los mismos ojos color chocolate, y la melena castaña suelta por los hombros como brazos oscuros que la abrazaran. Por supuesto sabía que Kate no era Deirdre porque, a diferencia de su madre, ella se le acercó, recostó su cuerpo contra el suyo, tomó sus manos, su rostro y sus manos y no se conformó con ello. Aun así, por las tardes, a oscuras en la habitación, él sentía que tenía entre sus brazos a la madre y que podía acariciar aquella piel que nunca se había atrevido a tocar.

La forma en que se abrió su cuerpo

Había tres camas gemelas en la habitación, pero sólo iban a dormir en ella Tyler y Kate porque aquella misma mañana se había marchado otra chica.

—Es lo que pasa siempre —dijo Ruth tendiendo una sábana que ondeó como una vela sobre la cama, remetiéndola con precisión por las esquinas—. A ver, pásame esa otra sábana y las mantas. Vamos, que se va esa chica a su casa y a las dos horas me llama Cynthia y me dice: «Ruth, te voy a mandar dos chicas». Me alegré de poderle decir que sí tenía sitio, una habitación aparte. Cynthia y yo fuimos juntas al instituto.

Kate se acordó de sonreír tratando de concentrarse en evitar que se le saliera la leche de los pechos mientras escuchaba distraídamente la cháchara de aquella mujer deseando que aquello parara, que dejara de salir leche. Tyler estaba a su lado y se reía con Ruth mientras le alargaba las sábanas y las mantas. Kate le dirigió a su hermana una mirada fulminante entrecerrando los ojos; se preguntaba de nuevo cómo era posible que estuviera tan contenta y risueña mientras, en algún lugar de Concord, a Deirdre la acunaba otra mujer, una mujer a la que Kate no querría ver en su vida. No quería que le tuvieran lástima, como a la desgraciada que no había sido capaz de montárselo mejor;

no quería sentirse juzgada por alguien que la justicia había decidido que estaba mejor cualificada que ella para hacerse cargo de su propia hija. Sacudió la cabeza, deseando que Tyler se callara, que se callara de una vez.

—¿Qué ocurre, cielo? Pareces incómoda —le dijo Ruth.

—Bueno, verás, he tenido un bebé y Cynthia me dio este sacaleches, pero tenía prisa. Me dijo que tú sabías cómo había que usarlo.

Ruth acabó de remeter la manta, se acercó a Kate y le puso la mano en el hombro, luego se volvió hacia Tyler.

—¿Por qué no te preparas para meterte en la cama? El cuarto de baño está ahí, al otro lado del pasillo. Hay otros dos chavales durmiendo en las habitaciones que dan al pasillo, así que anda de puntillas. Y tú Kate, ven conmigo.

Ella echó a andar detrás de Ruth siguiendo el rotundo trasero de la señora por el pasillo, y fijándose en la cadencia de sus nalgas, arriba, abajo, acompañando cada paso con un movimiento de codos.

—Bien, este es mi cuarto. Cierra la puerta. ¿Tienes el sacaleches?

—Sí —contestó Kate tendiéndole aquel extraño cacharro de plástico.

—Fíjate, es estupendo que los de menores tengan la tecnología más avanzada, ¿verdad? No, en serio, ya verás cómo funciona. En un par de días estarás produciendo más leche que la suiza favorita de mi hermano. ¿Tienes bolsitas o voy a buscar una a la cocina?

—Cynthia me dio estas —dijo Kate mostrando las que llevaba en la mano.

—Muy bien. Bueno esto es como cualquier actividad deportiva, hay que tener el atuendo adecuado, que en este caso es quitarse la camisa y el sujetador. Por mí no te cortes porque he visto de todo en esta vida. —Kate se ruborizó, pero tenía los pechos como piedras y le dolían, así que se quitó el abrigo y la camisa, se soltó el sujetador de amamantar, que estaba empapado, y se quedó frente a Ruth con los brazos cruzados—. Vale, ahora tienes que hacerte a la idea de que la fuerza de gravedad es tu mejor ayuda. No tienes bebé que te saque la leche, sólo el hábito y la gravedad, así que te pones así. —Ruth separó ligeramente las piernas— y te inclinas un poco para que te cuelguen los pechos. Como si fueras una vaca. Ahora ponte el sacaleches en el pezón derecho, así. Y ahora despacito tira de él para abajo. ¿Notas la succión?

—Sí —dijo Kate sintiéndose patéticamente ridícula mientras se colocaba el sacaleches sobre el pecho.

—Muy bien, pues ahora despacito tiras y vuelves a apretar, y tiras y vuelves a apretar. Es cosa de coger el ritmo —dijo Ruth a dos palmos del pecho de Kate con los ojos fijos en el sacaleches.

—Noto algo —dijo Kate sorprendida al sentir cómo succionaba el aparato.

—Ya está saliendo.

—¡Anda! —exclamó Kate, relajándose al sentir el hormigueo de la leche que afluía a sus pezones—. ¡No me imaginaba que salía así!

Se quedó mirando la leche que salpicaba como los aspersores que su padre había instalado en el césped del jardín delantero y caía haciendo churretes por los lados del recipiente.

Ruth se sentó.

—Ahora que ya ha salido la leche, el otro te será más fácil. Lo más difícil es que salga, lo demás no es más que darle a la mano. Puedes sentarte ya, cielo —añadió.

Kate se dirigió torpemente hacia la cama sin dejar de bombear.

—Está casi lleno.

—Dímelo cuando esté lleno para que lo eche en la bolsita y luego te pones con el otro. ¿Qué tiempo tiene tu bebé?

—Casi dos semanas —dijo Kate con la vista fija en la leche amarillenta. «Parece que estuviera echando nata», pensó asombrada de sus cualidades.

—Así que la leche te subió hace una semana, más o menos. Estupendo. El bebé tomó pecho esa primera semana, que es muy importante, por lo de los anticuerpos y todo eso —dijo Ruth cogiendo el sacaleches lleno y echando la leche en la bolsa—. ¡Fíjate! Con eso hay ya para una toma. Pero hazlo también con el otro. No querrás que se te infecte… Voy a meterlo en el congelador. No te entretengas; seguro que estás cansada. Ahora mismo vuelvo.

Ruth se llevó la leche a la cocina y Kate se sacó la leche del pecho izquierdo. «Es como lo del sexo», pensó, adentro, afuera, adentro, afuera, mientras el líquido salía a golpes del pezón. Qué distinto era cuando Deirdre mamaba… Bastaba con que la niña bostezara, eructara o piara un poco para que saliera inmediatamente la leche y alimentarla. Aquello del plástico en cambio resultaba falso, obsceno, todo lo contrario de lo que debía ser que su niña mamara, primero de un pecho, luego del otro. Le gustaba la forma en que Deirdre se quedaba dormida al acabar, con la boquita entreabierta, dejando ver la lengua que todavía hacía el gesto de succionar. A Kate le parecía imposible no tenerla, ¿cómo podían habérsela quitado?

Sacudió la cabeza para dejar de ver la película que había empezado a hacerse durante el viaje en el coche de policía. Era la historia de una pobre chica maltratada por la vida que le había arrebatado a todos sus seres queridos. Kate se veía en la pantalla, sola, con la melena desmadejada por el viento mientras sonaban melancólicos violines. No pasaba nada más, era sólo esa escena, con la cámara avanzando hacia un primer plano, su figura recortada contra el cielo gris, sin bebé, sin madre, sin padre. Ni siquiera le quedaba Tyler, sólo ella, ella sola, parpadeando bajo su imagen como un subtítulo.

—Basta ya —dijo. Se enjugó las lágrimas que le caían por la mejilla y dejó el sacaleches sobre la mesilla de noche de Ruth, al lado de un catálogo de instrumentos agrícolas y un *National Enquirer*.

Miró a su alrededor el papel pintado marrón con dibujos de cachemira color tabaco, las fotos de ovejas y caballos, y un gato naranja acurrucado a los pies de la cama. Se dio cuenta de pronto de que tenía frío y se puso la blusa que abotonó sobre los pechos ahora vacíos; se los apretó aliviada de que ya no estuvieran hinchados ni doloridos.

—Muy bien. Esta también la vamos a llevar a la cocina. Venga —dijo Ruth asomándose por la puerta y volviendo a desaparecer. Kate cogió el sacaleches y la siguió por el oscuro pasillo hacia la cocina—. Las almacenaremos en el congelador y nos las llevaremos cuando vayas a visitar a la niña. Las llevaremos en una neverita.

Kate se sentó, agotada, el pelo sucio y despeinado le colgaba a los lados de la cara.

—Como un picnic —dijo.

—Bueno, podría decirse —dijo Ruth sonriendo—. Pero la asistente social se las llevará a la casa de acogida cuando vaya a visitar al bebé y la mamá adoptiva la alimentará con tu leche. Así cuando te la devuelvan será como si nunca os hubierais separado.

Kate levantó la mirada, en sus ojos parecieron despejarse las nieblas de aquel larguísimo y terrible día.

—¿Quieres decir que me la devolverán? ¿Me la dejarán? ¿Cuándo? ¿Estás segura?

Ruth cerró el congelador.

—¡Ay, cielo! Realmente no lo sé. No debería haberte dicho eso. Mi trabajo se limita a cuidar de Tyler y de ti. Pero no tires la toalla.

—Ya —dijo Kate. Se preguntaba si habría en todo el mundo alguien que pudiera responder a sus preguntas.

—Tienes que dejar que Cynthia haga su trabajo. Lo hace muy bien —dijo Ruth.

—Sí, me ha quitado la niña. Se la ha llevado de la cuna, en el hospital, delante de mis narices —dijo Kate—. Ni siquiera ha querido escuchar lo que tenía que decirle.

Ruth se volvió a mirarla con ojos tiernos desde el fregadero y Kate deseó poder confiar en ellos.

—No es fácil quitarle un bebé a su madre. Cynthia no es mala persona, pero las reglas son las reglas, tiene que cumplirlas. Llevo años cuidando de muchos chicos y chicas, y créeme, es cuestión de tiempo. El problema es el tiempo. Pasa tan despacio, el condenado…

Kate alzó la vista y se quedó mirando a Ruth mientras esta lavaba el sacaleches con agua y jabón y lo ponía a secar sobre la encimera. Se preguntó por qué acogía en su casa a chicos como Tyler y ella, con todos los problemas que tenían: pechos doloridos, malos ánimos y peores familias. Como Ruth ya había visto todo aquello otras veces, a lo mejor sabría explicarle a Kate qué extraña corriente las había llevado a Tyler y a ella a su casa aquella noche, sin bebé, sin padre y sin madre.

—¿Ruth? —dijo Kate deseando que se diera la vuelta para poder mirar de nuevo esos ojos marrones, esa piel pecosa y esas manos grandes de gruesas muñecas asomando por el jersey rojo.

—¿Sí? —contestó esta secándose las manos, como si estuviera esperando precisamente esas preguntas.

Kate tragó saliva, sentía la garganta seca y encogida.

—¿Puedo ducharme? Me encuentro fatal.

—Claro, cielo. Deja que te dé unas toallas y esas cosas. Sígueme. Estamos todos machacados.

Kate estuvo casi media hora bajo la ducha, enjabonándose el cuerpo, tratando de limpiarse de todos los olores a hospital, sudor, grasa y a leche que parecían envolverla como un perfume. Se lavó tres veces la cabeza, mirando cómo se iban por el sumidero oscuros puñados de pelo. Sabía que eso pasaba después del parto, pero era otra cosa que había que perder, el vello oscuro que le había crecido en la espalda durante el embarazo. Se frotó la cara con un jabón para el acné que encontró en la ducha haciendo movimientos circulares con los dedos mucho rato, figurándose cómo iba quitándose toda la grasa. Finalmente cerró el grifo de agua caliente y se quedó inmóvil bajo el chorro frío, sin aliento, dejando que el agua le cayera sobre la coronilla, los pechos y todos los poros de su cuerpo, y sintiendo cómo se le iba encogiendo todo.

Se envolvió en una toalla y se puso otra en la cabeza, apagó la luz y fue a tientas por el pasillo hasta el dormitorio. Tyler dormía en su cama. Acabó de secarse y se puso el pijama que Cynthia le había pedido a otra asistente social que metiera en una bolsa junto con las camisetas, vaqueros, braguitas y sujetadores y unas cazadoras. Kate se preguntó qué impresión haría entrar en una casa ajena y abrir los cajones adivinando cuál es el de los calcetines y de quién es cada cepillo de dientes. Pero ahí estaba todo, su tónico, su pasta de dientes y hasta las maxicompresas que había escondido detrás de la taza del váter.

Se sentó en la cama mientras se cepillaba el pelo, y miró por la ventana los campos donde apenas si apuntaban los primeros brotes que brillaban bajo el claro de luna. Dejó de cepillarse porque se percató de que era incapaz de seguir moviendo el brazo. Se tumbó en la cama, se tapó con la colcha de punto, segura de que no sería más que un momento, y dejó que el resplandor de la luna iluminara el paisaje de su cuerpo.

Abrió los ojos. Se sentó en la cama presa de pánico, sin saber dónde estaba, en la oscura habitación que reverberaba con la luz azulada de la luna de madrugada. «¡Deirdre! —pensó—. ¿Estará llorando? ¡Me necesita!» Se levantó, con los pies desnudos sobre el suelo frío y de repente todo le volvió, el largo día, el hospital, el coche de policía, y Deirdre. No estaba allí.

Kate miró el reloj: sólo había pasado una hora, pero tenía la sensación de haber dormido más, notaba el cuerpo en tensión y sentía pinchazos en el estómago; lo tenía revuelto. La casa estaba en silencio, no se oían grifos gotear, ni se veía luz bajo la puerta cerrada de los dormitorios de los otros niños. Oía la respiración de su hermana, pero Tyler no se rebullía.

Se quitó la colcha, fue a la ventana y vio la silueta de un establo, una cerca y un camión. La abrió con cuidado para no hacer demasiado ruido y aspiró el olor a bestias, a heno y a estiércol sintiendo de pronto el deseo de que se hiciera de día para poder salir a acariciar a los animales, como hacía de pequeña cuando sus padres las llevaban a ver los animales de la granja del zoo. Quería tener entre sus brazos algún animalito blandito y cálido y poder acariciarlo: un conejo, una oveja, un cabrito que buscara en la palma de su mano algo para comer. Cuando era pequeña, después de ver el tachonado leopardo y el búfalo, sus padres compraban entradas para poder entrar en la zona dedicada a los animales domesticados y les compraban unos cucuruchos llenos de bolitas verdes de comida para dárselos de comer, mientras las cabritas les mordisqueaban el bajo del vestido y las miraban con los ojos humedecidos. Ellas les daban de comer las bolitas y luego también los cucuruchos y no sólo a las cabras, sino también a las ovejas, al buey almizclero, y a veces incluso al jabalí, que las miraba con ojos aviesos desde un rincón de su cercadillo. Allí olía a orines, heno y alfalfa, a boñigas, a tierra y a sudor humano idéntico al que ella percibía en aquel momento.

—Tyler —susurró Kate—, ¿estás despierta?

Su hermana se revolvió y sus ojos brillaron en la oscuridad del cuarto.

—Sí, no puedo dormir.

—Yo tampoco.

—¿Quieres que hablemos? —le preguntó apoyándose sobre un codo.

—No. Oye, ahí fuera hay animales. Los estoy oyendo. Vamos a verlos. Nos calzamos y salimos.

Tyler dio otra vuelta, quitándose el pelo de la cara.

—¿Qué?

—Es como los animales de la granja del zoo. Creo que hay vacas, corderos, gallinas…, y todo eso.

—Kate, no deberíamos salir —dijo Tyler bostezando.

—Bueno, pues yo voy a ver.

—Te vas a meter en líos. ¿Qué pasa si nos echan de aquí también?

—Sólo voy a salir un momento. No me voy a escapar ni nada. Tú quédate si quieres —le dijo mientras se ataba los cordones de las Keds y se ponía un jersey.

—Vale, vale. Espera un momento. ¡Jo, pero mira que eres! —contestó Tyler buscando los zapatos bajo la cama.

Fuera, la luna brillaba tras una hilera de abetos. Rondaban los murciélagos girando en círculos ciegos y Tyler se pegó a Kate mientras caminaban cautelosas sobre el frío suelo.

—Eso debe de ser el establo. Hay una luz encendida, ¿la ves?

—Sí —dijo Tyler—. Vamos a ver los animales y después volvemos a la cama. Estoy medio congelada.

—De acuerdo. Ten cuidado —dijo Kate, notando que iba pisando pellas de barro.

En Monte Veda, con las luces de la calle Wildwood Drive, la noche nunca se veía así, tan límpida y oscura, con el cielo tachonado de estrellas. Kate sabía reconocer la Osa

Mayor y la Osa Menor, la Estrella Polar, Marte y Venus, pero aquí había miríadas de estrellas, por todas partes, tantas que se confundían unas con otras.

—¡Mira, una estrella fugaz —dijo Tyler sacudiendo a su hermana—, y otra!

Kate miró hacia arriba y se acordó de una ocasión en que habían acampado con sus padres en el lago Christina de Canadá, una primavera, dos años antes de que su madre cayera enferma. Por la noche se veían estrellas como aquellas. Las montañas rodeaban el lago y daba la sensación de que estuviera metido en el cuenco de unas manos gigantescas; el aire era tan frío que parecía nieve.

—Venga, chicas. Meteros en el agua —les decía su padre mientras corría hacia el lago—. No está fría, de verdad.

Tyler, Kate y Deirdre estaban en la playita, tiritando bajo las gruesas toallas viendo la cabeza de Davis desaparecer y volver a salir con el pelo echado hacia atrás y el cuerpo reluciente de agua.

—Por lo menos probadla —gritó antes de zambullirse de nuevo.

Se habían acercado las tres a la orilla, metido los pies en las ondas y sonreído sorprendidas después de comprobar lo caliente que estaba.

—Bueno, pues por una vez vuestro padre no os está tomando el pelo —dijo Deirdre; tiraron las toallas, caminaron salpicándose dentro del agua y se sumergieron finalmente donde lo había hecho su padre.

Aquella noche Davis encendió una fogata con la leña que el servicio forestal cortaba y almacenaba para los campistas, y se quedaron mirando las chispas que saltaban y las estrellas mientras contaban historias de miedo.

—Una vez, hace mucho tiempo, había un cementerio… —empezó a decir Davis mientras Tyler y Kate se arrimaban a Deirdre.

—Davis, ¿es que quieres que acabemos durmiendo todos en el mismo saco? —le previno Deirdre.

—Vale, a ver qué os parece esta. Hace mucho tiempo, en una juguetería, había un pasillo, el pasillo D2. Era el pasillo de la Barbie, el pasillo de los vestiditos y los zapatitos, el de la supervan Malibú. Por la noche, cuando todos los empleados se marchaban a casa, las cajas se salían de los estantes, y todas las mañanas, cuando los empleados volvían al trabajo, se encontraban con que había algo fuera de su sitio: una Barbie fuera de su caja, sentada de alguna forma rara en el suelo, toda despatarrada… Ya sabéis, cosas raras como lo de las piernas. Alguna vez, cuando algún empleado entraba en el pasillo para colocar algo, o hacer alguna otra cosa, sentía el suelo temblar bajo sus pies, tanto que apenas se podía aguantar de pie sin caerse.

—Papá —dijo Kate—, ¿eso es verdad?

—Claro que sí. Bueno, al final los directores decidieron contratar a algún equipo de esos cazafantasmas para solucionar el problema. Así que pusieron una cámara por la noche y una Barbie Malibú Corvette en medio del estante. La cámara estuvo grabando toda la noche y, al final, el Corvette salió zumbando pasillo abajo con el pelo de la Barbie flotando al viento. Y estuvo buscando, buscando, hasta que por fin el coche se detuvo y la muñeca salió de él, trepó por los estantes y se detuvo al lado de la fantástica figura de Ken Malibú, todo bronceado y en tanga.

—¡Papá! —gritaron Tyler y Kate.

—Después de esto, el cazafantasmas reorganizó los estantes, puso a Barbie Malibú al lado de Ken Malibú y con eso se acabó para siempre el jaleo. Y colorín colorado…

—¡Papá! ¡Te lo has inventado todo! —dijo Tyler.

A Kate le parecía que todavía oía la voz de su hermana y las risas de todos alrededor del fuego, mientras saltaban chispas que parecían volar sobre los abetos camino de las estrellas.

—Hay alguien ahí —dijo Kate a medida que se acercaban al establo—. Lo veo moverse.

—Yo también. Tengo miedo. Vámonos a la cama —dijo Tyler tirando de la manga de Kate.

—No, espera. Parece un chico. —Tyler y Kate se quedaron ante el establo, con las manos apoyadas sobre la basta madera, podían ver los nudos y las grietas.

—¿Quién será? —preguntó Tyler—. Está dando de comer a un animal, creo que es una oveja.

—Sí —dijo Kate—, y mira, también hay un corderito.

Abrieron la puerta y entraron en el establo iluminado por la luz amarillenta de una bombilla que colgaba de una viga. El chico alzó la vista y se puso en pie.

—¿Quiénes sois?

Tyler se detuvo y tiró de Kate, tratando de sacarla del círculo de luz.

—Acabamos de llegar. Estamos alojadas en casa de Ruth. ¿Tú también, verdad?

El chico asintió, cogió una linterna grande y negra y se acercó a ellas sin levantar los ojos ni mediar palabra. Alcanzó el tirador de la puerta la cruzó y salió dando un portazo.

—¡Jo, qué gilipollas! —dijo Tyler sacudiendo la cabeza—. Es como un chiste.

—¿De qué hablas? —dijo Kate acercándose al corderito y fijándose en cómo le lamía su madre la carita.

—¿Hola? Me refiero a esto, a lo de estar aquí. ¿No te has parado a pensarlo?

—¿Qué? —dijo Kate.

Tyler estornudó y se frotó la nariz.

—Dios, quiero decir que esto empieza a ser casi divertido —dijo.

—Perdona, ¿cómo dices? ¿Quieres decir lo de estar aquí fuera en un establo en mitad de la noche? ¿En una región desconocida del Estado con chicos raros que no te hablan?

—Sí, eso. Y tener la vida destrozada, y a la niña Dios sabe dónde, papá metido en un buen lío, Sanjay en la cárcel —dijo Tyler dando un puntapié a una pajita que había sobre el zapato de Kate—. Vamos, todo un culebrón. Sólo que se trata de nosotros, no es una peli, Kate.

—No hay para tanto, Tyler —contestó ella.

—¿Ah, no? ¿Estás de broma, verdad? ¿O es que estás viviendo en un mundo mágico?

Kate retrocedió un poco ante los animales, temía acercarse demasiado, no quería estorbar las maniobras del recién nacido que intentaba acercarse más a su madre.

—No. Sí, no lo sé. Sencillamente no quiero pensar en ello. No puedo soportarlo. La niña no está conmigo, no sé ni adónde la han llevado, ni si ahora mismo está durmiendo ni cómo se encuentra. Es como cuando la tuvimos que dejar sola en casa para ir al instituto. No puedo dejar de pensar en ella ni un segundo.

Tyler asintió con la cabeza.

—Pues lo que yo decía, que las cosas van fatal.

—¡Para ya, Tyler! No quiero seguir pensando en ello —exclamó Kate.

—Pues hay que pensar en ello —dijo Tyler acercándose a su hermana.

—¿Y para qué? Van a hacer lo que quieran, ni más ni menos, como siempre. Las decisiones las van a tomar ellos y no nos preguntarán ni nos dirán nada, y nosotras tendremos que vivir de acuerdo con lo que decidan. ¿No te das cuenta? No tenemos nada que pensar, porque lo que nosotras pensemos a ellos les da exactamente igual.

—O sea, que las cosas van todavía peor de lo que yo pensaba —dijo Tyler.

Kate se llevó la mano a los ojos y se limpió furiosa las lágrimas.

—Sí, efectivamente. Yo te prometí que todo iría bien, pero no es así. Y a mí ya no me podrá ir bien nunca, porque lo he estropeado todo.

Se sentó sobre un paquete de heno y Tyler se dejó caer a su lado.

—Todavía estamos juntas. El año que viene cumplirás dieciocho años, serás mayor de edad. Podrás hacer lo que quieras y vivir donde quieras. Apuesto a que podrás recuperar a la niña —dijo Tyler.

Kate estaba inmóvil y silenciosa, pero el ambiente estaba preñado de llantos.

—Sí, supongo. Si no me muero antes…

—No digas eso, ni se te ocurra decirlo —dijo Tyler tapándose la cara con las manos. Kate se arrimó lo más que pudo a su hermana y la apretó contra ella hasta que le dolió la columna. Hacía mucho tiempo, años tal vez, que no abrazaba así a su hermana. Ahora no había nada entre ellas, no había una barriga con una criatura dentro, no había mentiras, y Kate podía sentir los huesos de Tyler, su carne apretada y firme, la misma que apretaba cuando jugaban de niñas a las casitas y ella era la mamá y Tyler tenía que hacer todo lo que le decía. «Es la misma Tyler de siempre —pensó—. Siempre ha estado a mi lado, siempre ha hecho lo que le he pedido aunque eso la haya traído hasta aquí, hasta este oscuro establo en medio de esta noche tan fría.»

—De acuerdo, no volveré a decir esas cosas. Nunca, te lo prometo. Y lo que vamos a hacer es pensar que Deirdre volverá pronto a casa, con nosotras. —Kate se estremeció al decir esas palabras, con la esperanza de que fuera cierto todo lo que decía.

Tyler se apartó de su hermana, limpiándose las lágrimas, pero dejando la mano sobre su hombro.

—¿Cuándo pensabas decirme lo de Sanjay, Kate?

Ella se sacudió la pajita de la zapatilla.

—No quería decírtelo. No quería que nadie lo supiera porque me daba miedo lo que pudiera pasar.

Tyler levantó la vista hacia luz de la bombilla que colgaba de la viga, parpadeó y sacudió la cabeza.

—Pero ¿cómo empezó? ¿Cómo puede ser que no se enterara nadie? ¿Él no se mosqueó, no intentó averiguar por qué ya no íbamos a cuidar de los niños? ¿No te llamó nunca?

—No, rompió conmigo. Dijo que se sentía culpable por Meera y por los niños. Y me dejó ir, como quien dice. Él no llamó, lo hizo Meera. Pero yo me limité a decir que ya no podía hacer más canguros.

—Pero ¿por qué Kate? ¿Por qué con Sanjay? Con lo viejo que es…

Kate se llenó los pulmones con los efluvios a alfalfa, a tierra y a animales. No sabía cómo explicarle a Tyler que continuamente estaba pensando en el día que la mano de Sanjay la tocó en el salón preguntándole algo que nunca le habían preguntado.

—No lo sé. No sé explicarlo.

Tyler la escuchó y se quedó esperando algo más, alguna otra respuesta. «Pero, en realidad —pensó Kate—, no hay nada más que decir, sólo fue la mano abierta de Sanjay, el gesto de invitación.»

—Vámonos de aquí, ¿vale? Estoy cansadísima y ya no me interesan mucho los animales, ¿sabes?

—Sí, vale —dijo Tyler—. Yo también estoy cansada.

Apagaron la luz, salieron del establo y Kate pensó de pronto en el osito de peluche de Jaggu, con aquel olor a niño que despedía, despachurrado entre el niño y ella mientras le leía cuentos a la hora de dormir. Una vez, mucho antes de aquel verano, había estado leyéndoles a Jaggu y a Ari poesías para niños; los dos y el osito en su regazo. Cuando Sanjay volvió a casa y entró en la madriguera, los chicos dieron un brinco y fueron a metérsele entre las piernas.

—¡Papi, papi! —dijo Ari—. Mira, estamos leyendo. Estamos leyendo palabras.

—Qué estupendo, Ari. ¿Ya te ha enseñado Kate a leer? —dijo él guiñándole un ojo a Kate.

—Sí, papi —dijo Jaggu—. Todas las palabras de la página las puedo leer. Mira. —Jaggu cogió el libro de las manos de Kate, algo torcido, y empezó a leer—: «Mari tenía un corderito, tan blanco como la nieve», ¿lo ves?

Sanjay se inclinó sobre los niños y Kate se dio cuenta de que en aquel momento ella acababa de desaparecer para él y para los niños. Pero no le importó, se quedó sentada a su lado, escuchando las voces de los chicos que le contaban a Sanjay lo que habían hecho, los libros, la comida, los programas de la tele. Y miró la cabeza de Sanjay inclinada para escuchar a sus hijos, lo vio abrir los brazos para abarcarlos, los tres bien apretaditos, moviendo los brazos, las piernas y las rodillas al mismo tiempo, como un conocido animal.

Cuando Kate y Tyler volvieron a la casa entraron en la cocina siguiendo las lucecitas indicadoras del pasillo. Ruth y el chico del establo estaban sentados a la mesa bajo la luz de una lámpara de cobre. Ambos levantaron la vista al ver entrar a las chicas, pero, como Kate pensó más tarde, no parecieron sorprenderse en absoluto.

—Hola. Creo que ya conocéis a Adam. Ha estado conmigo estos últimos seis meses. Adam, te presento a Kate y a Tyler. —Ruth echó hacia atrás la silla, que rechinó sobre el parqué y se levantó—. Parece que hoy no puede dormir nadie, ¿eh? ¿Qué os parece si nos tomamos un té?

Kate asintió con la cabeza.

—Vale. Sabes, me pareció oír ruidos de animales y salí a ver. Hay un corderito en el establo. ¿Acaba de nacer, no?

—Sí, sí. Fue un gran acontecimiento antes de que llegarais. Apuesto a que Adam ha salido a ver cómo estaba. Lo ha llamado Zena.

—¿Qué otros animales tienes aquí Ruth? —preguntó Tyler.

—Pues ovejas para dar y tomar, dos caballos, un burro, cabras, un par de cerdos, vacas, gallinas. Y ya has visto a mi gato ¿verdad Kate? Pero nos dedicamos sobre todo a la calabaza. Y también tenemos algo de maíz americano. Ese campo de allí —Ruth señaló un campo cercano a la casa— está todo plantado de calabaza. Cuando llega septiembre y octubre, y también parte de noviembre, nos llegan muchos niños en autobús. Montan espantapájaros y un barreño con agua y manzanas para jugar. Mi hermano se los lleva a dar una vuelta en el tractor. Adam se ha pasado aquí casi toda la temporada.

Kate miró a Adam y se preguntó por qué habría venido a vivir a casa de Ruth, qué historia complicada sería la suya, quién le habría tocado como no debe hacerse o qué adulto lo habría olvidado. Se quedó inquieta con lo de los seis meses, sólo esperaba que la temporada de la calabaza no las cogiera también a ellas en casa de Ruth, sino que pudiera traer a Deirdre de visita, coger una calabaza para vaciarla, enseñarle los espantapájaros y el barreño de agua con manzanas y verla sonreír.

—A ver. No tengo más que Lipton. En infusiones, pero lo haré clarito —dijo Ruth llenando la tetera.

—En casa —dijo Tyler—, mi madre siempre compraba esos tés de nombres raros como «Dulces sueños» o «Luna llena». Una vez compró uno que se llamaba «Sol de tarde».

Ruth se echó a reír.

—Desde luego con esos tés no se te puede pasar la hora. Por eso me gusta a mí Lipton. Siempre me sabe igual de bien.

Ruth puso unas tazas sobre la mesa y las bolsitas sujetas en los bordes.

—Y galletas. No puedo tomar té sin galletas. Tengo barquillitos de vainilla y Oreos.

Ruth llenó un plato alternando las galletas de vainilla y las de chocolate y lo puso sobre la mesa.

—Sabéis, siempre me ha apetecido tomarme uno de esos tés encopetados. Ya sabéis, al estilo inglés, con *crumpets* y mermeladas de fresa, y ese bizcocho con frutas y natillas. Pero me he tenido que conformar con Oreos y barquillos de vainilla.

Kate cogió una galleta y miró a Adam. Él no miraba a nadie, estaba concentrado en mascar la galleta bajo su rojizo flequillo.

—¿Os podremos ayudar con los animales? —preguntó Kate—. Me encantaría hacerlo.

—Ah, sí, desde luego. No os lo he querido decir todo de golpe, pero es parte del trato. Podéis quedaros aquí en vez de ir al centro de acogida del condado, pero eso si nos ayudáis todas las mañanas a dar de comer a los animales, y por las tardes mi hermano también os pedirá que le echéis una mano. Y no hay forma de librarse, si queréis seguir con nosotros.

—¿Y qué pasará con mis visitas a Deirdre? —preguntó Kate—. A esas tengo que ir, sabes...

—Por supuesto, cielo. Ya veremos cómo lo organizamos. Y además está el tema de los deberes. Pero de momento el distrito de educación no nos ha dicho nada acerca de vosotras, así que por ahora no tenéis cole hasta que me manden la información. —Ruth echó agua hirviendo en las tazas y se sentó, metió y sacó tres veces la bolsita de té en el agua y luego la retiró—. Si lo hacéis así dormiréis como bebés.

—¿Dónde vive tu hermano? ¿Tiene niños? —preguntó Tyler llevándose a la boca la taza humeante.

—Robert tiene una casa en el otro extremo de la finca. Su mujer murió hace unos años. No tiene niños, pero sí tres Border collies, feos y malos como demonios, si queréis saber mi opinión. Pero no os preocupéis ya que pronto conoceréis a todo el personal.

Tyler se retorció un mechón dorado tras la oreja y dejó la taza sobre la mesa.

—¿Estás casada?

—¿Siempre eres así de preguntona? —le dijo Adam levantando sus azules ojos y clavándole una mirada que helaba.

—Vaya Adam, qué educado —dijo Ruth volviéndose hacia el chico—. Tú te mostraste igual de curioso, ¿te acuerdas?

Al oír la respuesta de Adam, Tyler cerró la boca, apretó los labios y se le llenaron los ojos de lágrimas. Ruth le dio unas palmaditas en la espalda.

—No, no estoy casada. Hay demasiado que hacer por aquí para pensar en ello.

A Kate se le iban cerrando los ojos mientras masticaba la galleta, y mientras Tyler y Ruth conversaban dio una cabezada.

—Bueno, me parece que es hora de dar por terminado el té. Hay que llevar a Kate a la cama. Vamos Tyler. Adam, acaba. Vuelvo en un periquete.

Kate oyó a Ruth y se puso en pie, aunque en realidad apenas si veía, se derrumbó prácticamente en brazos de Ruth y dejó que ella y Tyler la llevaran hasta el dormitorio. En cuanto llegaron se tumbó, y casi no se enteró de que la tapaban con la colcha, ni sintió las manos grandes de Ruth acariciándole el pelo y la mejilla mientras le daba las buenas noches.

Por fin se habían acallado los ruidos de la casa, las luces estaban apagadas y el gato de Ruth ronroneaba a los pies de la cama. «Contenta sin saber muy bien por qué —pensó Ruth—, sólo por esas cosas que damos por supuesto.» Acarició a Simon, el gato, que se puso panza arriba mostrando un pelaje blanco, bostezando mientras estiraba las patas delanteras.

—Un gatito muy bueno —dijo Ruth sacudiéndose sus pelos largos de las manos. Se levantó, se quitó la sudadera y la dejó doblada sobre la mecedora. Tenía la alegría de la huerta en casa, con esas dos chiquillas, pensó mientras se ponía el camisón de franela y unos calcetines de lana roja. La mayor parecía estar medio ida la mitad del tiempo, como si estuviera todavía bajo el efecto sedante de las hormonas del embarazo. Y los pechos que tenía, ¡pobre!, rebosantes de leche, pidiendo a gritos a su criatura para aliviarlos.

Cynthia la había llamado por la mañana y ella no le había hecho demasiadas preguntas acerca de las dos chicas; siempre le alegraba tener ocasión de charlar con Cynthia que le mandaba clientes para ayudar a mantener la pequeña plantación y mantenerla ocupada ayudando a la gente.

—Tengo dos chicas, Ruth. Se te va a partir el alma —le dijo Cynthia apresuradamente.

—A ver, cuéntame, ¿de qué va la cosa esta vez? —le preguntó ella.

—Bueno el padre las ha tenido prácticamente abandonadas y la mayor se quedó embarazada del vecino del papi. Le acaban de arrestar. El lío es descomunal. Al bebé lo van a dar en acogida.

Ruth tomó aire, siempre le sorprendía cuánto le conmovía la palabra «bebé».

—¿El panorama es muy horrible?

Cynthia suspiró. Ruth podía percibir el cansancio que impregnaba su voz.

—Podía ser peor, supongo. He visto casos más feos, pero no es de los más bonitos.

Y las niñas eran buenas chicas, pensó Ruth, no estaban tan llenas de rabia como los otros dos que tenía, tan rebotados que saltaban contra todo, aunque a la mayor le rebosaban las lágrimas y la maternidad… Ruth se apretó los senos recordando aquella sensación de que iban a explotar, incluso con los medicamentos que le dieron al final los médicos para que se le cortara la leche. Estuvo tres días llorando en la cama, pensando dónde estaría su niño, desesperada porque ni siquiera se lo habían dejado ver antes de dárselo a otra.

—Es por tu bien —dijo su madre con sequedad, sentada en la silla del hospital con un Camel en la boca—. Haberlo pensado antes de hacerlo.

Ruth no podía dejar de gemir agarrada a su barriga vacía, sabiendo que no había habido nada que pensar antes, antes de que la violaran aquellos dos chicos detrás de la bolera: «Te estaba haciendo falta, qué te has creído. A ver si ahora sigues siendo igual de rara».

Nunca se lo dijo a nadie salvo a Robert. Y al día siguiente de la violación, magullada y entumecida, con la espalda todavía sucia de tierra y asfalto, se cortó la melena rubia y nunca volvió a dejarse el pelo largo.

Ruth entró en el cuarto de baño y se miró sin conseguir reconocer a aquella chiquilla de catorce años en la cara de cincuentona que reflejaba el espejo. Ahora veía un rostro cansado y curtido, como si un sol de infancia constante se hubiera acumulado en ella dibujando tres líneas bajo los ojos, unas arrugas profundas en forma de uve alrededor de la boca, y dos signos de preocupación permanente sobre la frente. «No creo que a nadie le extrañe que esté fuera de juego con la pinta que tengo», pensó mientras abría el agua caliente y se la echaba en la cara, enjabonándose con un producto que los anuncios aseguraban que dejaba la piel «como la seda». Más bien como la pana o el lino, pensó Ruth riéndose con los labios llenos de jabón. Pero siguió lavándose y luego se aclaró la cara dándose palmaditas en vez de frotarla contra la toalla y se echó una buena cantidad de crema en la palma de la mano que fue aplicándose bajo los ojos, sobre las mejillas, la barbilla, la frente y el cuello.

Tal vez fuera ridículo, pensó, seguir con lo del jabón especial, la crema, escrutándose en el espejo por las noches, preocupándose por las patas de gallo, las arrugas, las flacideces, la esperanza de que pese al inevitable caminar del cuerpo hacia la tumba, ella todavía estaba viva, todavía era deseable, todavía era una mujer que alguien podía amar. Por muchos años que hubieran pasado, seguía siendo aquella niña asustada que se cortaba el pelo con las tijeras de costura de su madre mirando cómo caían al suelo los largos mechones dorados como si fueran perfectas madejas de bordar, hilos que iba a seguir encontrándose durante semanas en el cuarto de baño, detrás del lavabo o pegados a la taza del váter, recordándole lo que le había sucedido, cómo habían tirado de ella, la habían empujado, la habían forzado a admitir el cuerpo de otros en el suyo propio, los gruñidos, los jadeos y las sucias palabras que habían pronunciado. Fue como si ella se quedara con todo aquello mientras que ellos se alejaron sin llevarse nada de ella, ni tan siquiera la sangre de su desgarro sobre sus prepucios o sus ropas.

Más tarde, en la escuela, los había vuelto a ver, alumnos mayores que lucían el monograma de la escuela ganado en alguna competición —fútbol, béisbol, natación— y nunca habían parecido fijarse en ella, pensaba Ruth. Pero de alguna manera sí se habían fijado, la habían estado observando de lejos y la habían encontrado diferente, una diferencia que les resultaba ofensiva, que les indignaba, que levantó una ira traducida en sexo y les hizo herirla una y otra vez en la fría noche de un miércoles en la bolera.

Cuando Robert la encontró por fin todavía estaba entre los cubos de la basura, con los Levis alrededor de las caderas, la espalda llena de arañazos y la mirada vacía; Robert, el flacucho de las gafas y el remolino en el pelo, quiso salir corriendo a buscarlos para machacarlos, pero Ruth se abrazó a él y él la recompuso como pudo, la vistió y la llevó a su coche. Él no dejaba de llorar mientras le acariciaba el pelo con sus suaves manos musitando palabras entre dientes, palabras de odio y de violencia, deseando lanzar su delgado cuerpo contra los músculos de los chicos y sentir él en la cara, los hombros, las tripas, lo que acababan de hacerle a su hermana. «No —le dijo finalmente Ruth—, vámonos a casa. Por favor, vamos a casa.»

Y aquella noche Ruth se miró en el espejo y vio sus tristes ojos castaños, su cara pálida, y supo que toda la vida vería aquella cara reflejada en él.

—Bueno, Simon. ¿Será jardinería biológica con gusanos de tierra o «Diana lo cuenta todo desde la tumba»? Eso pensaba yo —dijo Ruth metiéndose entre las sábanas y alcanzando el *National Enquirer* de su mesilla. Lo estuvo hojeando, leyendo un poco y luego cerró el periódico y se quedó mirando a Simon mientras se decía a sí misma: «Pero ¿por qué leeré yo estas cosas tan terribles?». Ya tenía a Adam, su padre los había dejado y la reacción de la madre había sido pasarse el día bebiendo mientras el chico estaba en el colegio y desatar su furia por las noches: en un mes había conseguido romper todos los muebles, todos los platos y un brazo de Adam. Por no hablar de Virgie, que allí estaba también, llena de *piercings* de arriba a abajo, hasta en los lugares más delicados y recónditos, con el pelo teñido de verde, tatuada y hecha trizas porque su padre había abusado de ella una y otra vez, colándose por las noches en su habitación como un pirata.

Ruth se recostó, dejó el periódico y apagó la luz. Sólo tenía unas pocas horas por delante antes de levantarse, echarse algo por encima y salir a dar de comer a los animales. Decidió dejar que las niñas durmieran lo que quisieran sólo por esa vez, y, como venía haciendo desde los catorce años, cerró los ojos y se imaginó que su cama era un barco con dos remos gigantes. Cada vez que tomaba aire echaba los remos hacia atrás, cada vez que echaba el aire los volvía a traer. Aquella noche el mar estaba en calma y el barco avanzaba con rapidez hacia la línea del horizonte dejando una estela de espuma en el agua límpida y oscura.

—¿Quién ha usado mi maldito Clearasil? ¡Joder, no has dejado nada! —Kate abrió los ojos. La chica del pelo verde siguió gritándole a la cara—: ¿Quién te ha dicho que podías usar el maldito Cearasil? ¡Es mío!

Kate se incorporó esbozó una mueca de dolor, tenía los pechos hinchados y doloridos.

—Lo siento. No lo pensé; acababa de llegar...

—Mira qué buena excusa. La próxima vez tráete tus cosas, coño —dijo la chica saliendo en tromba del cuarto y dando un portazo.

—¿Quién demonios era esa? —preguntó Tyler sentándose en la cama.

—Ni idea. Tengo que sacarme la leche. Dios, me siento como la mujer vikinga. No desentonaría en una ópera o algo así.

Kate se calló y se irguió para mostrarle a Tyler los pechos, redondos y duros bajo el pijama.

—Es como si llevaras un sujetador de esos de relleno —dijo Tyler.

—Si por lo menos se me quedaran así después de criar a Deirdre, ¿verdad? Vuelvo en un momento —dijo Kate saliendo del cuarto para ir a la cocina. Al volver la esquina del pasillo estuvo a punto de chocar contra Adam. En un movimiento instintivo se tapó el pecho con las manos.

—¡Ah, hola! —exclamó, pero el chico la esquivó y siguió su camino sin darse por aludido.

Kate encontró el sacaleches y las bolsitas en la cocina y volvió al dormitorio. Cuando acabó la tarea, y después de que Tyler muerta de risa le dijera: «¡Muu, vaca!», volvió a dejar las bolsitas llenas en el congelador. En la cocina se encontró con Ruth que se estaba cocinando unos huevos revueltos con salchichas Jimmy Dean.

—¡Hola, Kate, buenos días! Oye, tengo una noticia buenísima. Cynthia ha llamado y dice que en vez de que vayamos a ver a la niña, te la va a traer ella hoy mismo. ¿Qué te parece?

Kate se sentó a la mesa. Se le caía la baba sólo de pensar en su niña. Podía sentir el olor del cuerpecito de Deirdre, se moría por acariciar su piel, apretar los labios contra su cabecita, tocar sus deditos y su pies.

—¿Cuándo viene?

—Llegará en una hora, más o menos. Al parecer Deirdre está despierta, la madre adoptiva la ha llamado y lo ha organizado todo. Así que come y luego ve a arreglarte. Tyler y tú tenéis hoy el día libre.

Kate sintió apuntar en su interior un destello de esperanza, o tal vez fuera una chispa de alegría o simplemente de alivio. Se sentó en silencio, mientras Ruth iba a buscar Tyler y a Adam para que desayunaran. La chica que la había despertado a gritos entró también como una exhalación, se tiró sobre la silla y buscó la mirada de Kate. Ella bajó los ojos, y empezó a retorcerse los dedos y a sorberse las lágrimas, incapaz de protegerse de la furia de aquella persona.

—¿Virgie? ¿Es que te has levantado hoy con el pie izquierdo? —preguntó Ruth.

—No, es que alguien me ha gastado casi todo el Clearasil, sin preguntar siquiera —contestó ella, mientras la bolita metálica que llevaba en la lengua repiqueteaba a cada palabra contra sus dientes.

—Bueno, te he pedido perdón.

Virgie dejó caer los brazos sobre la mesa.

—¿Y de qué me va a valer tu «perdón» cuando me llene de granos? ¿O es que me lo voy a poder untar en la cara para que se me quiten?

Ruth se echó a reír.

—Hoy te veo obsesa con la limpieza, Virgie. Mira, ya conseguiremos otro frasco, déjalo ya. ¿Por qué no les dices hola, para empezar, a Kate y Tyler? Chicas, os presento a Virgie.

Ruth puso un plato para cada uno y sacó unas fuentes con la comida. Kate sintió de pronto que estaba muerta de hambre e, ignorando a Virgie, empezó a meterse grandes porciones de huevos y salchichas en la boca, disfrutando del sabor a mantequilla, ajo, comino y grasa. Se dio cuenta de pronto de que Tyler y ella llevaban mucho tiempo sin comer nada que no fuera lo que ellas mismas se hacían: macarrones con queso precocinados, quesos de sándwich, pizza congelada y palitos de pollo de Costco.

Kate levantó la vista del plato y vio a aquella chica, Virgie, mirándola fijamente, y empuñando el tenedor levantado, de forma que se preguntó si tendría intención de dispararle el huevo y el pedazo de salchicha. Dejó de masticar, y entonces sintió que se le pegaba la comida al paladar, ya que vio cómo Virgie se llevaba lentamente el tenedor a la boca, se la llenaba de comida y empezaba a masticar sin cerrarla. Bajó el tenedor sin dejar de mirarla y luego dirigió la vista a Tyler; tenía los codos plantados en la mesa y parecía que intentaba hacerse una idea del porqué de la presencia de las hermanas sin tener que preguntar. Kate no perdía de vista la cara de Virgie, pero sentía que se le estaba subiendo la sangre a la cabeza. Aquella chica la asustaba, pero habría deseado parecerse más a ella, ser capaz de decir que algo está mal, capaz de no cargar con problemas originados por otros, capaz de devolvérselos a los que los provocaban. Se vio a sí misma yendo a casa de Sanjay una mañana temprano para despertarlos a él y a Meera gritando: «¿Quién ha sido el listo que se ha servido de mi cuerpo? ¡Pues mira, estoy preñada! ¿A ver qué piensas hacer ahora?». Y luego pensó en coger el coche y acercarse a casa de Hannah e irrumpir en el dormitorio, para despertarla a ella y a su padre al grito de: «¡Nos has dejado tiradas y mira lo que ha pasado! ¿Cómo piensas arreglarlo?».

«Pero, ¿cómo se hace eso? —pensó Kate—, ¿qué es lo que hace para que se le ocurran las palabras y para sacarlas a voces desde lo más profundo de su ser? ¿Cómo se consigue que el dolor, más que el gesto o el sonido, se convierta en palabras capaces de impresionar a los demás y de hacer que las cosas cambien?»

Kate bajó la vista al plato y luego volvió a mirar a Virgie. Se dio cuenta de que su tez blanca no presentaba la menor imperfección: ni un poro abierto, ni la menor huella de grasa sobre la frente y las mejillas, una llanura suave y traslúcida de los pómulos a la mandíbula. Daban casi ganas de dejarse caer sobre una piel así, pensó, aunque luego rectificó porque era imposible llegar del todo a ella con la cantidad de metal afilado y duro que llevaba en los labios, la nariz, las cejas y las orejas, perforadas ambas desde los lóbulos hasta arriba.

—Tienes una piel perfecta, sabes… —dijo Kate.

—¿Ah sí? —dijo Virgie—. Bueno pero eso no significa que no necesite mi jabón.

—Mira, no eres la única que tiene problemas —le contestó ella.

Tyler levantó la nariz del plato y lo mismo hizo Virgie y por un momento pareció que iba a empezar a disparar palabras junto con los huevos revueltos que tenía en la boca. Se le estrecharon los ojos hasta quedar convertidos en una línea azul, pero dejó de mirar a Kate y siguió comiendo. Kate sintió que Tyler le daba una patada por debajo de la mesa, respondió a ella y volvió a concentrase en la comida, paladeando cada bocado y disfrutando del buen olor que despedía el plato que tenía delante.

—Dámela —dijo Kate sin siquiera sonreír y tendiendo los brazos nada más abrir la puerta de la casa de Ruth.

Cynthia entró llevando a la niña y una bolsa de pañales. Parecía más entera que el día anterior; llevaba el pelo liso y bien peinado, y la ropa planchada y bien colocada, pero su cansancio seguía siendo evidente: tenía la cara pálida y muy ojerosa.

—Vale, vale. Espera un momento a que deje esto en el suelo.

Kate la dejó pasar y cerró la puerta tras ella y luego salió disparada hacia el sofá. Ruth estaba en el salón, riéndose.

—Anda, y tú que pensabas que ibais a estar años separadas. Pues ya lo ves, no han pasado más que unas horas. Hola, Cynthia.

—Bueno seguro que a ella se lo han parecido —dijo esta tendiéndole a Deirdre. Kate no se atrevía siquiera a respirar, no quería despertar, al menos de momento, a la niña, que se había dormido acunada por el vaivén del coche durante el largo viaje. Entonces cerró los ojos y pensó: «Podría dar con ella a ciegas. Podría reconocerla en una habitación llena de bebés de dos semanas. Podría reconocerla sólo con tocar sus deditos, sus pies, sólo con olerle el pelo y la tripa. Y sé perfectamente que no me equivocaría».

Ruth y Cynthia se quedaron mirándola un momento; en el silencio de la habitación Deirdre dormía perfectamente acoplada al cuerpo de Kate.

—Bueno vamos a hacernos un té —dijo Ruth y salieron dejando a Kate sola con la niña.

Ella recostó la cabeza sobre el respaldo del sofá, oyendo los ruidos de la cocina, y se deleitó en la tranquilidad de aquella hora tardía de la mañana. Recordó una tarde del verano anterior, la cabeza de Sanjay descansaba sobre su pecho, una cabeza oscura que destacaba sobre su piel, como la de Deirdre ahora. La tenía cogida de la cintura bajo las sábanas, y respiraba suave y acompasadamente mientras dormía. Luego recordó que nunca se había sentido tan feliz, nunca había entendido tan bien su propio cuerpo como en aquella época en que aprendió cómo todo él se movía, se abría y vibraba. «Está claro que no quieran que tengamos relaciones sexuales», pensó recordando la clase de higiene que les había dado el estudiante aquel de primero de carrera, «Di que no». «Pero puede que los padres y los profesores sí quieran que aprendamos esto, esta necesidad de dar vida a otro ser, esta forma en que la materia y el espíritu se abren», pensó. Comparada con el parto, la crianza y los cuidados de un bebé, el sexo y Sanjay le parecían poca cosa.

Algunas noches Kate había oído a sus padres, encerrados en el dormitorio, hacer ruidos sordos y rítmicos contra la pared, y también había oído risas y silencios, y luego el murmullo de largas conversaciones que acababa meciendo a Kate hasta dormirla. Recordaba a su madre hablar de cómo nacían los niños mientras lavaba los platos de la cena y la luz sobre el fregadero arrancaba destellos rojizos de su pelo. «Desde luego duele. No hay que darle más vueltas —le había dicho Deirdre volviéndose hacia ella mientras secaba el colador—, pero vale la pena».

Kate estaba sentada a la mesa de la cocina bebiendo un chocolate caliente mientras oía el agua salpicar en la pila. En el colegio la profesora les había llevado un extraño dibujo del aparato reproductor que enumeraba las funciones y usos de los distintos órganos, y les había mostrado cómo salía un bebé del canal del parto y cómo ese cuerpecillo se retorcía y se doblaba como si fuera de arcilla para conseguir salir.

—¿Y entonces por qué lo hace la gente? ¿Por qué lo hiciste tú? —preguntó Kate aunque sabía de antemano cual sería la respuesta.

—Porque valía la pena pasar por ello para que tú vinieras al mundo —dijo Deirdre, empezando a contar la historia que a Kate le interesaba de veras—. Tu padre y yo estábamos cenando fuera y yo le dije: «Mira, creo que me apetece un sorbito de vino», y en ese momento rompí aguas. Allí mismo, en medio del restaurante. Como estábamos justo delante del hospital fuimos andando. Anda que los pobres camareros… pero yo estaba demasiado nerviosa como para sentirme violenta.

—¿Y qué pasó luego?

—Pues que nos mandaron a casa porque todavía me faltaba mucho. Dos horas más tarde hice que tu padre me volviera a llevar, y nos enviaron de nuevo a casa. Por fin, pasadas otras seis horas, volvimos de nuevo vez y casi no llegamos a tiempo. Estuviste a punto de venir al mundo en el coche.

—¿Y luego?

—Pues me metieron a la carrera, diciéndome que no empujara y cuando por fin me llevaron a la sala de partos abrí las piernas y ¡zas! Saliste tú.

Kate sonrió.

—¿Y cómo era yo de grande?

—Cuatro kilos y medio y cincuenta y cinco centímetros y medio.

Kate dio un sorbo al chocolate.

—¿Así que te dolió?

—Ya te he dicho que valió la pena —dijo Deirdre poniéndose de nuevo a fregar.

Kate sintió algo raro en el estómago, como el principio de una pregunta tan extraña que resultaba difícil articularla. Miró a su madre que estaba acabando de aclarar los platos y se la imaginó a ella y a su padre encerrados en el dormitorio las noches de los viernes, haciendo lo que la profesora había dibujado, acoplándose hasta eyacular convenientemente, y dos diminutas gotitas de esperma que habrían de convertirse en Tyler y en ella misma ascendiendo rápidamente por el interior de su madre, intentando ganar la carrera. Tal vez, pensó, sería más sencillo si la gente no practicara el sexo.

—Mami —preguntó—, ¿por qué la gente no deja de practicar el sexo si luego duele tener un bebé?

Deirdre se volvió otra vez desde el fregadero, secándose las manos en los vaqueros. Levantó una ceja y sonrió.

—Porque es divertido, Kate, porque el amor es así.

Tyler entró en la habitación y se sentó a su lado, aunque en realidad ella ni se enteró, absorta en los recuerdos de su madre, fascinada por la cara de su hija, por sus labios de rosa y sus ojos almendrados. Tyler se inclinó sobre ella y acarició la mejilla del bebé con el dedo índice.

—Es nuestra pequeña Dee Dee, ¿verdad Kate?

—No me gusta llamarla así, Tyler. Mami nunca dejó que nadie la llamara así.

Tyler resopló.

—Bueno, pero ella es ella, no mamá, ¿o no? Es nuestra pequeña Dee Dee.

Tyler se acercó mucho a Deirdre, con los ojos cerrados, aspirando su olor, ese olor, pensaba Kate, que ella misma había añorado tanto horas antes.

Se encogió de hombros.

—Sí, supongo. ¿A que es preciosa? Espero que se despierte pronto y pueda darle el pecho.

Adam entró en el salón y se detuvo sorprendido ante el sofá.

—¿Es tuyo?

Kate alzó la vista haciendo un gesto de asentimiento, pero trató de no mirarle temiendo ver en su rostro una ceja arrogante, un rictus sarcástico o alguna mal disimulada risita.

Tyler en cambio sí le miró y Kate se percató de que arqueaba ligeramente la espalda al hablarle.

—Sí, se llama Dee Dee, y fui yo quien la traje al mundo. De verdad, en casa.

—¿Y por qué lo hiciste? Es muy peligroso, ¿no? —preguntó Adam tomando asiento.

Tyler miró a Kate y se encogió de hombros.

—Pues, sí, sí que lo fue. Y no veas lo que duró. Kate gritaba: «¡Sácalo ya!» —Tyler se detuvo al ver la mirada severa de Kate—. Oye, pero todo salió bien.

—Ya —dijo Adam volviéndose hacia el bebé—. Por eso estáis aquí con Ruth. —Pero lo dijo en un tono menos desabrido y Kate se puso colorada cuando vio que miraba a la niña; los ojos azules de aquel extraño ser miraban abiertamente al bebé.

—¿Puedo tomarla en brazos? —preguntó Adam. A pesar de que el flequillo le caía sobre la cara, Kate se dio cuenta de que se ruborizaba y se le ponían coloradas en las mejillas. Él la miró irguiendo la cabeza; en la boca entreabierta le asomaban sobre el labio inferior las dos paletas, como si fuera un conejito.

—¿Quieres que te la deje? —preguntó Kate—. ¿Y eso? Quiero decir, ¿de verdad?

Adam se puso rígido.

—Bueno, si no quieres dejármela no importa.

—No, es sólo que, bueno hasta ahora sólo la hemos tenido en brazos Tyler y yo, y Cynthia, y la familia de acogida… Bueno, tómala —dijo Kate acercándole la niña a Adam y colocándosela con cuidado en los brazos—. Cuidado con la cabecita, así, muy bien.

«No parece incómodo», pensó Kate que había esperado que se quedara con los brazos extendidos y la espalda tiesa. Contra todo pronóstico la niña seguía durmiendo en sus brazos tan plácidamente como en los de su madre.

—La novia de mi padre ha tenido también una niña. La vi una vez, pero no me dejaron cogerla —dijo Adam acunando suavemente a Deirdre.

—Bueno, no creo que los bebés oveja sean muy distintos de los humanos. Quiero decir que sólo quieren comer y dormir, y también lloran. La otra noche sonaban como bebés —dijo Tyler arrimándose a Adam—. Y tú ya sabes cuidar de ellos.

Dee Dee levantó la cabecita, se estiró y abrió los ojos, los cerró y los volvió a abrir mostrando un iris oscuro entre gris y marrón y unas pupilas como la punta de un alfiler.

—¿Tienes hambre? ¿Tienes hambre, chiquitina? —dijo Kate acercándose a Adam que se inclinó despacito y volvió a dejar a la niña en brazos de su madre.

Cynthia entró en la habitación y le dio a Tyler una mantita que llevaba sobre el hombro.

—La mamá de acogida dice que se ha tomado un biberón esta mañana temprano, así que debe de tener hambre.

Volvió a la cocina y Kate empezó a desabrocharse el sujetador de amamantar, pero se detuvo al reparar en Adam.

—Vale, ya me voy —dijo este y volvió a subir las escaleras, se oyeron sus pasos sobre la madera amortiguados por la alfombra.

—Ha estado mucho más simpático que la otra noche —dijo Tyler arrimándose a Kate y cogiendo los piececitos bien arropados de Deirdre.

—Ya te digo… —contestó Kate mientras se ponía a la niña al pecho y se relajaba al sentir que empezaba a manar leche, esta vez de forma natural y no como resultado de un ejercicio mecánico y artificial. Cerró los ojos atenta sólo a los ruiditos que hacía Deirdre al mamar y a las palabras que le iba susurrando Tyler:

—Qué niña tan buena. Dee Dee, chiquitina, mira qué buena es…

Kate se dio cuenta de pronto que aquello era todo lo que deseaba. Tener un sitio donde poder vivir con su hija, poder criarla y estar con su hermana. Y con su padre, si es que todavía las quería. Y ahora sabía que también quería tener un sitio donde poder olvidarse de Sanjay y de aquel verano pasado. No podía soportar pensar en su casa, en el jardín, en las ventanas y en las puertas de cristal que daban a esas otras vidas, a esa gente cuyos corazones no eran suyos ni lo serían jamás.

Sanjay reconoció la sala que había visto tantas veces por la televisión. Primero entraba el sospechoso escoltado por un agente y se quedaba de pie ante la tribuna del jurado. La cámara de televisión situada en el ángulo izquierdo a la altura del techo también se lo recordó; era como un ojo de mirada aviesa, aparentemente nadie la controlaba, pero seguía al acusado continuamente, y el notó cómo se movía. El juez ocupó su lugar en la tribuna y empezó a leer unos papeles, demasiado atareado con aquel baile de gente a la que arrestaban un día sí y otro también para enterarse de inmediato de que había una cara nueva.

—No te acobardes —le dijo Zack dándole unas palmaditas en el hombro—. Mira, tendrás que comparecer y luego yo solicitaré tu libertad bajo fianza, hablaré un poco y volverás a casa. ¿Tiene preparada Meera la fianza?

Sanjay asintió con un leve movimiento de cabeza.

—Estupendo. Todo va bien. Vamos, aguanta un poco.

Sanjay sabía que debía recibir las palabras de Zack como buenas noticias, así que trató de sonreír, pero tenía un terrible dolor de cabeza y una sensación de tristeza que le recorría todo el cuerpo y que iba tirando de él mientras pasaba por los corredores de la cárcel y de los juzgados. Puede que volviera a casa, pero en libertad bajo fianza, como un animal salvaje al que se lo deja libre durante un tiempo. Volver a casa y encontrarse con una mujer desengañada, con unos compañeros de trabajo asombrados y tal vez indignados; pensó amargamente que no había valido la pena. Ni por los labios de Kate, ni por sus brazos, ni por la suave piel del bebé, ni por nada valía la pena pasar por aquello.

—Sí, gracias Zack —dijo Sanjay siguiéndole por la sala como había aprendido a hacer viendo los telediarios: pegado a su abogado, mirando al suelo y tratando de evitar la cámara. El agente lo llevó hasta la tribuna del jurado y Zack se sentó en una silla en medio de la habitación y le hizo un gesto con la mano, como si aquello fuera una competición deportiva, pensó él.

La sala vibraba con el zumbido de las luces fluorescentes y el ruido del sistema de calefacción. Un alguacil se sentó a una mesa y fue poniendo una carpeta sobre la otra. Sanjay vio que Zack se ponía en pie cuando la juez levantó la vista de los papeles que leía y empezó a descansar el peso del cuerpo sobre una pierna y luego sobre otra. Tenía la sensación de que todo su cuerpo se encogía dentro de aquellas ropas naranjas, como si la carne se le fuera apretando contra los huesos, los muslos pegados al fémur, el pene y los testículos contra las caderas y la pelvis, y el corazón contra la columna. Tuvo la certeza de que si seguía allí mucho rato acabaría prácticamente por desaparecer, volando por la sala, y que los abogados y los jueces, los sospechosos y los convictos, los mirones y las víctimas lo echarían a puntapiés a una esquina donde quedaría hasta que lo barriera el celador nocturno.

La juez hizo un gesto de asentimiento con la cabeza y el alguacil se levantó y dijo: «Caso número 40702. ¿Está presente la defensa en el caso del Estado de California contra Sanjay Chaturvedi?».

Zack traspasó las puertas de batiente de roble y se sentó a la mesa de la izquierda. Sanjay se dio cuenta de que en la de la derecha estaba la fiscal, tranquilamente sentada con las piernas cruzadas y sus papeles ordenados sobre la mesa.

—Sí, Señoría.

La juez asintió

—¿Está el acusado debidamente representado?

—Sí, lo está —dijo Zack.

La juez volvió a asentir con la cabeza.

—¿Quiere levantarse el acusado?

Sanjay miró a Zack y se puso en pie, aunque le flaqueaban las piernas. Se encontró de pronto buscando apoyo en el hombro del hombre que estaba a su lado, intentando no caer al suelo, y para su sorpresa este le sujetó con su cuerpo por la cadera, como apuntalándole frente a las palabras que se iban a pronunciar. La juez le miró y cerró la carpeta, que él sospechaba debía de estar llena de palabras acerca de su persona. Habría querido ver qué decían, verlos todos para apartarlos y exclamar: «¡Por Dios bendito! ¡Cómo lo han tergiversado todo! Mire no fue que yo la violara. Ya sabe lo que se entiende normalmente por eso. Fue una relación poco sensata con una chica de diecisiete años. Sí, ya lo entiendo, pero déjeme decirle que ella me amaba. Sí, ella me amaba y yo también a ella. Porque me enamoré de la forma en que se abrió para mí, como una flor suele decirse. Ya sé que es un lugar común, pero es cierto, ¡es absolutamente cierto!

«Pero yo era un adulto y tenía más conocimiento que ella, y actué como si no lo tuviera y, a pesar de todo, lo hice, lo hice», pensó Sanjay tragando saliva.

—Señor Chaturvedi, se le acusa de violar el código penal, sección diecisiete, artículo 602 —dijo la juez— ¿Cómo se declara usted?

—Mi cliente alega que es inocente, Señoría —repuso Zack tras aclararse la voz—. Y quisiéramos solicitar de inmediato una fianza carcelaria de forma que quede en libertad condicional bajo caución juratoria.

La fiscal que hasta entonces había permanecido en silencio y sin hacer ningún tipo de gesto se puso en pie.

—Disculpe, Señoría, pero hay que considerar que el señor Chaturvedi no es ciudadano americano y existe un riesgo de fuga. —Dicho esto volvió a sentarse dando un taconazo con ambos pies.

Zack la miró torvamente un segundo y continuó:

—Señoría, mi cliente no tiene antecedentes penales ni policiales relativos a delitos de esta u otra naturaleza. El señor Chaturvedi tiene un trabajo estable (siete años trabajando para la misma compañía), mujer y dos hijos pequeños bajo su techo, y fuertes lazos con la comunidad. Su mujer es médico del Hospital Mount Diablo y también tiene una consulta privada consolidada. Esto ha sido un incidente aislado, el señor Chaturvedi no representa ningún peligro para la comunidad ni plantea un riesgo de fuga.

La fiscal volvió a levantarse mirando a Zack y a Sanjay.

—Señoría, tenemos que someter a su consideración otro aspecto. El señor Chaturvedi no tendrá antecedentes policiales, pero vive en la casa de al lado de la menor. Cuando la chica vuelva a estar bajo la custodia de su padre esta proximidad puede causar problemas a ambas familias, especialmente si está también el bebé.

La juez se quedó mirando un momento a la acusación y a la defensa, y a Sanjay, que se preguntó cómo era posible tomar decisiones de ese calibre en cuestión de minutos, de segundos, cuando la dirección que iban a tomar unas vidas humanas dependía tan sólo de unas palabras, del golpe de un mazo, de las líneas trazadas por una pluma.

—No creo que el señor Chaturvedi represente un peligro para la comunidad ni que plantee un riesgo de fuga, pero me preocupa la situación de la vivienda. Por lo tanto, impongo una fianza de cincuenta mil dólares, pero, señor Chaturvedi, por orden expresa de este tribunal le está prohibido estar a menos de treinta metros de…—hojeó rápidamente los papeles— Kate Phillips. Si le sorprenden a menos de treinta metros de ella lo devuelvo a la cárcel sin posibilidad de fianza. ¿Lo ha entendido?

Sanjay asintió:

—Sí Señoría.

—De acuerdo. Alguacil, compruebe que está depositada la fianza. Buenos días.

Antes de que Sanjay saliera acompañado por el funcionario que le acompañaba a la celda y de allí de nuevo al autobús de vuelta a la cárcel del condado, Zack le agarró por el hombro y se inclinó para decirle algo al oído. Sanjay sintió un olor a tabaco y agua de colonia y notó la áspera cara del hombre contra su pelo.

—Oye, me voy a hablar con la fiscal del distrito. Voy a hacer todo lo posible por que reduzcan los cargos y no tengas que ir a juicio. Vuelve a tu casa y a tu vida y cumple a rajatabla lo que ha dicho el juez. Ya te llamaré, y no te preocupes.

Sanjay asintió y siguió al alguacil, le parecía que avanzaba sobre los cuadrados de linóleo del pavimento a cámara lenta y oía el frufrú de las ropas color naranja que llevaba; sonaba en sus oídos como una música a todo volumen. Miró hacia abajo, siguiendo el tintineo de las esposas que llevaba el alguacil y las pisadas de sus zapatones hasta que la puerta se cerró tras él y se encontró en el pasillo, más cerca del mundo exterior de lo que había pensado en los últimos dos días, cerca de sus hijos, y de Meera, que le estaba esperando y que había conseguido el dinero de la fianza; más cerca de Meera que se estaba apoderando de su asunto con Kate hasta el punto de que incluso en aquellas circunstancias a él le parecía que la historia empezaba a no ser más que un recuerdo en trance de disiparse.

Mientras caminaba, se le antojó casi increíble que alguna vez hubiera llegado en su coche a su casa, y que hubiera entrado en ella al grito de «¡Ha llegado papá!». Sanjay cerró los ojos pensando en sus hijos, en sus cuerpecillos siempre deseosos de que los levantaran en brazos, de que los acariciaran, y los mimaran, y tan agradecidos y cariñosos, siempre dispuestos a palmearle la cara, a darle besos, a pasarle sus manitas por el pelo. En esos momentos, mientras caminaba con los ojos entrecerrados, se imaginó a Meera en la cocina, cascando nueces o hablando por teléfono y dándole la bienvenida agitando esa mano suya tan menuda y siempre tan cuidada. También sentía los brazos de Meera alrededor de su cintura, y veía, porque alguna vez así había sido, mirándole como si realmente estuviera enamorada de él. Pero incluso en aquellos momentos, mientras seguía a aquel hombre tan poco amable que le devolvía a la cárcel, por mucho que tuviera todavía el estómago lleno de huevos en polvo y tostadas, pensaba en Kate, en que nunca había tenido que escrutar su rostro para intentar discernir sus razones ni averiguar si expresaba amor por él. Pensó que, en aquellas breves semanas, había sentido que una mujer lo miraba con un amor en algún sentido parecido al de Ari y Jaggu.

Sacudió la cabeza, abrió los ojos del todo, y respiró profundamente. «No es una mujer —pensó—, no es la mujer adecuada. De hecho no es una mujer, y por eso precisamente estoy aquí.»

El guardia dio la vuelta a una esquina y se detuvo ante una puerta que abrió para que él entrara en la celda.

—Tenemos para un rato. A ver quien más tiene que volver, así los meteremos a todos en el autobús.

El guardia sonrió, luego pareció paralizarse a media sonrisa y cerró la puerta. Sanjay se sentó en el banco, apretando las piernas y abrazándose a sí mismo. Cerró los ojos y pensó en Sundeep, su padre. Era un día de fiesta y su padre estaba sentado en el umbrío jardín trasero; llevaba puesto su pijama *kurta* de seda, hablaba con los otros hombres y se reía suavemente. Él era un niño, y estaba tumbado sobre el fresco suelo de piedra del porche, observando atento las voces de los hombres que traía la brisa de la tarde; veía a su madre, hermanas, primas y tías en algún lugar de la casa, de donde llegaban los ecos dispersos de un rumor de risas y ruido de platos. Por un momento, arrastrado por el torbellino de recuerdos de Nueva Delhi y la casa familiar, le invadió una sensación antigua de alegría, de felicidad perfecta, y se preguntó en qué lengua habría sido posible explicarle aquella historia a su familia, qué palabras podían describir cómo se había enamorado de su propia sensación de plenitud y cómo la había perdido.

Meera estaba sentada en la maloliente sala de espera del primer piso de la cárcel del condado, esperando a que su marido saliera en libertad bajo fianza. Ocupaba un pedacito de banco, apretujada entre dos mujeres embutidas en sendas gabardinas y calzadas con unas chanclas. La habitación apestaba a miedo, tabaco y orines. Había hecho efectivas unas rentitas y pagado al afianzador, un joven rubio muy pulcro que le dio un apretón de manos y le deseó suerte cuando salió de su exiguo despacho en Martínez.

Sentada en el duro banco, con la espalda apoyada en el cemento de la pared, pensaba en la soledad. La palabra la rondaba como un mal espíritu y no la dejaba dormir por las noches, aunque había intentado rehuirla desde la primera noche que pasó sola en la cama y el lado de Sanjay amaneció intacto. Meera se preguntaba cómo era posible que esa palabra hubiera partido en dos su vida como una naranja. Pensó que no había conocido nunca la soledad, en el sentido de que jamás había estado sola. De niña iba con su familia al templo, se sentaba con su madre Divya y las otras mujeres que hablaban de saris y brazaletes, niños malcriados y mujeres malcasadas. Meera las acompañaba mientras preparaban en la cocina la comida de las fiestas y las celebraciones, entre olores a sésamo, curry y cilantro, grasa, pan caliente y hierro caliente. Luego jugaba con sus cuatro hermanos y otros niños del vecindario sobre la suave y fría tierra de algún jardín trasero, corriendo en círculos y llenando de gritos el cielo de los atardeceres de verano. En el colegio siempre había tenido un amiga íntima, Sushma Shretha, Geeta Rathor, Romina Verma, chicas con las que podía hablar, eso sí muy bajito, mientras su profesor, el señor Ranjan, garabateaba los problemas sobre el encerado. Cuando empezó a crecer, su cuerpo regordete se alargó, se le afinó la cintura y las caderas tensaron la seda de los saris sobre su vientre; pero la acompañaba siempre la mirada protectora de sus hermanos, que no la perdían de vista mientras volvía a casa desde el lugar donde vivía su profesor, seguida por los chicos del vecindario que cuchicheaban poniéndose la mano delante de la boca.

En la universidad, primero en Inglaterra y luego en Estados Unidos, siempre estaba con sus compañeros, estudiantes especializados en biología o que preparaban el ingreso en medicina, hombres y mujeres serios con los que estudiar y de los que aprender; a veces, a la vuelta de una fiesta o de un bar, apuntaba algo sobre una teoría biológica o una universidad que aceptaba estudiantes extranjeros o alguna librería especialmente bien surtida. Siempre había habido gente con quien poder hablar, consultar, simpatizar: la presencia de los otros en su vida era tan natural como el aire, el agua o la comida.

Así pues, cuando conoció a Sanjay, que no estudiaba biología sino ingeniería química, tan guapo, con aquellos ojos de gato y el pelo liso y tupido, con el que además de hablar podía pasar las noches, pensó que nunca más se sentiría sola. En realidad, nunca había pensado en la soledad, y menos después de que se mudaran a Monte Veda y nacieran los niños. Tenía marido, hijos, vecinos, amigos, colegas y pacientes, gente que entraba y salía a todas horas, tanta que a veces llegaba a suspirar por un ratito de silencio a solas.

Por eso aquella salida de Sanjay sobre la soledad la perturbó dejándola confusa, haciendo que llegara a preguntarse si había estado viviendo en la misma casa que su marido, en las mismas habitaciones, bebiendo de la misma agua y compartiendo la misma cama. ¿Qué entendía él por soledad? ¿Cómo podía ella percibir la sombra de la soledad en el rostro de su marido? ¿Sería capaz de reconocerla si volvía a presentársele la ocasión?

Meera suspiró, atenta al espeso silencio que reinaba en la sala de espera, donde la única conversación que se oía era la que mantenían unos actores en el programa *Days of Our Lives* que transmitía una tele en blanco y negro sujeta al techo por un soporte metálico. Sintió el zumbido de su busca y lo miró, era del hospital. Se puso a buscar el móvil de forma mecánica, aun a sabiendas de que en aquel extraño lugar debía mantenerse en silencio, atenta, a la espera de que su marido emergiera en algún momento de algún antro oscuro.

—Soy la doctora Chaturvedi —dijo, y le pareció extraño, se dio cuenta de lo importante que era para ella aquella palabra, y de hasta qué punto significaba exactamente quién y qué era ella, y de lo atrapada que estaba por su situación social y su duro trabajo. Nunca se había cansado de decir esa palabra, ni de escribirla, ni siquiera cuando resultaba tontamente innecesaria. Pensó que todo en ella decía: «Sé lo que estoy haciendo».

Mientras atendía a lo que le decía la enfermera, colgada de la cajita negra que arrimaba a su cara y la catapultaba fuera, se dio cuenta de que a su lado las dos mujeres seguían la conversación sin pestañear siquiera, pendientes del móvil, de cada palabra que decía, de la vida que bullía fuera de aquellas sucias paredes.

Meera asentía, dio unas cuantas instrucciones y colgó, echando otra vez el teléfono en el bolso y tratando de apartarse lo más posible de las personas que la rodeaban.

«Soy médico y sé perfectamente lo que hay que hacer —pensó—, pero aquí no, aquí no tengo ni idea.»

Se acordó de un niño que había visto el día anterior en la consulta; Bernie, un crío de cuatro años con una maraña salvaje de pelo rubio y un eccema; tenía la piel seca y enrojecida, llena de costras de haberse rascado la noche anterior.

—Yo le digo que no se rasque —dijo la madre de pie ante la camilla—, pero él sigue. La madre bajó la cabeza y le sacó al niño unos calcetines a rayas rojas y blancas, con las puntas raídas y los elásticos deshilachados a la altura de los tobillos.

Meera se acercó tanto a la camilla que la mujer retrocedió y se sentó, agarrando los calcetines como si fueran un talismán. Ella le echó el pelo hacia atrás a Bernie, le sonrió y tomó suavemente sus bracitos, pasando con cuidado la palma de la mano sobre las zonas irritadas. Le miró a los ojos castaños con puntos azules y verdes, y oyó su propia voz preguntándole:

—¿Te pica todo el rato? —Aunque en realidad lo que estaba haciendo era husmear el ambiente que le rodeaba, sentir los huesos bajo la carne, cómo la madre se removía inquieta, el olor que despedía la ropa más bien sucia, olía a perro o tal vez fueran pelos de gato lo que había sobre la camiseta y los pantalones cortos que estaban en un montoncito a su lado. Meera sintió el olor de las tres cajetillas diarias de la madre, se fijó en las manchas de nicotina que amarilleaban el dedo corazón y supo que ahí faltaba el padre, que tal vez había faltado siempre.

—Sí —dijo Bernie—. Todo el rato, y ahora me duele.

Eso también lo sabía Meera, que a Bernie le dolía ignorar a su madre y arrancarse la piel por las noches, rasca que te rasca con los deditos en la oscuridad de la habitación mientras estaba en la cama. Sintió su miedo y sus lágrimas mientras se acercaba a la mesa para extender la receta, despegar unos folletos de la pared sobre el asma y las alergias, y escribir el volante para el alergólogo.

Había visto salir a la madre y al niño desde el mostrador de las enfermeras sin poder evitar una mueca amarga ante aquella evidencia de pobreza, tristeza y cólera, a sabiendas de que tal vez no volviera a ver nunca los ojos de avellana de Bernie.

Tragó saliva, levantó la vista y vio a su marido entrar por la puerta; no caminaba como de costumbre, sino a paso lento e inseguro. Nada que ver con el paso decidido y sonoro que solía tener. «Anda como un hombre que hubiera perdido su lugar en el mundo», pensó Meera. Se levantó y, como el día en que fue a ver a Kate, sintió en su interior la lucha entre su deseo de abrazarlo y el de rechazarlo, entre la ternura y la repugnancia. «¿Cómo habrá podido hacerlo?», pensó. Y luego, al sentir el terrible nudo en su interior, se dijo a sí misma que lo asombroso habría sido que no lo hubiera hecho.

Meera se acercó a Sanjay. Su cuerpo lo reconoció a pesar de la ropa, a pesar del aura de tristeza que les envolvía, y se apretó contra él aunque sabía que aquellas mujeres y todos los demás los estaban mirando, desesperados por dar con algo que los distrajera de su espera, algo más real y mejor que un culebrón. Se dio cuenta de que seguía siendo el mismo de siempre, y al abrazarlo disipó los olores extraños que le habían acompañado en aquellos dos días, haciendo desaparecer el frío, el cemento, el atuendo naranja, las conversaciones horribles, las miradas de reprobación, y lo devolvió al lugar al que ella creía que pertenecía, intentando olvidar que otra mujer, Kate, había usurpado su lugar para conocerle igual que lo conocía ella.

Ajena a todo, lo atrajo hacia sí y le susurró al oído:

—¡Ay, Sanju, Sanju…!

Él apoyó la cabeza en el hombro de ella y dijo en un susurro.

—Lo siento, lo siento muchísimo. Perdóname.

Meera no sabía si podría perdonarle, pero lo que sí sabía era que a partir de ese momento estaría más atenta a lo que era la soledad y le observaría como había observado a Bernie, como había aprendido a estudiar a todos sus pacientes.

«Sanjay ya no huele a mí», pensó Meera mientras atravesaban en coche el centro de Martínez y salían a la autopista 4. Mientras manejaba el Volvo entre el tráfico de gente que volvía del trabajo echó una mirada a las manos de su marido, que seguían reposando sobre sus piernas; llevaba las uñas un poco largas y sucias. Si hubieran estado en casa lo habría llevado al cuarto de baño, dejado correr el agua caliente y le habría dado un baño, untando de aceite de sándalo su piel húmeda, frotando su cuerpo con agua y polvo de raíz para eliminar la piel vieja y borrar los días de cárcel, su relación con Kate, y la soledad por la que todo esto había empezado. Pero no estaban en Nueva Delhi, sino en Estados Unidos, y lo que haría Sanjay es darse una ducha, de pie, él solo, lavándose con Head&Shoulders, jabón Dove y una manopla, para oler como siempre, como ella le conocía, como ella misma olía ahora.

Sanjay alargó la mano para tocar la pierna de ella y Meera sintió sus dedos ligeros sobre el vestido.

—¿Y ahora qué? —preguntó.

Meera sintió un deseo contradictorio de saltar y al mismo tiempo de deshacerse en lágrimas, no habría podido decir si podía más en ella la pena o la cólera.

—Llamé a la agencia inmobiliaria, como me pediste. Dice que cree que podíamos vender la casa a muy buen precio, y mudarnos al otro lado de la ciudad, tal vez a Monte Veda Woods o a Lafayette. De hecho, el sitio es mejor, y económicamente podríamos asumirlo.

Meera se había vuelto un momento hacia Sanjay, pero volvió otra vez la vista a la carretera y puso en marcha los limpiaparabrisas.

—Tenemos que mudarnos. No hay nada que nos retenga ahí —dijo Sanjay—. No podemos quedarnos.

Para él era muy fácil, pensó Meera. Tan fácil como dejar a Kate embarazada, por ejemplo. Se desentendía de todo y ya está.

Meera tomó aire y se preguntó cuánto tiempo seguiría tratando de ignorar al bebé, que de alguna manera también era de ellos, una persona en la que había que pensar, de la que había que ocuparse. Los abogados estaban intentando articularlo de forma efectiva por la vía de solicitar una pensión para la niña, lo cual no les suponía realmente ningún trastorno y les aliviaba de toda responsabilidad por la vía económica. Pero Meera sabía perfectamente que llegaría el día en que la niña, adolescente o ya como una mujer hecha y derecha, llamaría a la puerta y preguntaría por su padre, exigiría conocerlo y tener los mismos derechos que sus otros hijos, porque tenía derecho a saber quién era el autor de sus días.

—No nos vamos a mudar, Sanjay. No podemos hacerlo —dijo Meera.

Se dio cuenta de la mirada estupefacta de su marido, de su sorpresa, de su ansiedad, y se alegró. Otra vez estaba al mando, y le agradaba sentir que dijera lo que dijera a él no le quedaba más remedio que asentir. Pero ahora estaba pensando en ella. Pensaba en las dos Deirdre, en cómo la primera estaba sobre la segunda, una luz divina en aquella espantosa historia.

—Pero Meera, ¿por qué no? ¿Qué hay de lo nuestro? —dijo él cerrando las manos—. Ya sé que no puedo reparar lo que hice, pero nosotros…

—¿Cómo voy a saber si funcionará, Sanju? —suspiró Meera y se volvió un segundo a mirarlo alargando la mano para acariciar sus desaliñados mechones—. No tengo ni idea. —Él entrecerró los ojos y se volvió para mirar por la ventanilla cómo la lluvia azotaba el cristal. Meera consideró la inmensidad de ese porvenir desconocido y estuvo a punto de echarse a reír ante la sensación de estar al mando.

«Esto ya no es sólo cosa nuestra, ni lo ha sido nunca —añadió—. Tenemos que encontrar la manera de tirar adelante nuestras vidas, Sanjay. Tenemos un hogar. Nuestros hijos no han conocido otro. Yo he trabajado mucho esta tierra para hacerla mía, y no quiero dejarla, no puedo. —Meera crispó las manos sobre el volante y tuvo la revelación de que no todo iba a ser placentero, de que habría hitos dolorosos en su vida y que este no era el primero, aunque fuera el que le había causado una herida más profunda, más dolorosa, y dejara una cicatriz que seguiría tirando toda la vida, hasta que exhalara su último suspiro. Pero era su vida, y el bebé también formaba parte de ella. Lo mismo que aquel hombre, el hombre del que se había enamorado y con el que iba a seguir viviendo porque era lo que había que hacer.

Meera siguió conduciendo, ajena al silencio de Sanjay, como siempre había hecho. De alguna manera tendría que aprender a vivir con ese malestar, que más tarde compartiría con Davis, Kate y Tyler. Sanjay y ella no iban a marcharse abandonando a los Phillips el extremo de Wildwood Drive. Tendrían que afrontar días extraños, jardines silenciosos y miradas aviesas, pero ella seguiría allí, y algún día, cuando pasados los días, los meses o los años, Kate y su hija vinieran a verlos, les abriría la puerta de su casa, les pediría que se sentaran, y les daría té y conversación. Y ella lo escucharía todo.

La doctora Meredith le preguntó:

—¿Habla usted alguna vez de ella? ¿Le habla usted de ella a Hannah?

Davis sacudió la cabeza.

—No.

—¿Y con las niñas?

—No.

La doctora cruzó las piernas y se echó un poco para atrás en la silla.

—Cuénteme cómo era. ¿Qué diría usted si alguien le preguntara por Deirdre?

—No lo sé.

Davis cerró los ojos, se tapó la boca con el puño medio cerrado y tosió. Se preguntaba cuánto tiempo más podría hacer callar a aquella doctora; el silencio de la habitación empezaba a agobiarle y el médico seguía esperando una respuesta. Fuera se oía un ruido de agua cayendo sobre unas peñas, había un estanque al otro lado de la ventana, lleno de burbujas y de peces anaranjados. Si cerrara los ojos, tal vez podría dejarse llevar por el sonido. De todas formas intentó despabilarse, ya que sabía que si quería recuperar a sus hijas tenía que contestar.

—¿Qué quiere usted decir? —preguntó finalmente.

—¿Puede usted describirla? Hábleme de su vida con Deirdre.

Davis la miró desde el asiento de piel negra donde su cuerpo se hundía en la miseria, y en vez de contestarle empezó a observar detenidamente las paredes: su mirada corría sobre las piezas de arte étnico mexicano, gatos rojos y naranjas de ojos morados, perros a lunares fucsia, y sobre los libros: *Stop a la obsesión*, *Deje de agobiarse y disfrute de la vida*, *Más allá del Prozac*. Se preguntó si habría algún libro titulado *Consiga salir de esta y salvar a sus hijas*; ese era el que él necesitaba.

Era la segunda vez que acudía a aquel despacho. La primera vez que fue a pedir hora y la doctora Meredith estuvo casi una hora hablando con él. Le preguntó generalidades sobre el caso, y después cosas sobre su familia, su madre, su padre y su hermano, cómo se había criado en San Francisco, en las avenidas, etcétera. Él contestó a todas las preguntas, ya que ninguna era demasiado personal, y las respuestas no resultaban demasiado dolorosas. Durante la primera visita, la doctora le estuvo preguntando por la concatenación de acontecimientos sucedidos a la muerte de Deirdre, por lo que le había pasado exactamente, y por Kate y por Tyler. También le preguntó por Hannah y sus dos hijos, y por los Chaturvedi y sus niños. Davis había empezado a pensar que la terapia no era más que hablar. Pero la visita de hoy estaba resultando muy distinta, con la doctora ahí sentada y esperando tranquilamente una respuesta suya. Sacudió la cabeza y dijo:

—No lo sé.

—¿Cuánto tiempo estuvieron casados?

Estuvo a punto de decir: dieciocho años, aunque se dio cuenta de que seguía pensando que aún lo estaba. Nadie había dado por terminado el matrimonio. No había papeles de divorcio, ni abogados, ni peleas por la custodia de las hijas ni por el pago de las pensiones. Todo lo que tenía era un certificado de defunción y un permiso para disponer de los restos mortales de su esposa. Su nombre estaba en ambos papeles, pero él nunca había firmado ningún documento que dijera que ya estaba, que se había acabado, que había dejado a Deirdre. Además, ella tampoco había querido marcharse, así que ¿cómo podía decir que no estaba casado? Poco importaba que hubiera salido con Hannah, ni que se hubiera ido a vivir con ella y que hubiera compartido tantas noches su cama, que su cuerpo estaba empezando a resultarle tan familiar como el de Deirdre. La doctora Meredith lo miró, amenazando con volver a hacerle la pregunta, así que dijo entre dientes:

—Quince años. En octubre habríamos cumplido los dieciocho.

—Ya veo. Bueno, y en esos quince años, ¿qué era lo que más le había gustado de su esposa? —preguntó la doctora Meredith que seguía apuntando cosas sin dejar de mirarle a los ojos.

La frente de Davis se arrugó por tres sitios en gesto de desaliento:

—¿Qué quiere usted decir?

—Quiero decir, que qué fue lo que más le atrajo de ella al principio? ¿Qué era lo que le hacía volver a casa todas las noches? ¿Cuáles eran los aspectos más maravillosos de su personalidad? ¿Y los más molestos?

Davis se sintió como si lo estuvieran empujando a franquear una puerta tras la cual no había porche ni terreno donde caer. Si se soltaba de la pared a la que se había agarrado y atravesaba el vano se caería sin remisión, caería hasta el infinito; no habría nada que pudiera detener su caída y en aquella interminable caída vería desfilar todo ante sus ojos, todos los recuerdos de Deirdre: su rostro, su risa, la forma en que se despertaba por las mañanas con un gemidito, sus manos suaves, cortas y torneadas, sus ojos, su pelo, su perfume, esa piel que podía sentir a un kilómetro. Se quedó mirando a la doctora Meredith, deseando fervientemente que lo dejara en paz.

—¿Por qué es tan importante eso?

—Intente contármelo —dijo ella, echándose un poco hacia atrás en su silla negra.

Podía sentir cómo él solo se iba acercando hacia la puerta abierta, podía ver el cielo.

—Tenía las manos pequeñas, y los dedos regordetes. Yo solía decirle que tenía dedos de salchicha. Algunas veces me daba un golpe en el brazo, de broma, sabe… Pero me encantaba besarlos. Tenía unas manos fuertes. Le gustaba mucho trabajar en el jardín. Teníamos flores, verduras, árboles…

La doctora Meredith se incorporó un poco.

—¿Y qué más?

—Su pelo era como algodón. Largo y oscuro, pero parecía una madeja entre mis dedos. Y siempre se reía, aunque estuviera muy enfadada. Si veía a las niñas pelearse por una Barbie o por cualquier cosa, ya estaba echando la cabeza hacia atrás y ¡hale!… Se reía en la cama, se reía al teléfono. Yo la hacía reír. Se reía con mis chistes.

—¿Y qué más?

—¿Por qué tuvo que pasar? —preguntó él con la vista fija en su vaso de agua, sintiendo que ya nada le retenía, que su cuerpo flotaba en el aire tibio y limpio.

—Siga contándome cosas de Deirdre.

Él sintió una terrible punzada en el vientre.

—Una vez, cuando Kate era todavía un bebé, Deirdre se quedó dormida en una fiesta. Sentada a la mesa de la cena. Entonces, cuando intenté despertarla me mandó a la mierda: «Déjame dormir en paz —me dijo—, ahora me toca a mí». Porque siempre le tocaba a ella ocuparse de las niñas, ¿sabe? —dijo él—, yo nunca me levantaba. Siempre me quedaba dormido. Ella se ocupaba de ellas. Yo no sabía cómo hacerlo. No sabía hacerlo como ella. Deirdre lo hacía todo, ¿sabe? Ella se ocupaba de las niñas mejor que yo. Yo no sabía. No sé.

—¿No cree que pueda ocuparse de ellas? —preguntó la doctora Meredith.

Davis cruzó y descruzó las piernas una par de veces; las palabras se le atascaban.

—¿Tiene usted la impresión de haberse ocupado de las niñas después de que ella muriera? —siguió diciendo la doctora Meredith.

—No, no. Sí. No como lo hacía Deirdre. Nadie puede hacerlo como ella, nadie. ¡Oh, Dios mío! —gimió él volviéndose hacia la ventana.

—¿Qué más recuerda usted?

—¿Qué más? —contestó él.

La doctora Meredith asintió.

—Gastaba mucho dinero. No es que quisiera hacerlo. Pero quería apuntar a las niñas a todo tipo de actividades. Por otro lado, a veces, cuando llegaba a casa, me encontraba con diez cajones de plantas del vivero Orchard. Eso fue cuando empecé en York and Prescott. No quería coches caros, pero íbamos mucho de vacaciones al lago Tahoe o a ese de Canadá. Le encantaban aquellos viajes. De pequeña había estado en el equipo de natación de Meadowlane y nadaba como un pez. Y con los bebés. Era una buena madre, una madre maravillosa. Debería haberla visto… ¡Oh Dios mío!… —Davis se dobló hacia delante, con la cabeza entre las piernas, pensando que ya no tenía nada a lo que agarrarse, que tenía que evitar abrirse del todo. Trató de ahogar las palabras que le salían del pecho incontenibles—. ¡Dios mío, me quería, me quería, Deirdre me quería!

—Cuénteme más —le dijo la doctora.

Él se sentó, con los brazos cruzados sobre el pecho, tratando de articular a pesar de que le temblaran los labios.

—¿Cómo puede haberse marchado? No puedo creer que se haya ido. ¿Es posible que esté muerta? Si estaba aquí mismo. —Davis abrió la mano y la puso sobre su corazón. Le habría gustado poder salir de allí, pero dudaba que le quedaran fuerzas para levantarse de la silla. Era como si tuviera a Deirdre sentada en sus rodillas. ¿Cómo podría abandonar cuando ella estaba tan cerca?

La doctora Meredith dejó de apuntar en su libreta. Una lluvia prieta y racheada golpeaba los cristales.

—¿Qué es lo que echa de menos de su vida con Deirdre?

Davis levantó la vista e hizo una inspiración profunda, aunque todavía tenía los brazos apretados sobre el pecho. Miró a la doctora y contempló su pena, mientras sentía que le iba envolviendo una nube espesa de silencio y vergüenza. No podía secarse las lágrimas que le corrían por la cara porque estaba seguro de que al menor movimiento se pondría a gritar el nombre de Deirdre.

—Todo —dijo por fin en un susurro—. Lo echo de menos todo.

Davis estaba ante el tribunal en una sala de los juzgados de Martínez. Se hallaba sentado junto a su abogada, Zoe Lundgren, a una mesa de roble cubierta con las notas de la defensa. Dos semanas después de que Meera se llevara a todo el mundo al Hospital de Mount Diablo, Davis quería demostrarle al juez que se merecía que le devolvieran a Kate y a Tyler. En la mesa de al lado estaban el señor Stevens, representante del condado, Cynthia, la asistente social que Davis recordaba del día del hospital y la doctora Meredith.

Nunca había estado ante un tribunal, salvo una vez, cuando tenía dieciocho años y decidió recurrir una multa de tráfico. En aquella ocasión se puso una corbata y sus mejores pantalones y preparó el caso para demostrar que era imposible que el guardia de tráfico tuviera la certeza de que él iba a más de ciento treinta por la autopista de vuelta a casa después de haber ido a Los Ángeles. Pero el guardia no se presentó así que Davis tuvo una victoria corta y fácil. Salió por las puertas de batiente libre de culpa y sin pagar la multa.

De eso ya hacía veinte años y ahora también se había puesto corbata, pero esta vez una de seda y llevaba también su mejor terno azul. Zoe y él se habían pasado horas hablando y Davis quería a toda costa demostrarle al juez que era capaz de cambiar, que iba a hacerlo y que tenía un derecho sobre las niñas. Dos noches antes le había dicho lo mismo a Hannah por teléfono.

—Voy a conseguir que me las devuelvan, Hannah. No me puedo creer que todo haya salido tan mal —dijo cuando por fin tuvo un rato para hablar con ella y contarle lo del bebé, lo de su terapia, lo solitaria que estaba la casa y la tristeza que le producía aquella cunita de cartón.

—No puedo dejar de pensar en Kate —dijo Hannah—. No dejo de verla sentada ante la barra, ocultando la tripa. No sé cómo no me di cuenta…

—¿Tú? ¿Y qué me dices de mí? ¿Cómo he podido hablar con ella, sentarme a comer con ella sin darme cuenta de nada? Sin verlo. ¡Dios mío, debía de estar ciego! —dijo cabeceando sobre el auricular.

—Hiciste todo lo que estaba en tus manos —dijo Hannah a la defensiva. Davis se preguntó si ella no se habría sentido también culpable.

—No, no lo hice. Y lo sabía. Tenía que haber estado aquí. Siento… siento…

—¿Qué? —le preguntó Hannah.

—Lo siento todo —dijo él, y se dio cuenta de que efectivamente así era, sentía un profundo y enorme dolor y no tenía escapatoria.

—No puedo creérmelo —dijo Hannah en voz queda.

Davis suspiró.

—Yo tampoco.

—¿Quién iba a pensar…? Yo no lo vi, y he tenido dos embarazos. Tú estabas haciendo lo que debías.

Davis se tumbó en la cama, mirando fijamente a la pared, con el auricular en la mano.

—No, no lo hice. Estaba contigo.

—¡Ah, estupendo! —exclamó Hannah—. ¿Así que es por mi culpa? Yo no te he obligado a nada, si te quedaste es porque quisiste.

—Ya lo sé. No te estoy reprochando nada —dijo él—. Toda la culpa es mía.

Hubo un silencio y Davis se imaginó a los niños jugando con los cochecitos de plástico sobre la tarima cuidadosamente encerada de Hannah.

—¿Volverás? ¿Volverás a casa?

—Ya sabes lo que ha dicho Zoe, Hannah, no puedo —contestó él.

—Pues iremos nosotros.

—¿Y qué pasa con los niños? Creí que habías dicho…

—Sé perfectamente lo que dije, pero eso era antes. Ahora las cosas han cambiado.

Davis sentía que la desesperación le tensaba la voz. Parte de él quería decir «sí». Había sitio suficiente para todos, y ahora que no estaban ni Tyler ni Kate ni tampoco el bebé, aún más; la casa resonaba como un corazón vacío. Le habría encantado llenarla con Hannah y sus guisos y el parloteo de los niños. Pero ¿no era eso precisamente lo que había estado haciendo todo ese tiempo? Llenar los huecos que no podía soportar. Poner parches y más parches a su pena, para evitar las lágrimas.

—Zoe dice que tengo que dar pruebas de mi propósito de enmienda. Tengo que volver a convertir esto en un hogar para las niñas, incluido el bebé. Y Gwen vendrá a pasar un par de meses con nosotros, a lo mejor trae a Ryan, su hijo pequeño.

—¿Qué? ¿Qué me estás diciendo? ¿Qué va a venir Gwen?

—Zoe dice que tengo que demostrar que puedo llevar las cosas bien. Y Gwen quiere venir. Además lleva tiempo preocupada por nosotros.

Davis no le dijo que Gwen le había dicho hacía meses que tenía que prestarles más atención a las niñas que a Hannah, a Sam y a Max, y que había acabado colgándole el teléfono una noche después de que él le dijera: «Las niñas ya son casi unas mujercitas, y están estupendamente».

—Ya. ¿Cuándo te podré ver?

—Zoe dice...

—¡Estoy harta de Zoe! ¿Acaso lo sabe todo? ¿Estaba aquí Zoe cuando Kate se quedó embarazada y nadie se dio cuenta de ello? ¡No se enteró nadie! Y todo el mundo testificará que era imposible adivinarlo.

Davis tomó aire.

—Bueno, es abogado, Hannah, y no es el primer caso que lleva.

—Bien, ¿y cuándo podré verte?

—No quiero cometer más errores. Por una vez quiero hacerlo bien —dijo él.

Hannah se echó a reír; era una risa sarcástica y amarga que a él no le gustó.

—Así que yo era un error.

—No, yo no he dicho eso —dijo él, aunque en su fuero interno pensaba: «Pues sí, fue un error. Fue un error dejar mi casa y a mis hijas para irme a vivir contigo». Pero ¿qué podía decirle ahora? «¿Me escondí entre tus brazos? ¿Me encanta el olor de tu piel sólo porque no me trae ningún maldito recuerdo? ¿Cómo es posible que no me diera cuenta de que no tenía que estar en tu casa, con tus hijos, sino en la mía, con mis hijas?» ¿Podía decirle a Hannah que durante ese tiempo había estado atrapado bajo su techo como un raro y buscado espécimen de insecto metido en una caja de metal, madera y cristal? ¿Podía decirle que dormía con ella, pero que no la quería; que abrazaba su cuerpo húmedo de sexo y recorría sus pechos con su lengua sin que le apeteciera realmente el gusto de su piel? ¿Podía acaso decirle que se había pasado horas jugando con sus hijos a las cartas las tardes de lluvia, comido paella con mejillones y caracoles de mar, y cantado el «Cumpleaños feliz» a su padre en aquel restaurante español del centro sólo porque en todo ese tiempo no había sido capaz de encontrar las palabras adecuadas para decir adiós y volver a su casa, a su casa con Kate y Tyler y con sus recuerdos?

Y no le dijo nada; se limitó a suspirar por el auricular y sintió un aliento que apestaba a pena, mentiras y cerveza mientras esperaba que ella dijera algo.

—Pues yo creo que lo que estás diciendo es exactamente eso, Davis —dijo Hannah, y él intentó hacer como que no notaba la sensación de despedida y rendición que vibró en el auricular antes de que ella colgara el teléfono y se hiciera el silencio.

No volvió a llamarla, aunque deseaba hacerlo. Pensó en Zoe, en el caso y en las niñas. Y ahora, sin Hannah, todo le resultaba más fácil, podíra atender y seguir las instrucciones de Zoe sin sentirse culpable.

—No tiene mayor complicación —dijo la abogada—. Hombre, hay que pasar por el aro: tenemos que apechugar con el informe psicológico y el de la asistente social. Además tiene que probar que es un padre competente; su hermana nos va a ser de gran ayuda. En treinta días, ¡hale!, ya las tendrá otra vez en casa.

—¿Está segura? ¿Puede garantizármelo? —preguntó Davis, aunque inmediatamente deseó no haberlo hecho al ver el gesto de ambigüedad profesional en su rostro.

—Bueno, no, no puedo garantizárselo. Pero tiene un aspecto muy favorable —dijo finalmente dándole la espalda y concentrándose en sus notas.

Davis se dio cuenta en ese momento de que podía pasar cualquier cosa, como de hecho había venido sucediendo en los dos últimos años. La vida ofrecía infinitas posibilidades y en cada opción podía sobrevenir el desastre. Allí sentado, apenas podía dominarse, se agarraba las manos con fuerza para controlar el temblor que las sacudía y llevaba la cabeza hundida entre los hombros en tensión.

—Todos en pie. Se abre la sesión. Preside su señoría el juez Helmanski —dijo el alguacil mientras el juez subía al estrado y se sentaba. Rebuscó entre sus papeles y se inclinó sobre ellos para susurrar algo al oído del alguacil, que escribió algo en su libreta amarilla.

—Vista para la custodia de Davis Phillips de las menores Tyler Jane Phillips y Katherine Diane Phillips. ¿Señor Phillips, está usted convenientemente representado?

Davis estuvo a punto de contestar, pero Zoe le agarró del brazo y dijo:

—Sí lo está, señoría.

Davis se encontraba violento. Zoe y él habían hablado tanto del juicio que podía imaginárselo todo, de principio a fin. «Entonces ¿por qué estoy sudando como un cerdo?», pensó. Se sentaron y él miró la lista de la abogada. Sabía que el primer testigo en ser interrogado por el fiscal y luego por Zoe sería Cynthia, luego vendrían los médicos y finalmente él.

—¿Quién podría testificar favorablemente por usted? —le había preguntado Zoe a principios de la semana—. ¿Quién puede dar fe de que es usted un buen padre?

Davis había suspirado, dos años antes se lo habría podido pedir a Meera y a Sanjay, los vecinos que le habían visto jugar con sus hijas, protegerlas, ponerles tiritas en los codos y las rodillas. Podía habérselo pedido a Rachael o a su marido Bob, a Tom y Jill Anderson, a las otras monitoras del grupo de las Scouts, a la mujer que llevaba el grupo de enfermos de cáncer. A Steve, su jefe, aunque no estaba muy seguro de lo que hubiera testificado; Steve le había dicho unos días antes: «Mira. Esto no es bueno para la empresa. Tómate seis meses, pagados. Y ya hablaremos luego». Y no había querido saber nada más del tema. Después de la muerte de Deirdre, él rechazó sistemáticamente a todas las personas que habían querido ayudarle, y ahora no le quedaba nadie. Realmente no había nadie que pudiera decirle al juez qué tipo de padre había sido antes de que naciera el bebé, Hannah desde luego no y ni siquiera Gwen ni su marido, John, podían hacerlo. Por eso Zoe había recurrido a los expedientes escolares que mostraban los buenas calificaciones de las niñas; las nóminas y los extractos bancarios que mostraban que era solvente; a un profesor de inglés y a la amiga íntima de Kate, Erin. Pero en realidad, ni los documentos ni los testigos decían gran cosa de la labor de Davis como padre.

—Señora De Lucca, ¿puede usted decirme en qué condiciones estaban las niñas cuando fueron llevadas al Hospital de Mount Diablo por la doctora Chaturvedi y el señor Chaturvedi? —preguntó el señor Stevens.

Davis miró a Cynthia que trató de evitarle. Había estado a punto de sonreírle cuando se acercó al banquillo de los testigos, pero no llegó a hacerlo en su afán por evitar cualquier movimiento en falso.

—Bueno, la más pequeña se encontraba en buenas condiciones físicas, aunque estaba cansada. Se ha hecho cargo del cuidado del bebé al menos en la misma medida que la madre. La mayor, la madre, también estaba en muy buenas condiciones. Tenemos los informes médicos de la revisión y de la intervención —dijo Cynthia.

El señor Stevens hojeó sus notas sin quitarle el ojo de encima y luego se puso delante de la mesa mirando a Cynthia—. ¿Y qué hay de la recién nacida? ¿En qué condiciones se encontraba?

—Estaba bien. No había pasado ninguna revisión, ni le habían puesto ninguna inyección, está también en el informe si quiere verlo. Pero su salud era buena, y la habían alimentado y cuidado bien.

—¿En qué condiciones estaba la casa cuando su departamento investigó?

—Más bien desordenada, a excepción de la cocina y los dormitorios. Las niñas habían organizado un cuartito para el bebé en uno de los armarios, estaba bien provisto y limpio —dijo Cynthia.

—A su parecer, ¿cuánto tiempo llevaban las niñas viviendo solas en la casa? —preguntó el señor Stevens volviéndose hacia él, que bajó la vista: no quería ver el gesto de indignación de aquel hombre.

—Según parece el señor Phillips dejó de pasar las noches habitualmente en su casa hace un año, o tal vez algo más, aunque iba con regularidad para ver cómo estaban sus hijas.

—¿Eso hacía?

—Sí, o al menos eso es lo que dicen las dos.

—¿Nunca advirtió nada raro en el comportamiento de Kate? —preguntó el señor Stevens a Eugene Edgar, el profesor de lengua de la escuela. Davis lo reconoció de la fiesta de vuelta al cole a principios de curso.

—Realmente no —contestó Eugene, cruzando la pierna derecha sobre la rodilla y ajustándose nervioso el nudo de la corbata—. Faltó bastante a mediados del curso, y estuve intentando llamar a su casa. Hablé con ella incluso una vez, después de la clase. Pero siguió trayendo sus trabajos y estaban bien, no eran perfectos, pero estaban bien.

—¿No le pareció cansada o deprimida?

Eugene se pasó la mano por la cabeza desde la frente y Davis pensó que parecía casi tan joven como sus propios estudiantes.

—No llevo mucho tiempo en la enseñanza, señor Stevens, pero todos parecen cansados y deprimidos, al menos a ratos. Cuando les hago una pregunta se me quedan mirando y tengo que contestarla yo. Algunos quieren hablar, pero la mayoría lo único que intentan es hacer el ganso y pintarrajear los pupitres.

—De acuerdo —dijo el señor Stevens—, pero ¿no notó usted ningún cambio en su aspecto?

—Tengo la impresión de que no ha pasado usted últimamente por ningún instituto —le contestó Eugene.

—¿A qué se refiere? —dijo el señor Stevens.

—A que unos llevan ropa que les está pequeña y otros ropa que les está grande.

—¿Es decir?

—Es decir que en la ropa que llevaba Kate podía haber metido un equipo de fútbol completo entre la camiseta y los pantalones y no se habría enterado nadie.

—¿Kate Phillips y tú sois muy buenas amigas, ¿verdad? —le preguntó el señor Stevens a Erin, que se mordía los labios y se tocaba el pendiente de la ceja sentada en el banquillo.

—Es mi mejor amiga. Bueno, o lo era.

—¿Pasó algo entre vosotras?

Erin miró a Davis y suspiró.

—Sí… Solíamos hacer cantidad de cosas juntas, pero hacia diciembre o enero empezó a volver siempre corriendo a casa después del insti. Decía que su padre le mandaba hacer muchas cosas. Pero eso sí, hablábamos por teléfono.

El señor Stevens se levantó del asiento.

—¿Así que no te diste cuenta de que estaba embarazada?

—No, para nada. Quizá pensé que se estaba engordando algo, pero lo que me preocupó de verdad es que ya no quisiera ser amiga mía. Fue como si rompiéramos o algo así. Como si se hubiera hecho amiga de otra, o algo. Como si hubiera otra persona.

—¿Cada cuánto iba usted a la casa, señor Phillips? —le preguntó el señor Stevens. Él tragó saliva al darse cuenta de que no tenía intención de darle cuartel, iba a ser implacable.

—Trataba de ir todos los días.

—Pero ¿iba usted realmente todos los días? —insistió él moviéndose hacia la izquierda y tapándole la visión de las puertas de la sala.

—No, no iba todos los días.

—¿Y cuántas noches pasaba usted en su casa, señor Phillips?

Davis se secó el sudor de las manos en la pernera del pantalón.

—Puede que una vez a la semana, o una cada dos semanas.

—Bueno, ¿en qué quedamos? ¿Una vez a la semana o una vez cada dos semanas? Los informes del detective Johnson dicen que era una vez cada dos semanas.

—Era una vez cada dos semanas —susurró Davis.

—¿Cómo? ¿Puede repetirlo, por favor?

—Dos semanas, dos semanas —dijo Davis mirando a Zoe, cuyos expresivos ojos le apremiaban a guardar la calma.

—¿Se llevaba usted a su novia esas noches que pasaba en la casa?

Davis negó con la cabeza.

—No. Tiene dos niños pequeños.

—Ya veo… Quisiera preguntarle: ¿notó usted algún cambio en Kate durante el tiempo que ahora sabemos que estuvo embarazada?

La mirada de Davis recorrió la sala, vio a Cynthia, a la doctora Meredith, a Zoe; vio a su hermana Gwen que estaba sentada en el último banco, agarrada al jersey y al bolso, con aspecto de ir a salir corriendo en cualquier momento por las puertas de madera, dejándolo solo como él había dejado a sus hijas. Se preguntó si realmente se había dado cuenta, si se había percatado de los cambios que habían tenido lugar en el cuerpo de Kate. Se acordó del de Deirdre, la tripa cada vez más oronda, los pechos pesados como una fruta madura, los ojos iluminados por alguna magia interior. Todavía recordaba una por una todas las estrías y el tacto de su pelo cada vez más espeso y exuberante. No había sido capaz de ver todo aquello en su propia hija, la que más se parecía a su madre, por no decir que era clavada a ella. Por faltar de casa, no la había visto caer en brazos de Sanjay, no se había percatado de esos indicios a los cuales un padre protector, un buen padre, habría estado siempre alerta. Davis sabía que hubiera debido ver los secretos de su hija, sus mentiras, su miedo a quedarse sola, sin padre ni madre.

Tal vez incluso había visto algo, puede que lo hubiera visto todo reflejado en el retrovisor del coche mientras enfilaba el camino de vuelta hacia la seguridad de la casa de Hannah.

—¿Señor Phillips? —preguntó el señor Stevens, dejando caer su libreta sobre la mesa y acercándose al banquillo.

Davis levantó la mano como para detenerlo, abrió la boca y sus palabras retumbaron en la sala.

—Preferí no enterarme. Preferí no ver nada.

—¿Puede explicarnos lo que ha observado acerca de este caso tras las sesiones con Kate y Tyler Phillips y el señor Phillips? —le preguntó Zoe a la doctora Meredith, mientras borraba con la goma del lápiz algo en la libreta amarilla. Davis notó que el movimiento de la goma sobre el papel le repercutía a él, a través de la mesa, en su estómago.

—La percepción de las chicas era sin duda de abandono. Sentían que su padre las había dejado y que no podían confiar en él.

—¿Por qué no le dijeron a nadie lo del embarazo? —preguntó Zoe.

—Kate al parecer pensaba que si su padre se hubiera enterado, las habría abandonado definitivamente —dijo la doctora Meredith—. También es posible que pensara que un bebé le haría volver a casa.

—¿Eso fue lo que dijo Kate? —preguntó el señor Stevens.

—No, es uno de mis análisis.

—Y en su opinión, ¿le parece que el señor Phillips las habría abandonado de haber sabido lo del embarazo? —preguntó Zoe.

—No, no lo creo. El señor Phillips ha mostrado tener muchos remordimientos y estar realmente apenado por el suceso.

—Así que, ¿cuál es su opinión sobre las causas que desencadenaron esta situación? ¿Por qué abandonó el señor Phillips su casa y a sus hijas?

La doctora Meredith cruzó las manos y tomó aire. Davis se imaginaba las ideas que bullían en su cabeza, llenas de palabras especializadas que sólo valían para mostrar que él era un inútil y que desde luego no estaba capacitado para ejercer de padre. De todos aquellos libros que había en la estantería de su consulta sólo recordaba el que no había conseguido ver, el que recomendaba que viviera solo el resto de su vida. Terapia de aislamiento, indispensable para la gentuza como él. Se preguntó si, de hecho, no estaría incapacitado para el contacto humano, eso para empezar; si no hubiera debido quedarse soltero; si no hubiera debido abstenerse de traer hijos al mundo, en vez de haberles hecho concebir a todas, Deirdre, Kate y Tyler la esperanza de que efectivamente él podía cuidarlas como se merecían.

La doctora Meredith se volvió hacia él y Davis estuvo a punto de echarse a llorar, ya que en sus ojos no podía leerse censura ni espanto, sino sólo una inmensa compasión, algo que él apenas recordaba, algo con lo que no se había atrevido a enfrentarse en la consulta, algo que desde luego, en aquellas últimas semanas, no había tenido ocasión de ver reflejado en sus propios ojos, inescrutables y fríos.

Sintió que el miedo le atenazaba con su mano helada, miedo a la verdad de las palabras que la testigo pronunciaba, y bajó la mirada a la mesa, deseando encontrar algo donde agarrarse para no volver a caer en el pozo sin fondo de los recuerdos.

Cuando todos los testigos hubieron sido interrogados, él se hundió en el asiento con la camisa empapada de sudor. Zoe se levantó para concluir su defensa, las patas de la silla rechinaron contra el suelo de mármol.

—Señoría —empezó la abogada—, hemos oído los informes del psicólogo, la asistente social y el fiscal. Al escuchar esta historia no podemos omitir, ni ignorar, los aspectos más tristes de la verdad del caso: Davis Phillips no pasaba en casa el tiempo suficiente para enterarse de que su hija mayor, que es todavía menor de edad, había iniciado una relación con su vecino, un hombre de treinta y seis años. No podemos dejar de lado el hecho de que el resultado de esta relación fuera un embarazo y el nacimiento de una niña. Resulta también difícil no considerar el hecho de que las menores se vieron en la necesidad de resolver por sí mismas la situación. Se hicieron cargo de unas cuestiones que en nuestra opinión sólo compete a los médicos y a los centros sanitarios. Debido a su juventud cometieron errores que podían haber puesto en peligro la vida del bebé, y posiblemente la de ellas mismas. —Zoe se detuvo y se volvió un momento hacia él, pero luego se encaró de nuevo al juez—. Sin embargo, Señoría, no podemos tampoco olvidar lo que tanto la psicóloga como la asistente social han afirmado. Estas niñas quieren a su padre. Y todos ellos, el padre y las hijas, están todavía de duelo por la pérdida de la esposa y madre respectivamente que murió hace dos años de un cáncer de mama. La reacción de Davis Phillips fue salir corriendo, dejando a sus hijas, que según él eran lo suficientemente mayores para asumir la responsabilidad de estar solas. Lo cual es, evidentemente, un comportamiento totalmente equivocado, pero no por ello menos comprensible. Queremos señalar el hecho de que ni los vecinos, ni los compañeros, ni los profesores, ni los amigos de Tyler y Kate se enteraron del embarazo. Y es gente que las veía a menudo, por no decir a diario. —Zoe se acercó más al juez. Davis iba prendido de sus labios, porque quería creer en aquellas palabras sólidas y optimistas, quería subirse en ellas como a una ola.

»Señoría, mi cliente trabaja en una empresa que respalda su esfuerzo por recuperar la custodia de sus hijas y que le ha concedido un permiso pagado de seis meses. Se ha mudado definitivamente a su casa y Gwen, su hermana mayor, va a venir una temporada de Santa Rosa para ayudarlo. Ya ha empezado con las sesiones de orientación social y psicológica a las que tiene intención que asista toda la familia, y quiere que su nieta viva con ellos. Como indican los informes, la casa está en buenas condiciones y puede albergar perfectamente a una familia de ese tamaño. Mi cliente siente verdaderos remordimientos por este incidente, que ha perjudicado a tanta gente, y está firmemente decidido a compensar el daño causado en todo cuanto esté a su alcance. Es todo, gracias Señoría.

Cuando acabó, Davis cayó en la cuenta de que se había quedado sin aliento al imaginarse cómo sería la casa cuando volvieran las niñas y el bebé. Por primera vez en esos dos años, se imaginó a sí mismo haciendo el desayuno por las mañanas, sentado con Tyler, Kate, Gwen y su hijo Ryan y con la pequeña Deirdre a la mesa de la cocina, riéndose o tal vez discutiendo, o simplemente comiendo en silencio, y se llenó de aquellos sonidos que casi había olvidado. Y empezó a tiritar mientras pensaba: «Cuánto hace que no estoy en casa...».

Cuando Zoe se sentó de nuevo, le tomó la mano por debajo de la mesa y la apretó con tanta fuerza que siguió notando el apretón cuando se la dejó ir. El juez miró hacia la sala y asintió con la cabeza.

—Gracias. Lo tendré en consideración —dijo. Dio un golpe en la mesa con el mazo y abandonó el estrado en un revuelo de faldones negros antes de salir de la sala.

—Ven a recoger tus cosas —le dijo finalmente Hannah el día después del juicio—. No quiero seguir viéndolas por aquí.

—De acuerdo —contestó él. A través de la línea Hannah casi podía percibir cómo asentía con la cabeza y el alivio que sentía. Con aquella llamada supo que ella y sus hijos no valían lo suficiente. Pesaba más Monte Veda; aquellas niñas y su antigua vida valían más para Davis que lo que Hannah le había ofrecido, más que su cuerpo, más que su amor.

—¿Cuándo vas a venir? —le preguntó Hannah.

—Ahora mismo salgo para allá —contestó él.

Davis no había protestado, no había intentado discutir, y todo aquel largo año se acabó para siempre con el ruido que hizo el teléfono al colgar.

—La putita esa —exclamó Hannah. Le habría gustado darle de bofetadas. Kate, la mayor, la más tranquila, la que lo había montado todo.

Era tarde. Hannah se sentó en el salón con las luces apagadas y una copa de Pinot tinto en la mano. Fuera, las luces del centro de Oak Creek parpadeaban como estrellas caídas, con una luz amarillenta y temblorosa. Max había salido medio sonámbulo de la cama hacía un momento y dormía enroscado a sus pies sobre el sofá.

Primero Colin y ahora Davis, pensó Hannah, mirándose la mano izquierda que tenía desocupada; se preguntó por qué se le escaparían así de entre las manos. Davis parecía el hombre adecuado, el que iba a conseguir que todo fuera distinto. Había pensado que con él no habría líos de faldas, ni mentiras ni partidas. Se traladaría a vivir a su casa y la llenaría con su presencia. Era el hombre perfecto, alto, bien parecido, y fuerte. Fuerte, no como Colin y sus interminables necesidades. Con Colin había que estar todo el tiempo pendiente de cómo iba la relación, hablar continuamente de los sentimientos de ambos, compartir todo tipo de esperanzas y fantasías, y todo para que al final se acabara marchando. En cambio con Davis no, con Davis las cosas eran muy sencillas, bastaba con la vida normal de todos los días.

Max suspiró y se dio la vuelta. Hannah apuró la copa y la dejó en el suelo. Cerró los ojos y apoyó la cabeza sobre el brazo del sofá. Podía haberse dado cuenta del estado de Kate. «Tal vez lo vi —pensó—, la cara redonda, la tripa abultada bajo las camisetas sueltas.» Tal vez fuera lo de dormir tanto, esos misteriosos malestares y las continuas desapariciones.

Pero Hannah sabía que aunque hubiera sabido que Kate estaba embarazada, la habría dejado allí. La habría aconsejado, le habría llevado comida, la habría acompañado al médico, pero la habría dejado sola en aquella casa. Tenía plena conciencia de que habría hecho cualquier cosa para quedarse con Davis.

Se levantó, tomó con cuidado a Max en brazos y llevó el cuerpo suave y cálido del niño a la cama. No entendía por qué no le bastaba con aquellos cuerpos, por qué sus hijos no le resultaban suficiente para ella. Metió a Max bajo las mantas y se dio cuenta de que estaba en estado de shock. No podía creer que la hubieran vuelto a dejar. Tenía ganas de liarse a romper cosas, pero no lo hizo por miedo a montar un número. Aún así, le entraron ganas de rasgar las cortinas de arriba abajo, de tirar de las alfombras volcando las sillas y las mesas, de rajar los cuadros y de hacer añicos toda la porcelana y la vajilla de la casa.

Fantaseaba con esa idea, con esa fiebre de romper, tirar y destruir todo lo que era ella, lo que había sido ella, esa ella que no funcionaba en absoluto, con la que ningún hombre quería quedarse, pero lo cierto es que era todo lo que ella y los niños tenían, lo que les mantenía juntos, el barco de su pequeña tripulación.

Cerró sin hacer ruido la puerta y salió a pasear al porche, una brisa suave jugaba con su pelo. Tuvo la impresión de estar sobre el puente de un barco asomada a las oscuras aguas, sin rumbo, sin sirena, sin faro que le indicara la ruta a seguir.

La noche anterior a una sesión de quimioterapia, Deirdre tenía pesadillas. Pero a Davis siempre le pillaba de sorpresa el que le sacaran de su profundo sueño los gritos, los gemidos y los llantos de su mujer. «¿Y ahora qué pasa? —pensaba mientras abría los ojos y veía el mismo techo que había visto al cerrarlos—. Ah, sí», recordaba de pronto y Davis se volvía, abrazaba a Deirdre, le hablaba suavemente al oído y la devolvía a la noche oscura. A Davis siempre le pillaba desprevenido porque durante el día ella se comportaba con toda normalidad: hacía la comida, hablaba con sus amigas por teléfono, y le llamaba al trabajo para pedirle que recogiera a las niñas en el colegio. Y, por si eso fuera poco, cuando llegaba a casa con las niñas se encontraban con que el congelador estaba lleno de lasaña y que había una porción recién sacada del horno sobre la mesa. Deirdre les estaba esperando para sentarse a la mesa y alguna de sus amigas, generalmente Rachael, salía por la puerta saludándoles con la mano.

Pero al llegar la noche, el cuerpo de Deirdre se arqueaba, se doblaba, aparecía tan escuálido como se había quedado en realidad y sus codos se peleaban contra el colchón. Una vez se había puesto a gritar: «¡En las rodillas no! ¡En las rodillas no! ¡Dejadlas en paz!».

—Cielo —le decía él—, despierta.

Davis la rodeó con sus brazos y ella se echó a llorar, unas lágrimas tan grandes que él llegaba a preguntarse dónde las debía guardar.

—Me estaban inyectando en las rodillas. La enfermera me pinchaba en la rótula y decía que era culpa mía si me dolía. Decía que no podía ponérmela en ninguna vena, que estaban todas mal, así que me la ponían en las rodillas. ¡Pero no funcionaba, no funcionaba!

—No pasa nada, era sólo un sueño —le decía él.

—No, no era un sueño, es la verdad. ¡Oh, Davis, quiero verlas crecer! Quiero ver cómo se hacen mujeres —dijo Deirdre—. Cuando se hagan mayores se olvidarán de mí.

—Las verás crecer, Deirdre —le decía él acariciándole la espalda de la que le sobresalían las costillas—. Para eso son los tratamientos.

Deirdre se limpió los ojos y se acurrucó contra su hombro.

—No, te equivocas, no las veré; no voy a poder ver nada.

Todas esas noches, Davis la abrazaba hasta que ella se quedaba dormida y luego, a la mañana siguiente, cuando las niñas se marchaban al colegio, la llevaba a hospital de Mount Diablo, donde esperaban a que le administraran la medicación. Primero le metían por el gota a gota un tanque de antinaúseas y luego abrían la botella de la clara, invisible quimio, la Citoxina. Durante la primera sesión, Deirdre se pasó todo el rato con los ojos fijos en el fluido que se introducía en su cuerpo musitando: «Toxina, toxina».

Después de la Citoxina vino otra —Davis siempre pensaba que aquella era como un cóctel hawaiano—, la Adriamicina, una especie de jarabe oscuro que teñía de rojo el frasco. Pero no era un refresco para tomar cualquier tarde de verano: era tan venenoso que la enfermera que lo manejaba llevaba puesta una mascarilla y unos guantes, y procuraba acercárselo lo menos posible cuando cambiaba el gota a gota y se quedaba dos pasos atrás, esperando que la pócima colorada surtiera su diabólica magia. La droga quemaba si llegaba a tocar la piel.

—Bueno, por lo menos este no tiene nombre de veneno —decía Deirdre—. Suena más bien a antibiótico.

Pero al acabar la primera sesión, nada más salir por la puerta del hospital, Deirdre cerró los ojos.

—¡Ay. Ay! —se quejó apretándole el brazo.

—¿Qué te pasa? ¿Quieres que te lleve en brazos? —dijo Davis, preparándose a cogerla y echando un vistazo para localizar a un médico, una enfermera, a quien fuera.

—No, es el sol.

—¿El sol? ¿Quieres que te deje mis gafas de sol?

Deirdre sacudió la cabeza.

—No. Es la quimio, la noto. La noto justo donde está dándome el sol, en la frente. Me está matando las células del cerebro.

Davis se imaginó el cerebro de su mujer como una sopa caliente y espesa, flotando en ácido, envenenando todo su cuerpo, que hervía y se agitaba mientras la droga iba matándolo todo a su paso.

En realidad lo peor no era el primer día. Lo peor venía hacia el cuarto día después de la sesión de quimio, con el cansancio, y la sensación de que le habían dado una paliza. «Es como si alguien me hubiera aporreado todo el cuerpo con un martillo y luego se lo pasara a otro para que siguiera», decía intentando sonreír y desplomándose sobre la almohada.

Y puede que eso tampoco fuera lo peor, lo peor eran las calvas que estaban empezándole a clarear en la cabeza, la carne que parecía encogérsele, la forma en que miraba por la ventana, desesperada de no poder sentir el suelo, la tierra, las plantas entre sus dedos. Lo peor era también la forma en que los miraba a todos, a Kate, a Tyler y a él mismo, con los ojos entrecerrados, llenos de lágrimas, como si se estuviera despidiendo de ellos. La segunda semana después del tratamiento empezó a sentirse un poco mejor, aunque sabía que todo iba a volver a empezar: las pesadillas, la cánula tóxica en su cuerpo, la lenta y dolorosa recuperación. Y así fue, porque hubo una segunda ronda de tratamiento, después de que vieron que la primera no había resultado, y que los tumores se habían extendido a los pulmones y a los huesos. Y luego, para Davis, llegó la demoledora certeza de que los médicos, las medicinas y el cáncer le estaban arrebatando a su mujer, la estaban matando poco a poco, y dejando en su lugar a otra persona, a alguien que iba a abandonarle. En la oscuridad del dormitorio, cuando Deirdre por fin se quedaba dormida, con la cabeza calva sobre su hombro, con aquella respiración ligera, dificultosa e irregular, él se preguntaba una y otra vez: «¿Qué voy a hacer?».

Dos semanas después de su comparecencia ante el juez, se estaba vistiendo para ir a ver a sus hijas a la casa donde estaban alojadas en Antioch. Había sacado un traje y lo había descartado, llevaría sólo la corbata y unos Docksides, y luego volvió a ponerse el traje. Finalmente su hermana Gwen entró en la habitación llevando unos vaqueros y una camisa sin cuello recién planchada.

—Creo que con esto estarás bien, Davis.

—¿Tú crees? No quiero que la encargada de ese sitio piense que no me lo estoy tomando en serio.

—A estas alturas no creo que importe mucho qué camisa lleves —dijo Gwen. Davis podía oír lo que estaba pensando: «Te lo dije…». Pero Gwen levantó la cara y le sonrió mientras se ponía la camisa, igual que cuando eran niños y le tenía que arreglar para ir a la iglesia. «Gwen, encárgate de arreglar a Davis, corre» decía su madre mientras daba otro sorbito al café que tomaba sin leche y acababa de leer la columna de bridge del periódico. Y Gwen se encargaba de ello, y se aseguraba de que llevara la camisa bien remetida, el cinturón bien puesto y los zapatos tan limpios que podía verse reflejado en ellos cuando se agachaba.

Y ahora era lo mismo, pero no tan agradable como entonces. Había tantísimas cosas por arreglar, pensó él mientras se remetía la camisa y se ponía los zapatos. Gwen y él habían salido a comprar cosas para el bebé después de ver que de las cosas que habían llevados las niñas de pequeñas apenas quedaba nada, salvo los preciosos recuerdos que Deirdre había guardado en el baúl y que Tyler y Kate ya habían descubierto. Así que se fueron de compras y volvieron con una cuna de roble y un cambiador de I. Bambini.

—Mira los protectores para la cuna —le dijo Gwen—, ¡tienen un estampado de batik!

—Queda de lo más exótico… —replicó Davis haciendo un esfuerzo por reír, como si todo aquello fuera de lo más normal, el feliz padre y la tita completando el ajuar del nieto y la nueva mamá. Pero la sensación de que las mentiras se le pegaban al cuerpo como una fina y fría camisa le acompañó hasta la caja.

Siguieron de tiendas un rato más, comprando lo que no habían dado antes, juguetes, ropa y unas lámparas de globo blancas con Winnie-the-Pooh monísimas. Pintaron el cuarto de invitados en violeta claro, a juego con el batik, y pusieron una mecedora y una estantería para los libros de Beatrix Potter y los del Doctor Seuss.

Y Davis, esta vez sin Gwen, se acercó a casa de Hannah para recoger sus cosas mientras esta se llevaba a los niños al Heather Farms Park. Los metió en el coche en cuanto lo vio llegar:

—No están en condiciones de volver a presenciar otro abandono —dijo secamente.

—Sólo es temporal, Hannah. Necesito un poco de tiempo —contestó Davis, y lo decía de corazón, porque se había dado cuenta, desde que asistía a las sesiones semanales con la doctora Meredith, que no podía ignorarse un amor que se ofrecía. Pero Hannah seguía muda, petrificada de ira, y se limitó a mirarlo a través del brillante cristal ahumado de su Dodge Caravan. No habría podido decir si lloraba. Los chicos seguían inmóviles en sus sillitas. Hizo un esfuerzo por mirarlos y sonreírles, a ver si respondían con un saludo o una sonrisa. Se fijó en sus caras y en sus manitas, en esos cuerpecitos que había aprendido a querer en aquellos meses que había pasado con Hannah. Pero, al igual que su madre, Max y Sam se limitaron a permanecer inmóviles, como esperando lo que era imposible que llegara a suceder.

Mientras veía cómo el coche de Hannah salía del camino y enfilaba calle abajo hacia el parque, Davis se dio cuenta de que tenía que dejarles marchar, tal vez para siempre: de momento tenía que dedicarse a sus propias hijas y tratar por todos los medios de enmendar sus errores.

Enfundado en la camisa y los vaqueros bien planchados, conducía el viejo BMW de Deirdre, con Gwen a su lado, que iba haciendo un crucigrama. En los primeros días después de que las niñas se marcharan, y agobiado por el miedo a perderlas y los procedimientos legales, se puso a limpiar todo lo que pillaba: pasó la aspiradora por las alfombras, limpió los cristales, y le sacó al coche toda la porquería acumulada mientras había estado en manos de sus hijas; siete vasos de papel del 7-Eleven, todo tipo de envoltorios de barritas energéticas y, muy a su pesar, varios tickets de Goodwill y Sears que les habían dado por la compra de pañales y pijamitas. Pensó que si se le hubiese ocurrido mirar ahí dentro antes, habría encontrado un montón de pistas. Pero aunque las había tenido delante de sus narices, no había querido verlas; había preferido no enterarse de nada.

No había llovido en tres días, y la tierra estaba cubierta de hierba nueva y afilada y diente de león, los manzanos estaban cuajados de yemas nuevas, a punto de echar la flor en una pugna aún sin resolver entre rosas y blancos. De pequeño, no podía entender cómo era posible que de pronto una mañana, una mañana que nadie podía prever ni decidir, se abrían las ramas de los frutales del jardín, dando a luz aquellas flores de finos y transparentes pétalos que se iban abriendo cada vez más a medida que pasaban los días hasta que, finalmente, aparecían unas manzanitas del tamaño de una aceituna.

Davis miró a su hermana, que llevaba unas gafas recién compradas apoyadas en la nariz, preguntándose si sería consciente del peligro que entrañaba aquella visita. No sabía si ella era consciente de que podía perder para siempre a sus hijas. El juez había autorizado la visita, pero todavía nadie le había dicho que se las podía llevar; nadie le había dicho: «Lléveselas, suyas son. Por supuesto que pueden volver a casa».

La semana anterior había soñado que Deirdre llamaba a la puerta de entrada. Él se levantaba a ver, el pasillo era un interminable y oscuro túnel, y los golpes de Deirdre retumbaban en sus oídos. El ruido era tan fuerte que pensó si se le habrían tapado los oídos mientras yacía dormido en la cama para intentar amortiguar los golpes y los gritos de su mujer: «¡No puedo aguantar más! ¿Por qué no abres esta maldita puerta?». Al final, conseguía llegar a la puerta, pero cuando la abría allí no había nadie, sólo el aire, el sol que brillaba en el jardín de entrada y el silencio del mediodía. Al despertar todavía sentía en su rostro la soledad de las lágrimas que no había llorado.

Pues bien, ahora tenía la misma sensación, pero sentía un extraño frío en el pecho y el miedo era como aquella puerta cerrada a cal y canto que Deirdre aporreaba, la puerta que ella no podía abrir.

Justo momentos antes de la esperada aparición del padre de Kate, Dee Dee soltó un gruñidito, se puso toda colorada y hubo que cambiarle el pañal.

—¡Vaya hombre! —dijo Adam que había estado meciéndola. Alargó los brazos para alejarla de él y se fue derecho a Kate—. Toma, cógela. ¿Qué ha pasado?

Kate y Tyler se echaron a reír al ver la cara de agobio de Adam.

—No te preocupes —le dijo Kate, dirigiéndose hacia las escaleras y apartándola también un poco—. Es lo que hacen los bebés.

Mientras subía a su cuarto oyó decir a Adam:

—Ya. Pues casi me alegro de no tener un bebé, de momento.

—Sí, por eso yo no pienso tenerlos nunca —replicó Virgie.

Kate casi podía verla, con los brazos en jarras y adelantando desafiadora la bota.

Lavó rápidamente a Dee Dee en la pila con las pastillitas de jabón de bebé que le había traído Cynthia. La niña la miró desde la pila, tenía un extraño color de ojos gris estaño. Ella pensó que estaba creciendo muy deprisa y se acordó de que hasta hacía nada la ponía boca abajo sobre su tripa. Desde luego ahora ya no le cabría en el vientre. No había forma de volver al origen de las cosas para empezarlas de nuevo y hacerlas mejor.

Mientras secaba a su niña, se preguntó cómo recibiría a su padre si fuera Virgie. Probablemente irrumpiría en la habitación con los pelos de punta teñidos de verde, con un cigarrillo en la boca, y llevando puesta una camiseta de manga corta arremangada para que se vieran bien los tatuajes de corazones ensangrentados y el «*fuck you*». Lo más seguro es que Virgie daría una patada contra el suelo y gritara: «Lo has jodido todo. Como dice el tatuaje. Nos dejaste solas. Ni siquiera estaba segura de que fueras a volver. Y no me ayudaste en nada. Ni siquiera te enteraste».

Probablemente eso último no lo diría, pensó Kate mientras le ponía un pañal limpio a Dee Dee, cuidando de pegar bien el cierre para que no se produjera otro desastre mientras estuvieran allí su padre y tía Gwen. Nunca se atrevería a parecer demasiado melodramática o sentimental. Pero aún así, a Kate le subió un escalofrío por la nuca y la cabeza, porque lo que acababa de decir podían ser sus propias palabras, las palabras descarnadas que rompieran el extraño silencio que pesaba sobre todos ellos.

Kate le acarició la frente a su hija y luego la enfundó en uno de los pijamitas que Tyler había comprado en Sears, mientras le sonreía: la niña no le quitaba el ojo de encima.

—¿Vas a conocer al abuelito? —le preguntó—. ¿Estás preparada para ver a papá?

Cuando levantó a la niña para ponérsela al hombro, cayó en la cuenta de que Dee Dee estaba medio dormida; se frotaba los ojos y protestaba. Echó a andar por el pasillo moviendo las piernas como una autómata, como si no fueran suyas, y se dio cuenta de que en realidad no se lo estaba diciendo a Dee Dee, sino a sí misma.

Tyler parecía más delgada, sus delicados huesos le asomaban bajo la piel. Davis no estaba seguro siquiera de cuándo había crecido tanto, tenía las piernas casi tan largas como las de Kate. «¿Cuántas cosas me habré perdido?», pensó, agarrándose las rodillas, sentado en el sofá de la casa de acogida. Sus hijas estaban delante de él, Kate detrás de Tyler con el bebé en los brazos y la cara medio oculta por la sombra del vestíbulo. Davis la miró, deseando que dijera algo, pero su hija mayor seguía en silencio, con los ojos bajos, balanceándose levemente de un lado a otro, acunando a la niña que ni siquiera lloraba. No estaba delgada como Tyler. Todavía se le notaban parte de esos kilos que él había ignorado en las mejillas y la papada, y seguía llevando ropa oscura y suelta que disimulaba su cuerpo. Miró al bebé pensando: «Deirdre y yo, y luego Kate y Sanjay, y ahora un bebé, este bebé que lleva el nombre de mi mujer».

Ruth, la mujer con la que había hablado por teléfono, y Cynthia, la asistente social del Hospital de Mount Diablo, salieron de la cocina.

—Bueno, pues ya estamos todos —dijo Ruth tomando dos sillas de un rincón y acercándolas al sofá—. Tyler, Kate, ¿por qué no os sentáis?

Tyler miró a Kate y luego se sentó en una silla, juntando mucho sus delgadas piernas.

—Bueno, déjame a esta niña —dijo Gwen levantándose y acercándose a Kate y abrazándolas a las dos. Kate se apoyó un momento en el hombro de su tía y luego se incorporó y dejó a Dee Dee en los brazos de Gwen.

—¡Dios mío! —dijo esta volviendo al sofá—. ¡Davis, mira qué cosita!

Kate se acercó un poco, alcanzó lentamente el asiento y se sentó sin hacer ruido.

—Anda, cógela un poco —dijo Gwen y deslizó suavemente al bebé en los brazos de Davis. Él miró a Kate, deseando que dijera algo, pero su hija mayor seguía callada, sentada en su silla y parecía que lo único que quería era volver a tener al bebé en sus brazos.

Davis bajó la cabeza hacia el bebé, sujetando el peso palpable, tangible de ese cuerpo de bebita. Se dio cuenta de que tenía en sus manos algo más que el cuerpo de su mujer, que recordaba ahora haber sentido entre sus brazos, largo y firme, un cuerpo fuerte y vivo. Davis levantó la vista y miró a su alrededor, allí, en sus manos estaba resuelta la diferencia entre aquellos dos cuerpos. El silencio de la habitación estaba preñado de preguntas.

Ruth tosió.

—Niñas, ¿por qué no vais a dar una vuelta? Así les enseñáis el sitio a vuestro padre y a la tía. Hace un día estupendo.

Antes de que Davis pudiera reaccionar Kate se había puesto en pie y estaba descolgando unas chaquetas y una mochila de bebé del perchero.

Davis, que todavía tenía a la niña, miró a Ruth.

—¿Y la niña?

Kate se volvió hacia él, ya se había puesto la chaqueta.

—Podemos llevárnosla. Tengo esto. —Levantó la mochila y empezó a colocársela.

Tyler fue hacia su hermana mientras se ponía la chaqueta.

—Dame a la niña, papá.

Davis se sentó con cuidado, sujetando al bebé entre las manos. Recordaba haber metido a Kate y a Tyler en el mismo tipo de mochilitas de tela. Deirdre llevaba a las niñas a todas partes, una en la mochila, y la otra cogida de su mano o en una sillita. Algunas veces al verla, llegó a pensar que era como si siguiera estando embarazada, las niñas siempre estaban pegadas a ella, aunque los lazos fueran de tela, atadas siempre al cuerpo de su mujer por una especie de cordón umbilical.

Una vez que el bebé estuvo metido en la mochila, Kate ajustó las correas, y Davis se volvió a su hermana:

—¿Gwen?

—Creo que me voy a quedar aquí charlando con Ruth —dijo esta sacudiendo la cabeza.

A Davis le flaquearon las piernas, quería que su hermana fuera con ellos porque temía lo que pudiera pasar si ella no estaba.

—Ve tú —dijo Gwen—. Yo estoy muy bien aquí.

Cuando salieron por la puerta Davis pensó que ojalá él pudiera decir lo mismo de sí mismo y del resto del grupo.

Fuera, Davis respiró hondo, tratando de que las niñas no se fijaran en ello. En realidad no parecían darse cuenta de que el corazón casi se le salía del pecho, ni del sudor que le cubría la frente mientras caminaban hacia el establo, mirando hacia delante, con las melenas al viento. La fiera cabecita oscura de Dee Dee refulgía como ónice a la luz del sol.

—Es preciosa, Kate —le dijo a su hija.

Ella agachó la cabeza y puso una mano sobre la de Dee Dee.

—Gracias —respondió.

Ahora que habían empezado a hablar, él sabía que ya no debía parar, tenía miedo de que el silencio llevara sólo a más silencios como el que se había hecho dueño de su casa, llenándola de dolorosos secretos.

—Si el juez decide que volváis a casa he prometido que me ocuparé de vosotras.

—Ahora sí —dijo Kate con la cabeza todavía baja.

—Sí, ahora sí. Lo he jodido todo. Lo siento muchísimo —dijo él volviéndose hacia su hija, que siguió sin mirarle, y luego hacia Tyler, que sí le devolvió la mirada.

—¿Por qué no te diste cuenta de nada? ¿Cómo puede ser que no vinieras a ayudarnos? —preguntó Tyler mientras las lágrimas asomaban a sus ojos convirtiendo las pestañas en pinchos oscuros.

—No me lo dijisteis. Kate no me lo dijo. No lo sabía —contestó él.

—¿No te enteraste? ¿No te diste cuenta de que algo iba mal? Se supone que eres nuestro padre —dijo Tyler.

Davis se miró los pies, como si mirase para no tropezar con las piedras del camino.

—No creo que me diera cuenta, de verdad. He estado dándole vueltas… Pero puede que me diera miedo enterarme de más…

Kate levantó la cabeza como una víbora.

—¿Tenías miedo? ¿Y nosotras, qué? ¿Y yo? Nos dejaste ahí tiradas, sin más, y yo tenía miedo de que no volvieras nunca si te enterabas.

—Puede que pareciera eso. Puede que a ti te pareciera que no iba a volver más, pero lo habría hecho, Kate. Estoy aquí… y voy a estar siempre, siempre —dijo acercándose a su hija, que se echó para atrás.

—Pues entonces, ¿por qué nos dejaste? —preguntó Tyler—. ¿No podía haber venido Hannah con los niños alguna noche? ¿Por qué dejaste que te mangoneara?

Davis se detuvo y respiró hondo. Las chicas dieron un par de pasos y luego también se detuvieron y se volvieron para encararse con él. Una bandada de jilgueros se deshizo en el cielo como confeti amarillo.

—No me mangoneaba. Fui yo quien dije que me quedaría en su casa. No fue culpa suya, sino mía.

—Ella nunca ha querido estar con nosotras —dijo Kate—. Sólo te quería a ti.

—Eso no es cierto, pero…

—Es una bruja —dijo Tyler—, una egoísta.

—Eso no es justo —contestó Davis.

—¿Ah, no? ¡Pues ya me dirás lo que es justo…! ¿Y por qué habríamos de querer volver a casa contigo, cuando tú para empezar ni siquiera quieres estar con nosotras? Mamá nunca… —Kate se detuvo, con la cara encendida—. Mira, ahora se ha despertado Dee Dee.

Echaron a andar de nuevo. Kate tarareaba una canción para tranquilizar a la niña y que se volviera a dormir, una canción que Davis recordaba haber oído cantar a Deirdre cuando las niñas eran pequeñas, *Blackbird singing in the dead of night,* y que lo devolvió por un momento a las noches llenas de llantos infantiles.

Se quedó un momento absorto en esa imagen y luego tomó aire y apretó los labios mientras inspiraba profundamente. Ahí, en aquella inspiración profunda, estaba el pasado, su mujer, un bebé sobre su hombro, los sonidos que resonaban en su cabeza como antes habían resonado en la casa. Sintió que se le llenaban los ojos de lágrimas que corrían por las mejillas y resbalaban mandíbula abajo, pero siguió hablando.

—Lo siento. Ya sé que puede que no queráis volver a casa, pero quiero que las cosas vayan mejor.

Las niñas no decían nada. Davis sólo oía el ruido que hacía el viento moviendo los espantapájaros de cabeza blanca y los mirlos en los árboles. Miró hacia abajo, vio las piernas de sus hijas que se movían rítmicamente, y las piernecitas del bebé que bailaban al compás del paso de su madre.

La puerta del establo estaba abierta, Tyler entró la primera.

—Aquí es donde hacemos un montón de trabajo.

—¿Qué es lo que tenéis que hacer?

Kate y Tyler se sentaron juntas en un apretado paquete de heno.

—Damos de comer a las ovejas. Las calabazas también dan mucho trabajo —dijo Tyler.

Davis miró a Tyler y a Kate y se dio cuenta de que había estado equivocado, Deirdre no era la única persona fuerte de la casa. Había hecho, habían hecho, dos chicas, les habían dado la vida, les habían dado la fuerza que Davis pensó que todos habían perdido dos años antes cuando Deirdre murió.

—No sabía que fuerais las dos tan valientes.

Tyler se echó a reír.

—¡No le voy a tener miedo a las ovejas!

Kate sacudió la cabeza.

—No es eso lo que quieres decir, ¿verdad papá?

Davis se frotó los ojos con una mano.

—No. Me refiero al bebé. No puedo creer lo que habéis hecho. Me gustaría que vuestra madre estuviera aquí para veros, para ver a Dee Dee. Tienes razón, Kate. Ella nunca habría hecho lo que yo he hecho. Pero estaría muy orgullosa de vosotras.

—¿Tú lo estás? —le preguntó Kate.

Davis asintió con la cabeza y sólo fue capaz de articular «sí». Se sentó al lado de Kate y la atrajo hacia él. Notó al principio cómo se tensaba su cuerpo, pero luego sintió que se relajaba, que se apoyaba en el suyo, y sintió su peso y el del bebé contra su pecho.

—Dee Dee tiene tus ojos, Kate. Tu madre siempre decía que tenías los ojos más bonitos del mundo.

—Nunca hablas de ella. Nunca nos has llevado al cementerio, sólo una vez —dijo Kate—. Es como si hubiera desaparecido y sólo Tyler y yo la recordáramos.

—Yo me acuerdo —dijo Davis—. La recuerdo siempre.

—Quiero que vuelva, papá. ¿Por qué tuvo que morirse? No es justo —dijo Kate, ahogando contra su cuerpo una voz queda y rota.

—La echo de menos, papi —dijo Tyler.

—Yo también —dijo Davis rompiendo a llorar; levantó el brazo para agarrar el hombro de Tyler y apretó contra él a sus hijas y a su nieta, y supo que, si el tribunal, los leguleyos y el asistente social lo consentían, podían salir a flote, y seguir juntos contra viento y marea.

Tyler estaba sentada en el porche trasero con Simon, el gato de Ruth, y una botella de coca-cola. Era por la tarde y tenía las manos negras de tierra y estiércol, y las uñas pintadas de color porcelana llenas de mugre y arena. De haber estado en casa, sobre todo ahora con la niña, se habría ocupado más de sus uñas y corrido a lavarse las manos y a darse crema, incluso se habría quitado el esmalte cuidadosamente, empujado las cutículas y dado otra capa de esmalte. Pero allí, pensó mientras acariciaba el lomo de Simon, la tierra era parte de la jornada, y trasegando con las plantas de calabaza y los granos de maíz se sentía casi como su madre.

Dio un sorbito a la coca-cola y volvió la cabeza para mirar a una mujer y a dos niños que avanzaban a caballo sobre el polvoriento camino; el viento que agitaba las riendas y los sombreros hacía volar retazos de conversación inconexos. Ella no había montado nunca, salvo en los ponis de Tilden Park, si es que eso contaba, pero siempre se imaginaba así a su madre, como un caballo al galope, un caballo de ancas cálidas y poderosas, y ojos tranquilos y misteriosos. Tyler solía observar a su madre cuando se inclinaba sobre la encimera, mirando con ojos ausentes hacia el jardín, con la cara envuelta en las volutas de vapor de su taza de té. Nunca sabía a ciencia cierta en qué estaba pensando, ni que cabía esperar cuando saliera de su ensimismamiento. Algunas veces Deirdre dejaba la taza de golpe en la encimera y decía: «Venga, que se me ha ocurrido una cosa».

Y se subían al coche, camino de la droguería para comprar alpiste, bramante y cola, y volvían a casa para hacer un comedero de pájaros. O se volvía de pronto a ella, y le decía poniendo ojos severos: «¡Quiero esos deberes hechos, ya!».

Tyler sabía que su madre la ponía en movimiento, primero una cosa y luego otra, organizándolo todo, riéndose, dando siempre con la manera en que había que hacerlo. Porque siempre había una, una manera de conseguir que tu mejor amiga se disculpara por tirarte del pelo, una manera de que el profesor de segundo te diera más tiempo para los controles de ortografía. Su madre le ponía las manos sobre los hombros y le decía: «A ver, tú cuéntamelo, cuéntamelo todo».

Sacudió la cabeza, preguntándose cómo era posible que se las hubiera apañado ella solita para sacar a la niña del cuerpo de Kate. Cómo se las había arreglado, sin su madre, para seguir todas las indicaciones y las instrucciones, para no perder la cabeza y matarlas a las dos, a la madre y a la niña. Era un milagro, o puede que simplemente su madre estuviera todavía con ellas, en la casa, animándolas, diciéndoles al oído: «No te preocupes, ya encontrarás la manera».

Cerró los ojos, quería algo más tangible, quería a su madre de carne y hueso, apretarse contra ella y que la abrazara. Pero su madre no se materializó en el aire de la tarde. De pronto se oyó una tosecilla.

—¿Qué haces? —preguntó Adam detrás de la tela metálica de la puerta.

Tyler se volvió y achicó los ojos, escrutando la oscuridad de la casa. Vio las zapatillas negras de surfer de Adam, sus pantalones anchos, la cadena que le colgaba de la cinturilla del pantalón y se metía en un bolsillo.

—Nada, me estaba tomando una coca —contestó ella levantándose para que Adam pudiera abrir la puerta. Este empujó la puerta de madera, la tela metálica y el plástico, dejando que se escapara un aroma a hamburguesa frita y cintas al huevo.

—Ruth tiene un corderito recién nacido ahí dentro. No puede mamar, no sé muy bien por qué. Ella piensa que le puede dar de comer.

Tyler sorbió el refresco y sintió la pierna de Adam contra la suya y el suave vello de su brazo contra su antebrazo. Le miró de soslayo, dando una ojeada a su pelo rojizo y su piel moteada de pecas, sus cabezas estaban más juntas que de costumbre y sus cuerpos se tocaban sobre el cemento del suelo. Se quedaron contemplando en el horizonte las verdes laderas que llevaban hasta Mount Diablo, y de pronto la mano de Adam hizo un movimiento hasta tocar casi la rodilla de Tyler, y se quedó suspensa en el espacio casi palpable que quedaba entre ellos. Puede que estuviera esperando alguna señal, pero Tyler no se movió, aunque respiró cuando él volvió a dejar la mano sobre su regazo.

—¿Quieres un poco? —le preguntó alargándole la botella.

Adam sonrió, cogió la coca-cola y bebió con los ojos cerrados. Tyler sintió que el tiempo se había detenido, el ángulo del sol poniente era de película, el calor de aquel cuerpo contra el suyo era único, especial, algo como lo que había estado pensando a propósito de Kate y Sanjay. Se preguntó si sería aquello lo que Kate había sentido sentada con Sanjay en el amplio sofá de piel de los Chaturvedi. Tyler sabía que no podía preguntarle eso a su hermana, pero se preguntaba cómo se pasaba de estar cerca y con ropa a estar desnudo y en movimiento, cómo se acompasaban dos cuerpos, cómo podía uno prepararse para aquello y cómo se suponía que acababa.

—¿Bueno, qué? —dijo Adam devolviéndole la botella.

—¿Bueno qué, qué?

—¿Han llamado hoy, no? Os habéis enterado de que volvéis a casa…

Tyler asintió. Justo antes de comer, Kate y ella habían oído sonar el teléfono de la cocina. Al momento apareció Ruth y a Tyler le pareció que estaba tensa, preocupada, incluso enfadada.

—Tyler, Kate —dijo—, tenéis una llamada.

Tyler miró a Kate. Estaba pálida, paralizada, y no levantaba los ojos de la mesa.

—Cógelo tú —musitó.

—¿Por qué?

—Yo no quiero cogerlo —dijo Kate al tiempo que se levantaba.

—Kate, ven aquí —dijo Ruth—. Ven al teléfono.

—Pero ¿qué pasa contigo? —dijo Tyler tirando de su hermana hacia la cocina.

—Es por mi culpa —dijo Kate.

—Mira, calla la boca —dijo Tyler agarrando el auricular—. ¿Dígame?

Tyler esperaba, sentía a los otros chicos pendientes de sus palabras, en la casa no se oía ni una mosca.

—¡Hola!, ¿Kate?

—No, soy Tyler.

—Ah, hola cielo. Oye, acabo de recibir la llamada —dijo Cynthia de Lucca. Tyler se la imaginó sentada en su despacho, con la blusa arrugada y el pelo recogido con un boli.

—¿La llamada?

—Sí, la llamada; la llamada de la abogada de tu padre, la señora Lundgren.

Tyler se volvió hacia Kate y hacia Ruth.

—Ya la han llamado. —Kate alargó el brazo y la agarró del codo.

—Pregunta, pregunta qué ha pasado. ¿En qué queda todo...? —dijo Kate.

—Lo he oído —le dijo Cynthia al teléfono—, te cuento... —Tyler se imaginó cómo podía ser su vida en los próximos meses, las tardes calurosas, el trabajo en la granja, los animales, estar separadas de los amigos, de la familia. Se imaginó a Kate, sin Deirdre, cada vez más llena de angustia, pena y resentimiento. Se imaginó a su padre, sentado solo en casa, sin nada que le pudiera recordar el hombre que alguna vez había sido. O.... o podía ser que las cosas fueran totalmente distintas.

—Vais a a volver a casa, las dos, mañana. Está todo arreglado.

Tyler soltó el teléfono y se colgó del brazo de Kate, apretándola contra ella y alargando una mano a Ruth que sonreía.

—Lo siento, Tyler —dijo Kate respirando en el cuello de Tyler—. Lo siento mucho.

—No hay nada que sentir, se acabó —dijo Tyler pensando que a lo mejor, después de todo, podía volver a su vida normal.

Ahora tenía por delante unas cuantas horas para hacerse a la idea de que lo que había dicho Cynthia era cierto, pero a pesar de todo, a Tyler aquel desenlace seguía pareciéndole un sueño.

—Es que no puedo creérmelo. Va a ser todo tan, tan raro… —dijo encendiéndose como una amapola al pensar en su cuarto, su padre, y su colegio con las amigas por los pasillos—. Al final el juez ha decidido que podemos volver. Aunque las cosas serán muy distintas. Papá estará más tiempo en casa. La tía Gwen…, ¿te acuerdas de ella? También va a estar, y mi primo Ryan. Y Deirdre, por supuesto —dijo poniendo la botella en el suelo de cemento—. Será casi como antes… Como cuando mamá vivía.

—¿Sabes qué le pasará al padre del bebé? —preguntó Adam.

—Sí, pero Kate está más enterada. Bueno, viven en la puerta de al lado, No tendremos más remedio que vernos. Él tiene orden del juez de no acercarse, algo así como que no puede estar a menos de treinta metros de Kate. Pero no sé…

—Sí que es raro —dijo Adam; Tyler no entendió a qué se refería.

—¿Raro? ¿Qué no pueda acercarse?

—Pues sí. ¿Es el padre de la niña, no?

Tyler asintió con la cabeza y luego retuvo las palabras que se le vinieron a la boca porque se dio cuenta de que probablemente a Adam no le haría mucha gracia oír hablar de un padre perfectamente presentable al que se ignoraba y se dejaba de lado y a quien realmente nadie deseaba tener cerca. Tyler sabía que Adam no iba a volver a su casa en mucho, mucho tiempo, hasta que su madre no saliera de la cárcel y dejara de beber. Se preguntó si le dolería todavía el brazo, si sabía a qué altura se le había roto.

—Te voy a echar de menos, Tyler. A lo mejor podéis venir de visita alguna vez, con Kate y con la niña —dijo evitando mirarla y retorciendo los dedos en su regazo.

Tyler se preguntó si podría mover la rodilla hasta que quedara justo bajo la mano de Adam, si encajaría tan perfectamente en el hueco de su mano como ella suponía. Casi podía ver la sonrisa de su madre, su rostro enmarcado por la luz de la ventana a la que se asomaba para ver el jardín verde y exuberante. Tyler casi podía oír su voz: «Bueno, ¿qué piensas de él?».

Tyler quería que su madre respondiera por ella, le dijera qué era lo que tenía que sentir, pero la visión de la cocina se esfumó y volvió a estar en la veranda con Adam. El sol brillaba ahora detrás de la casa, y las largas sombras del tejado y los árboles se alargaban cada vez más estirándose en el aire tibio del atardecer. A Tyler le gustaba Adam y sentía pena por él, pero no lo necesitaba y le entristecía que él sí la necesitara a ella. De lo que sí estaba completamente segura era de que nunca volvería a ver ese atardecer ni la cara de aquel muchacho.

Entonces sintió que la mano de su madre le levantaba el brazo y se encontró tocando el pelo de Adam y esperando que él se volviera a mirarla. El tacto de su piel le recordó a Dee Dee. No tenía nada que ver con los oscuros y sensuales movimientos que se había imaginado entre Kate y Sanjay. Acercó más la cara, aspirando un ligero perfume a tónico y crema de afeitar y rozó suavemente con sus labios la mejilla suave y casi lampiña. Y aunque Tyler sabía que aquel era un beso de amigos que se despiden, estaba segura de que en algún lugar su madre sonreía ante aquel gesto cariñoso y se inclinaba para susurrarle al oído: «Cuéntamelo todo».

· · ·

Kate estaba junto a la valla con Virgie, Adam y Tyler, mirando a Robert, el hermano de Ruth, que trazaba con el tractor firmes surcos en la húmeda tierra oscura de lo que había de ser en breve un campo de maíz. El sol estaba a punto de ponerse, y los animales ya estaban en el establo. Habían trabajado mucho en el campo de calabazas, quitado plantas y puesto un montón de tierra y estiércol alrededor de cada tallo retorcido. Ruth se hallaba en la casa tratando de alimentar al corderito que no mamaba con un trapo y leche de soja.

—Le dije que llamara al veterinario —dijo Robert saltando por encima de la valla y llenándolos de polvo. Se quitó la gorra y se rascó la calva—. Pero debe pensarse que es el doctor Tulite.

Virgie se echó a reír agarrándole del hombro.

—¿Querrás decir el doctor Doolittle?

Robert se encogió de hombros.

—Como sea que se llame. Venga, os llevo a dar una vuelta.

Adam y Tyler lo siguieron, la luz anaranjada del atardecer ponía destellos de luz sobre sus cabezas, la de Adam refulgía. Tyler se reía, levantó los brazos para que la auparan y Adam y ella se apretujaron en el asiento mientras Robert arrancaba el tractor que inició su renqueante movimiento, dejando una estela doble de surcos en la tierra y risas mezcladas con cabellos al viento.

Virgie se subió a la valla y se sentó, sujetándose con los talones. Sacó un cigarrillo del bolsillo y lo encendió, arrugando la nariz mientras aspiraba el humo.

—Siéntate, tardarán un rato en volver.

Kate subió también, y se dio cuenta de que había estado haciendo más ejercicio que nunca en el último mes, tanto que su cuerpo había recuperado casi su forma de antes; apenas tenía tripa, los pechos ya no le pesaban tanto y tenía las piernas más firmes y delgadas que nunca. Eso se debía a lo mucho que habían trabajado en el campo, desde las cinco de la mañana, agachándose continuamente, limpiando y caminando. Se sentó, clavando también los talones sobre la tabla de madera y miró el tractor, aspirando el olor a polvo, a estiércol y a tierra húmeda.

—¿Bueno, y qué vas a hacer? —preguntó Virgie—. ¿Qué va a pasar con la niña?

Kate miró el polvo que levantaba el tractor y que se elevaba hasta el cielo.

—Nos vamos todas a casa mañana, Tyler, la niña y yo. El juez ha dicho que podemos volver con papá.

Virgie movió la cabeza.

—¡Qué suerte tienes, tía! Seguro que a Adam y a mí nos quedan años aquí.

Kate levantó la cabeza atenta al piar de los pájaros. Una docena de mirlos volaban en línea, girando en todas direcciones como una manguera tirada en el césped.

—Pues, por un lado no tengo ganas de volver a casa.

Virgie resopló.

—¿Estás loca? Tienes un buen rollito con una familia feliz. ¡Jo! ¿Qué más quieres?

—Pero era horrible. Quiero decir que antes no se me ocurría pensarlo, pero ahora no podría volver otra vez a lo mismo.

—¿Se lo has dicho a tu padre? —dijo Virgie—. Vamos, yo al mío no podría decirle nada, pero ¿tú lo has intentado?

Kate sacudió la cabeza, y empezó a dar taconazos al poste.

—La verdad es que no le he dicho gran cosa, todavía. No sé. A lo mejor se lo digo —contestó volviéndose a mirarla.

—Por lo que a mí respecta, nada como la familia para pasar miedo —dijo Virgie.

—Yo no tenía miedo cuando mamá vivía. No tenía ningún miedo —dijo Kate y luego intentó apartar el recuerdo de su madre en el comedor, abrazándose, acunándose a sí misma. Kate la había visto, escondida tras la puerta del salón, intentando encontrar el porqué de aquel gesto. Pero su madre seguía y seguía. Kate tenía en la boca un extraño regusto amargo que trepaba hasta sus ojos, intentando concretarse en lágrimas y gemidos. «¿Qué hago? —había pensado en aquel momento—. No sé cómo ayudarla.» Así que había retrocedido hacia la oscuridad, fuera del círculo de luz, y se había vuelto a meter en la cama, tapándose la cabeza con las mantas y respirando sin hacer ruido. Ahora, sin embargo, habría deseado poder correr hacia ella, soltar aquellos delgados brazos, abrazarse a su cuerpo, y tomarla con sus brazos, fuertes y sanos, para acariciarla y susurrarle: «No tengas miedo. No llores. Yo cuidaré de ti».

Pero eso no era lo que había hecho. Estaba demasiado asustada para ayudar a nadie.

Virgie la miró y al ver que el tractor volvía saltaron las dos de la valla mientras Tyler y Adam hacían lo mismo desde el asiento del vehículo.

—Mi consejo es que vuelvas a casa y estés alerta. Simplemente controla un poco las cosas. Y en cuanto algo empiece a ir mal, salta. Ponte como una fiera. No dejes que nadie te haga daño. Eso es lo que yo haría.

—¿Has vuelto a casa alguna vez y te has vuelto a marchar?

Virgie aceleró el paso, y se pasó las manos por el pelo, las raíces rubias empezaban a asomar.

—Sí. Una vez, hace unos cinco meses. Pasé un día, un jodido día. Pero lo mío no es la familia feliz con buen rollito, ¿vale? —se volvió hacia Kate y luego echó a correr hacia la casa.

—¿Qué pasa? —preguntó Tyler, que llegaba casi sin aliento, tirándole a Kate del brazo—. ¿Qué le pasa a Virgie?

—No sé. Estábamos hablando y de repente se ha disgustado —dijo ella saludando a Robert con la mano mientras se dirigía a la casa con Tyler y Adam.

Este suspiró y se metió las manos en los bolsillos.

—No te preocupes. Son cosas de Virgie —sonrió y empezó a tararear una canción que le recordó a Kate un toque de diana, o algo para despedirse, una canción para dar fuerza al sol en los cuerpos de las montañas, los océanos y las llanuras.

Mientas caminaban, en la quietud del cielo, con los pájaros ya callados y la luz casi extinguida, Kate miró a Adam y se preguntó si Tyler y ella volverían a verlo tras su partida del día siguiente, si volverían a ver alguna vez a Virgie. Se preguntó cómo era posible que la gente se encontrara y luego se tuviera que separar, cómo se decidía, cuáles eran los factores que seguían haciéndoles desear intentarlo una y otra vez, desesperados por conectar con otro, y entristecidos cuando aquello no funcionaba. Cómo sería con Sanjay y Deirdre, que llevaban la misma sangre, pero unas vidas tan alejadas, al menos de momento.

Tyler sonrió y se volvió hacia su hermana.

—Estoy muerta de hambre. ¿Qué crees que habrá hecho Ruth para cenar?

—¿Guisito de cordero? —soltó Adam y los tres se echaron a reír, unidos durante un instante por la risa y las palabras compartidas.

Era tarde. Kate desistió de seguir escribiendo a la tenue y amarillenta luz de la lámpara de mesa e intentó percibir los balidos y los mugidos del establo, imaginándose el calor de aquellos cuerpos apretados unos contra otros. Tyler dormía y su respiración suave y regular le recordaba a Kate la de Deirdre y cómo había aprendido en el último mes y medio a atender al sueño, a conocer su cadencia y sus ritmos, a reconocer el principio y el fin del sueño por la respiración.

Kate estaba escribiéndole una carta a Sanjay. Hasta ese momento le había escrito: «Querido Sanjay, continuamente pienso en el día en que viniste a buscar a Deirdre. Me figuro que pensarás que soy una mala persona por haberla tenido en casa, sin decírselo a nadie. Pero no quería hacerle daño a nadie. Siento lo que te ha pasado. Espero que sepas que yo no quería, en absoluto, que las cosas fueran así.

»Todo lo que puedo decirte es que tu niñita es del color del oro. Es la cosa más bonita del mundo y espero que algún día, puede que pronto, la conozcas y puedas entender que ha valido la pena. Yo así lo creo, a pesar de todo lo que nos ha pasado. Algún día espero que tú también lo veas así…»

Kate dejó de escribir, aunque podía haber puesto muchas más cosas; había muchas cosas que seguía sin tener claras. En la última visita al hogar de acogida de Deirdre, Kate se había enterado por Cynthia que habían conseguido sacar a Sanjay de la cárcel de Martínez porque su abogado se las había arreglado para que los cargos quedaran sólo en delito de abusos deshonestos. Kate lo repitió para sí un par de veces y las palabras se le clavaron como cuchillos: «No es eso lo que pasó», pensó. Pero ya estaba hecho, al menos de momento.

Kate se levantó, salió sin hacer ruido de la habitación y bajó a la cocina. Ruth se hallaba sentada a la mesa, con una taza en la mano.

—¿Oye, y tú cómo es que no estás durmiendo? Mañana es el gran día… —dijo levantándose a coger otra taza y volcando un poco de agua todavía caliente sobre la bolsita.

—No podía dormir. Supongo que estoy nerviosa —contestó ella cogiendo una galleta.

—¿Y quién no? Estás a punto de empezar una nueva vida —dijo Ruth, empujando la taza hacia ella y sonriendo mientras sus ojos azul brillante iluminaban su oscura tez—. ¡Cuando vuelvas a casa volverás a estudiar y serás mamá a tiempo completo!

Kate asintió, dando un sorbito al té.

—No puedo creerme que tenga que volver al instituto. Va a ser muy raro.

—Sí —dijo Ruth—, pero sólo al principio. Luego las cosas serán como siempre, clases, exámenes… Ya sabes, lo de siempre.

Kate respiró hondo y dejó la taza sobre la mesa. Adam y Tyler habían estado fregando los platos poco antes y todavía olía al producto de limpieza y del lavavajillas, un olor penetrante a limpieza que le invadía la nariz.

Sabes, Ruth, he estado pensando. Le he escrito una carta a Sanjay. Quiero decir que hay cosas que necesito decir. En la terapia me han dicho que tengo «asuntos pendientes», que no sé muy bien qué será... —Ruth asintió con la cabeza—. Me resultará rarísimo volver a casa y verlos a todos y todas las cosas. Papá y Cynthia me han adelantado algo. Como lo de que Sanjay está de acuerdo en hacerse cargo de la manutención de la niña. Pero ¿eso qué significa exactamente, tú lo sabes? ¿Cómo puedo preguntarle qué significa?

Ruth se quedó mirando al techo, siguiendo con la vista la luz que oscilaba levemente sobre la mesa. Kate no dejaba de mover los dedos, deshaciendo entre el pulgar y el índice las miguitas de Oreo que encontraba. Ruth chasqueó la lengua.

—Mira, Kate, no sé qué decirte. Desde luego no conozco a ese Sanjay, aparte de las cosas que he oído del juicio donde lo han dejado bastante mal, aunque no parece, por lo que oigo, que sea mala persona. Tú quieres que participe en la vida de Dee Dee, pero eso hay que hacerlo con mucho tiento por ambas partes. Ahora mismo no lo necesitas para nada en tu vida, ¿no? Y aunque todo se redujera a eso, tu padre se puede hacer cargo de ti, de Tyler y de la niña perfectamente.

Kate sacudió la cabeza y se preguntó si sería posible no relacionarse con Sanjay viviendo justo al lado. Meera y él oirían a Dee Dee cuando empezara a jugar en el jardín, y Jaggu y Ari sentirían curiosidad y mirarían entre las tablas de la valla para ver de dónde venían las risas. Kate se imaginaba perfectamente a los niños trepando por el laurel y gritándole: «¡Kate, mírame!». ¿Y qué iba a hacer ella entonces? ¿Cómo iba a presentarles a la niña? ¿Iba a decirles que era su hermana? ¿Cómo iba a mirarla Meera, si es que se dignaba a hacerlo?

—No sé cómo nos las vamos a arreglar. Va a ser muy extraño.

—Por qué quieres saberlo todo ya, Kate. Ese es el error que yo cometí cuando era joven. Intentar averiguarlo todo de golpe. Yo creía que las respuestas estaban a la vuelta de la esquina y que lo único que tenía que hacer era salir por ellas y derribarlas. —Ruth le dio una palmaditas en la mano—. Tendrás mucho, mucho tiempo para resolver todas estas cuestiones.

—Eso espero —dijo Kate, aunque en su fuero interno pensaba: «¿Lo tendré? ¿Estás segura? ¿Tú crees que mamá tuvo mucho tiempo?».

Ruth se levantó y Kate la acompañó para dejar su taza sobre la encimera. Kate suspiró

—Me encantaría poder mirar mi vida y verla perfecta.

Pero nada más decirlo, se dijo que si pudiera volver a aquella misma tarde a la escena del salón de los Chaturvedi, le diría a Sanjay: «¡No Sanjay, no quiero!». Sabía que sin ese día y los otros dos que estuvo en la cama de él, no habría venido Deirdre. Estarían sólo Tyler y ella en la casa, como antes, solas, y su padre seguiría pasando todas las noches fuera, como antes.

Pero allí estaban: allí estaba ella y, quién iba a figurárselo, ahora era madre, amante, hermana, hija…, una mujer. Era madre; todavía no podía creerse cómo se había abierto su cuerpo y había salido de él aquella criatura preciosa y llena de vida, su hija.

Y en ese mismo momento supo que iba a volver a su antigua e imperfecta vida, pero que ahora todo sería nuevo, diferente, y en algún sentido mejor que antes, una vida tan extraña y a la vez tan mágica que se le ponía un nudo de emoción en la garganta sólo de pensarlo.

Otros títulos publicados en

books4pocket
narrativa

Elizabeth Kostova
La historiadora

Dan Brown
El código da Vinci

Kevin Cashman
El despertar del milenio

Alan Furst
Reino de sombras

Robyn Sisman
Solamente amigos

Eric Bogosian
En el punto de mira

www.books4pocket.com